国家出版基金项目
NATIONAL PUBLICATION FOUNDATION

“十四五”国家重点出版物出版规划项目

长江大保护与高质量发展研究系列丛书

长江保护与绿色发展研究院
江苏长江保护与高质量发展研究基地 ◎ 组织编写

法治卷

LAW VOLUME

河海大学出版社
HOHAI UNIVERSITY PRESS
·南京·

图书在版编目(CIP)数据

长江大保护与高质量发展研究系列丛书. 法治卷 / 长江保护与绿色发展研究院，江苏长江保护与高质量发展研究基地组织编写. -- 南京 ：河海大学出版社，2024. 11. -- ISBN 978-7-5630-9552-0

Ⅰ. X321.25;F127.5

中国国家版本馆 CIP 数据核字第 2024HP1989 号

书　　名　长江大保护与高质量发展研究系列丛书. 法治卷
　　　　　CHANGJIANG DABAOHU YU GAOZHILIANG FAZHAN YANJIU XILIE CONGSHU. FAZHI JUAN
书　　号　ISBN 978-7-5630-9552-0
策划编辑　朱婵玲
责任编辑　沈　倩
特约校对　王春兰
装帧设计　林云松风
出版发行　河海大学出版社
地　　址　南京市西康路 1 号(邮编:210098)
电　　话　(025)83737852(总编室)
　　　　　(025)83722833(营销部)
经　　销　江苏省新华发行集团有限公司
排　　版　南京布克文化发展有限公司
印　　刷　南京工大印务有限公司
开　　本　787 毫米×1092 毫米　1/16
印　　张　14.5
字　　数　256 千字
版　　次　2024 年 11 月第 1 版
印　　次　2024 年 11 月第 1 次印刷
定　　价　76.00 元

《长江大保护与高质量发展研究系列丛书》编委会

总序

进入21世纪以来，中国经济已由高速增长阶段转向高质量发展阶段，正处于转变发展方式、优化经济结构、转换增长动力的攻关期，由粗放型增长向高质量、绿色增长转变成为实现可持续发展的必然选择。长江是中华民族的母亲河之一，横跨东、中、西部，联通南北，成为中华民族发展的重要支撑。推动长江经济带高质量发展是以习近平同志为核心的党中央作出的重大决策，是关系国家发展全局的重大战略。共抓长江大保护，构建长江新发展格局，推动长江经济带高质量发展，是国家经济社会发展的重要组成部分，是功在当代、惠泽长远的重大决策部署，对实现"两个一百年"奋斗目标、实现中华民族伟大复兴的中国梦具有重要意义。

2014年9月，国务院印发了《关于依托黄金水道推动长江经济带发展的指导意见》，将长江经济带发展上升为国家战略。2016年9月，《长江经济带发展规划纲要》正式印发，确立了"一轴两翼、三极、多点"的发展新格局。2016年1月，在重庆召开的推动长江经济带发展座谈会上，习近平总书记提出"共抓大保护、不搞大开发"的新理念。2017年10月，党的十九大报告又将"以共抓大保护、不搞大开发为导向推动长江经济带发展”纳入新时代实施区域协调发展战略的重要内容。2018 年 4 月，习近平总书记在武汉召开的深入推动长江经济带发展座谈会上强调，加强改革创新、战略统筹、规划引导，以长江经济带发展推动经济高质量发展。2020 年 11 月，习近平总书记在南京召开的全面推动长江经济带发展座谈会上进一步强调，要谱写生态优先绿色发展新篇章，打造区域协调发展新样板，构筑高水平对外开放新高地，塑造创新驱动发展新优势，绘就山水人城和谐相融新画卷，使长江经济带成为我国生态优先绿色发展主战场、畅通国内国际双循环主动脉、引领经济高质量发展主力军。2020 年 12 月，十三届全国人大常委会第二十四次会议表决通过《中华人民共和国长江保护法》，明确提出建立长江流域协调机制和区域协作机制，增强长江保护和发展的系统性、整体性、协同性，“共抓大保护、不搞大开发”正式写入我国法律。2021 年 11 月，《中共中央 国务院关于深入打好污染防治攻坚战的意见》印发实施，明确要求持续打好长江保护修复攻坚战，为新时期长江保护修复工作指明了方向。

围绕贯彻落实习近平总书记系列重要讲话精神和党中央、国务院关于推动长江经济带发展战略部署，2019 年 6 月，在教育部、水利部、江苏省、三峡集团的关心支持下，河海大学与南京水利科学研究院主动服务国家重大战略，发挥政产学研各方面优势，共同组建“长江保护与绿色发展研究院”。研究院聚焦国家重大战略需求，深度对接院所企业科技创新资源，整合优势创新力量，以保障长江水安全和补齐长江大保护领域重大问题短板为导向，以重大科技项目为引领，以高水平创新平台为支撑，通过建立共担科技项目、共建研发平台、共促成果转化、共用科技人才、共享科技资源，形成多元开放、优势互补、集成高效的融合发展新机制，建设一个从宏观战略到微观治理、从规划布局到技术实施、从商业模式到科技金融等全面综合的新型研究机构，为长江大保护和长江经济带发展提供有力的科技支撑和智力保障，为中国乃至全球大江大河治理保护提供智慧和方案。此外，河海大学充分发挥水利学科优势、经管文法多学科发展特色，主动融入和服务长江经济带发展，成立了江苏长江保护与高质量发展研究基地。该基地于2019年入选江苏省决策咨询研究基地，作为长江保护与绿色发展研究院的智库载体和平台，积极成为助力长江大保护和江苏长江经济带高质量发展的新型智库。

《长江大保护与高质量发展研究系列丛书》是由长江保护与绿色发展研究院、江苏长江保护与高质量发展研究基地推出的智库产品。丛书分为综合卷、经济卷、社会卷、生态卷、法治卷、政策卷和文化卷七部分，其中：综合卷系统梳理了长江经济带社会经济、科技创新和绿色低碳高质量发展总况、存在问题及对策建议；经济卷主要分析了长江经济带经济高质量发展的政策环境及面临的挑战，在对长江经济带经济发展质量进行测度评价的基础上，对典型地区的产业高质量发展实践进行了考察；社会卷立足于长江经济带生态文明建设过程中的社会形势，从社区生态文明建设、民间环保组织实践及环境政务建设三方面展开调查研究；生态卷基于长江流域生态健康评价，重点阐述了长江生态环境的现状与存在问题、长江流域生态环境保护的实践与成效以及长江流域生态环境的修复与治理对策；法治卷讨论了《中华人民共和国长江保护法》的制定背景与制度创新、法治困境及推动长江经济带高质量发展的法治建议，分析了长江大保护与高质量发展中的典型法治案例；政策卷重点介绍了长江保护政策的变迁历程、实施现状及地方探索，对长江水资源开发利用政策、水生态保护修复政策、产业绿色发展政策的实施效果进行了评价；文化卷阐述长江水利、移民、灌溉、抗洪、航运、桥梁文化的发展历程，以及长江文化的弘扬和传承之路。

呈现在读者眼前的这套丛书，是我们长江保护与高质量发展研究系列成果的一部分。我们期望这一系列的探索，能够为政府、企业、科研院所、高校的相关研究提供深入而系统的基础支持；能够成为观察长江经济社会发展新成就、新理论、新走向的重要理论高地；能够推动学界、市场与政策制定者们更加关注长江保护与绿色发展；能够为落实“长江大保护”国家战略提供智慧支持。

长江保护与绿色发展研究院（生态文明建设与流域保护研究院）
江苏长江保护与高质量发展研究基地

目录 CONTENTS

第一章　《长江保护法》的制定背景与过程 ………………………………… / 1

1.1　长江流域法律保护的现状 / 2

1.1.1　长江流域立法保护状况 / 2

1.1.2　长江流域执法实施状况 / 3

1.1.3　长江流域司法保障状况 / 4

1.2　《长江保护法》制定的必要性 / 5

1.2.1　现有法律保护规范较为滞后 / 6

1.2.2　长江流域法律保护的效果不佳 / 7

1.2.3　域外流域保护的法律发展 / 8

1.3　《长江保护法》的制定过程 / 9

1.3.1　《长江保护法》的立法思路不同 / 9

1.3.2　《长江保护法》的立法目的转变 / 11

1.3.3　《长江保护法》的立法审议过程 / 12

第二章　《长江保护法》的重要意义 ………………………………………… / 15

2.1　《长江保护法》对流域立法的理念转变 / 16

2.1.1　从政策创新转向法治创新 / 16

2.1.2　从还原主义转向整体主义 / 17

2.1.3　从后果控制转向风险预防 / 18

2.2　《长江保护法》对流域立法的法理探析 / 19

2.2.1 厘清长江保护的法律概念 / 20
2.2.2 准确界定流域法律属性 / 21
2.2.3 探寻流域空间治理逻辑 / 22
2.3 《长江保护法》对流域立法的法理夯实 / 23
2.3.1 流域立法基本原则的确立 / 23
2.3.2 流域立法的基本功能指向 / 24
2.3.3 流域立法的制度体系形成 / 26
第三章 《长江保护法》重点内容解读 …………………………………… / 29
3.1 《长江保护法》对资源保护的规定 / 30
3.1.1 对资源保护的立法追求 / 30
3.1.2 对水资源保护的规定 / 32
3.1.3 对水源地保护的规定 / 34
3.1.4 对自然保护地体系建设的规定 / 35
3.1.5 对其他资源保护的规定 / 37
3.2 《长江保护法》对水污染防治的规定 / 40
3.2.1 对水环境质量和污染物排放标准的规定 / 41
3.2.2 对水污染控制的规定 / 43
3.2.3 对各类水污染处理的规定 / 44
3.2.4 对水污染责任保险和财务担保的规定 / 45
3.3 《长江保护法》对生态环境修复的规定 / 46
3.3.1 确立长江生态环境修复的体系架构 / 46
3.3.2 明确生态环境修复各级主体与职责内容 / 48
3.3.3 制定恢复流域生物多样性的一体化措施 / 50
3.3.4 完善河湖水系连通修复方案的制定与实施 / 53
3.3.5 健全重点区域和典型生态系统修复机制 / 55
第四章 管理体制机制与法律制度创新 ………………………………… / 59
4.1 以往长江流域管理体制的不足 / 60
4.2 《长江保护法》对体制机制的创新 / 62
第五章 绿色发展法律制度创新 ………………………………………… / 69
5.1 绿色发展成为长江保护的重要目标 / 70

5.2 《长江保护法》对绿色发展的具体措施规定 / 71
5.2.1 《长江保护法》对绿色发展的法条解读 / 71
5.2.2 《长江保护法》中绿色发展的亮点 / 74
第六章 生态环境修复法律制度的创新 …………………………… / 79
6.1 流域休养生息法律制度创新 / 80
6.1.1 《长江保护法》出台前长江流域生态环境不容乐观 / 80
6.1.2 推进流域休养生息成为长江流域生态修复的重要目标 / 81
6.1.3 《长江保护法》对流域休养生息的具体措施规定解读 / 83
6.2 长江资源保护法律制度创新 / 87
6.2.1 构建自然资源标准体系 / 88
6.2.2 自然资源状况调查与监测制度 / 89
6.2.3 自然资源执法信息共享机制 / 90
6.3 污染防治措施法律制度创新 / 91
6.3.1 创新水环境质量标准的制定制度 / 91
6.3.2 创新水污染物排放标准的制定制度 / 93
6.3.3 首创总磷总量控制法律制度 / 94
6.3.4 创制长江流域危险货物运输船舶污染风险分担机制 / 96
6.4 生态保护补偿法律制度的创新 / 97
6.4.1 建立生态保护综合补偿制度 / 97
6.4.2 健全生态保护分类补偿制度 / 99
6.4.3 发展生态保护多元化补偿方式 / 100
第七章 对违法行为处罚制度的创新…………………………… / 103
7.1 处罚的积极效应 / 104
7.2 《长江保护法》对处罚力度的加大 / 105
第八章 长江流域协调机制法律制度的完善…………………………… / 109
8.1 长江流域协调机制面临的难题 / 110
8.2 完善长江流域协调机制的具体建议 / 111
第九章 长江绿色发展法律制度的实施…………………………… / 117
9.1 长江绿色发展措施中存在的问题 / 118
9.1.1 在法律衔接层面的漏洞 / 118

9.1.2 缺少推进绿色转型的激励机制 / 119
9.1.3 不同地区之间的跨区域协作匮乏 / 120
9.1.4 长江绿色发展缺少相应的法律责任 / 122
9.2 完善长江绿色发展的具体建议 / 123
第十章 生态环境修复法律制度的实施……………………………………… / 129
10.1 生态环境修复法律制度实施中存在的问题 / 130
10.1.1 资源保护法律制度实施中存在的问题 / 130
10.1.2 污染防治措施法律制度实施中存在的问题 / 132
10.1.3 生态环境修复实施中存在的问题 / 137
10.2 完善生态环境修复法律制度实施的具体建议 / 140
10.2.1 资源保护法律制度实施的建议 / 140
10.2.2 水污染防治中存在问题的策略建议 / 144
10.2.3 生态环境修复实施问题的策略建议 / 147
第十一章 实施的保障与监督法律制度完善……………………………… / 153
11.1 多元保障体系助力《长江保护法》充分实施 / 154
11.2 密织监督之网为《长江保护法》实施保驾护航 / 157
11.3 完善配套措施 / 160
11.3.1 加强《长江保护法》的宣传 / 160
11.3.2 提高执法人员素质 / 161
11.3.3 完善长江保护政绩考核体系 / 162
11.3.4 加强公众参与 / 164
第十二章 非法捕捞水产品案例……………………………………………… / 167
12.1 刘某弟非法捕捞案 / 168
12.2 姚某非法捕捞野生鱼案 / 173
12.3 张某辉非法捕捞水产品案 / 175
第十三章 环境污染案例……………………………………………………… / 179
13.1 某化工有限公司超标排放污染物案 / 180
13.2 铜梁区政府关于涪江饮用水源保护区环境整治案 / 184
13.3 某环境研究所生态保护案 / 187

第十四章　非法捕猎野生动物案例……………………………………… / 195
14.1　浦某等非法猎捕、杀害珍贵濒危野生动物案 / 196
14.2　申某胜非法捕获野生动物案 / 200
第十五章　非法采矿案例……………………………………………… / 205
15.1　王某林非法采矿案 / 206
15.2　马某东非法开采砂石案 / 210
15.3　刘某桂非法采砂案 / 211
后记………………………………………………………………………… / 215

01

第一章

《长江保护法》的制定背景与过程

随着长江经济带发展战略的实施，长江流域的法律保护问题也愈发尖锐，从立法、执法及司法层面来看，长江流域的法律保护明显不足，表现为法律规范较为滞后、法律实施效果不佳。结合域外流域立法的经验来看，我国对“是否应当为长江立法、为长江立一部怎样的法、如何才能立好法”等问题在整体上已达成共识。但流域立法要区别于传统部门法，从立法思路的争议，到立法目的研究，再到立法审议过程，《中华人民共和国长江保护法》(以下简称《长江保护法》)的制定经历了漫长的过程。

1.1 长江流域法律保护的现状

建立长江保护与绿色发展的长效机制，需要以健全的法律体系为基础，因此，《长江保护法》的制定与实施是长江流域保护的全新起点。为全面掌握《长江保护法》制定与实施的情况，应首先探析长江流域的法律保护现状。

1.1.1 长江流域立法保护状况

在《长江保护法》制定实施之前，我国关于长江流域保护的法律法规不在少数，主要是污染防治类立法，例如《中华人民共和国防洪法》(以下简称《防洪法》)、《中华人民共和国水污染防治法》(以下简称《水污染防治法》)、《中华人民共和国大气污染防治法》(以下简称《大气污染防治法》)、《中华人民共和国土壤污染防治法》(以下简称《土壤污染防治法》)等；自然资源保护类立法，例如《中华人民共和国水土保持法》(以下简称《水土保持法》)、《中华人民共和国水法》(以下简称《水法》)、《中华人民共和国渔业法》(以下简称《渔业法》)等；生态保护类立法，例如《中华人民共和国野生动物保护法》(以下简称《野生动物保护法》)、《中华人民共和国野生植物保护条例》(以下简称《野生植物保护条例》)等。这些法律法规共同构成了我国长江流域保护的法律体系。

众所周知，长江流域横跨中国东部、中部和西部三大经济区，流经19个省、自治区、直辖市，其中地方立法同样发挥了重要作用。长江干流的地方性立法主要有三种：一是地方人大及其常委会制定的地方性法规，例如《江苏省长江水污染防治条例》《四川省长江水源涵养保护条例》《重庆市长江防护林体系管理条例》等；二是地方政府出台的政府规章，例如《上海市长江口中华鲟自然保护区管理办法》《南京市长江岸线保护办法》《湖北省长江河道采砂管理实施办法》等；三是地方政府发布的其他规范性文件，例如《泰州市土壤污染防治工作方案》《镇江市土壤污染防治工作方案》《扬州市土壤污染防治工作方案》等。除了长江干流的地方立法，沿江地区针对长江一、二级支流及重要江河湖泊等区域的地方立法也发挥了重要作用，例如《湖北省水污染防治条例》《湖北省汉江流域水污染防治条例》《湖北省清江流域水生态环境保护条例》等，尽管这些地方性法规并非直接以长江流域为保护对象，但这些区域的环境保护与长江流域的水环境质量密切相关。

整体而言，我国长江保护立法主要呈现以下三个特征。第一，与国家的政策推动紧密相关。党的十九大报告指出，“建设生态文明是中华民族永续发展的千年大计”①。随着生态文明建设理念的践行，国务院多个部委出台了相关政策性文件，例如水利部、交通运输部联合发布的《水利部、交通运输部关于长江河道采砂管理实行砂石采运管理单制度的通知》（水河湖〔2019〕64号）、自然资源部印发的《长江经济带废弃露天矿山生态修复工作方案》、国家发展和改革委员会修订的《长江经济带绿色发展专项中央预算内投资管理暂行办法》等，这些政策性文件都影响着我国流域生态环境保护法律法规的制定与完善。第二，长江保护立法多以单要素为单位展开。不论是环境保护法律还是地方性法规，从名称可知，它们对长江流域的保护主要是针对单项要素进行的立法，其核心是保护水体不受污染和破坏。第三，长江保护法律与地方性立法之间所遵循的体例大致相同。以《水污染防治法》为例，地方关于水污染防治的立法规定大多遵循了总则、规划与监督管理、饮用水水源保护、水污染防治、法律责任和附则的基本形式，设置的相关制度基本涵盖环境影响评价、环境规划、目标责任制、环境标准、信息公开与公众参与、水质监测、应急处置、总量控制等。

1.1.2 长江流域执法实施状况

长江流域保护离不开行政执法的实施与保障，主要涉及流域水环境行政执法的组织体系、执法队伍与机制体制、执法专项行动等多方面。

第一，执法组织体系的优化。2017年，中央全面深化改革领导小组第三十二次会议审议通过《按流域设置环境监管和行政执法机构试点方案》，强调按流域设置环境监管和行政执法机构，按照监管与执行相互制约的权力配置原则，地方政府须作为治理实施主体，流域环境监管和行政执法机构代表国家或

---

① 习近平.决胜全面建成小康社会 夺取新时代中国特色社会主义伟大胜利——在中国共产党第十九次全国代表大会上的报告[M].北京：人民出版社，2017：23.

省(自治区、直辖市)监督指导、统筹协调流域内地方政府。

第二,执法队伍与机制体制建设。为提升执法能力和形象,各地均不断规范水政监察队伍建设,通过相应的培训制度、管理制度等,如《江苏省水政监察员学习培训制度》《江苏省水政监察装备配置及使用管理制度》《江苏省水政监察证件管理制度》,以加强执法队伍的日常培训、装备配备和管理。不仅如此,各地纷纷出台相关规范性文件,如《江苏省水利厅行政执法投诉处理规定》《江苏省水行政执法监督检查办法》《江苏省水行政执法案卷评查制度》《江苏省水行政执法评议考核办法》等,以健全水行政执法监督体系。除此之外,水利部长江水利委员会还进一步简化行政许可事项、完善许可配套制度、健全许可项目专家评审制度等,从而优化行政权能。

第三,执法专项行动。2020 年是长江流域实施阶段性禁渔期制度的最后一年,为贯彻习近平总书记等中央领导同志关于长江禁捕工作的重要批示指示精神,落实《国务院办公厅关于加强长江水生生物保护工作的意见》(国办发〔2018〕95 号),各部委纷纷开展专项执法活动,统筹推进长江流域水生生物保护区禁捕和禁渔期执法监管工作,有效保护水生生物资源和水域生态安全,如农业农村部开展“长江流域打击非法捕捞专项执法行动”,水利部开展“长江流域非法矮围专项整治”等。同时,长江流域各省市积极落实中央部署,通过执法专项行动加强对长江流域的保护,例如河湖“三乱”专项整治、长江经济带固体废物清理整治、长江干流岸线利用项目清理整治工作、长江河道采砂专项整治、长江经济带生产建设项目水土保持监督执法专项行动等。

1.1.3　长江流域司法保障状况

早在 2016 年、2017 年,最高人民法院分别发布《关于为长江经济带发展提供司法服务和保障的意见》(法发〔2016〕8 号)、《关于全面加强长江流域生态文明建设与绿色发展司法保障的意见》(法发〔2017〕30 号),就加强长江流域生态环境司法保护作出部署和安排。

从机构设置方面来看,我国各地纷纷探索建立流域环境资源法庭,跨区域管辖环境资源案件。截至 2019 年底,全国共有环境资源专门审判机构 1 353 个,其中环境资源审判庭 513 个,合议庭 749 个,人民法庭 91 个。[①] 不仅如此,各地也纷纷探索制定环境资源案件“三审合一”或“四审合一”集中审判机制,推动环境资源案件审判的专门化。从实施机制方面来看,各地环境司法也在

① 参见最高人民法院《中国环境资源审判(2019)》。

探索多种提升环境资源审判专业化能力的机制：设立生态环境资源审判专家库，以专家辅助人身份出庭作证，根据法院授权调查与取证，组织当事人协商调解，依法担任人民陪审员；建立高校战略合作机制，充分发挥高校专家资源丰富的优势，例如河海大学与江苏省高级人民法院签订合作框架协议，在环境法学、环境工程、生态科技、自然资源、动植物保护等各方面为环境资源审判提供理论依据和技术支撑，帮助法院解决法律和技术难题，提升环境资源审判专业化水平；建立生态环境修复司法基地，巩固环境司法执行的修复效果，例如南京环境资源审判长江新济洲研究修复基地，北固山环境司法执行基地，灌河流域环境资源审判巡回法庭司法执行基地，丹阳生态环境修复基地，洪泽湖、白马湖生态资源司法保护示范基地和生态资源修复示范基地等 10 个修复基地。从案件审理规则方面来看，司法机关结合生态环境案件的特殊性，通过制定相关的司法解释进一步规范案件审理程序：例如 2018 年最高人民法院、最高人民检察院联合发布《关于检察公益诉讼案件适用法律若干问题的解释》(2020 年修正)，2019 年最高人民法院公布《最高人民法院关于审理生态环境损害赔偿案件的若干规定(试行)》(2020 年修正)等，明确了环境公益诉讼案件的审理规则。不仅如此，地方法院也纷纷探索专门的环境案件审理规则，例如江苏省高级人民法院于 2018 年发布《关于生态环境损害赔偿诉讼案件的审理指南(一)》《关于环境污染刑事案件的审理指南(一)》等，以统一裁判标准和尺度。除此之外，为加强长江流域保护的力度，最高人民法院、最高人民检察院、公安部、农业农村部于 2020 年联合印发《依法惩治长江流域非法捕捞等违法犯罪的意见》，要求准确适用法律，依法严惩非法捕捞等危害水生生物资源的各类违法犯罪。2021 年，最高人民法院发布《关于贯彻〈中华人民共和国长江保护法〉的实施意见》，明确要求落实最严格制度、最严密法治，将"严"的基调贯彻到《长江保护法》适用的全过程、各方面，严惩重处长江流域生态环境违法犯罪行为。

1.2 《长江保护法》制定的必要性

2018 年 9 月 7 日，全国人大常委会发布了十三届全国人大常委会立法规划，其中明确将《长江保护法》纳入第一类项目提请审议。经过多年探索，长江保护立法势在必行，其是对现有法律规范体系的统筹与完善，也是对长江保护现状的关注和强调，更是对域外流域保护实践的经验提炼。

1.2.1 现有法律保护规范较为滞后

长江流域作为我国水资源配置的战略水源地、重要的清洁能源战略基地、珍稀水生生物的天然宝库，在我国生态环境保护中占有十分重要的战略地位。2018 年 4 月 26 日，习近平总书记在深入推动长江经济带发展座谈会上的讲话中指出："我讲过'长江病了'，而且病得还不轻。治好'长江病'，要科学运用中医整体观，追根溯源、诊断病因、找准病根、分类施策、系统治疗。这要作为长江经济带共抓大保护、不搞大开发的先手棋。"①面对长江流域环境污染和生态破坏的问题，就需要从源头上系统开展生态环境修复和制定保护方案，从不同层面抓住关键环节突破保护难点，遵循流域环境的自然规律和功能定位，实现长江流域的系统化环境治理。

《长江保护法》的制定并不意味着我国原来没有适用于长江流域保护的法律法规。从法律层面来看，《水法》《水污染防治法》《防洪法》《水土保持法》等均涉及流域水生态环境保护；从行政法规层面来看，《长江河道采砂管理条例》《太湖流域管理条例》等提供了管理方案；从部门规章层面来看，《长江流域大型开发建设项目水土保持监督检查办法》《长江流域省际水事纠纷预防和处理实施办法》等确立了水资源开发利用与保护的制度。众所周知，长江流域的各个环境要素之间相互影响与制约，涉及大气、水、土壤、动植物等。即便有《水法》或流域区域性立法等奠定了长江流域法律体系的基础，但在"全国性水法规—流域性水法规—地方性水法规"三个层面的水法规体系中，流域水管理层次最乏力，流域性水法规最薄弱，与加强流域管理的客观要求特别是长江流域管理的现实要求极不适应。经统计，涉及长江流域管理的事权分布，中央层面分属 15 个部委、76 项职权，地方分属 19 个省级政府、100 多项职权，这就使得长江流域管理体制上呈现出条块分割、部门分割的情形，流域管理手段较为缺乏，水资源市场配置和公众参与机制等存在不足。

不仅如此，我国长江流域立法整体上已落后于"政策创新"。2016 年以来，推动长江经济带发展领导小组办公室会同国务院有关部门、沿江省市做了大量工作，在强化顶层设计、改善生态环境、促进转型发展、探索体制机制改革等方面取得了积极进展。例如，2016 年 9 月中共中央、国务院印发《长江经济带发展规划纲要》，2017 年 7 月环境保护部（现生态环境部）等三部委印发《长江

① 习近平. 在深入推动长江经济带发展座谈会上的讲话[EB/OL].（2018-06-14）[2021-12-15]. http://politics.people.com.cn/n1/2018/0614/c1001—30055965.html.

经济带生态环境保护规划》,2017 年 6 月工业和信息化部等五部委出台《关于加强长江经济带工业绿色发展的指导意见》等,这些指导性文件从总体上体现绿色发展,为生态环境保护制定具体的规划路线图,并制定政策支撑点。顶层设计已促使制度体系基本成型,但长江保护法治进程仍然滞后。[①] 因此,有必要全面规范和调整长江流域管理中的各种水事行为和水事关系,系统解决长江流域统一管理中的诸多特殊矛盾和问题。综上,《长江保护法》的制定十分有必要。

1.2.2 长江流域法律保护的效果不佳

从污染防控方面而言,长江流域的污染问题较为突出。随着大规模港口口岸的开发和工业园区的建立,环境污染治理的投资未能跟上对流域的损耗,致使 30 万平方千米水土流失土地、1 亿多亩[②]坡耕地、4 000 多条泥石流沟及数万个崩岗未实现有效治理,其中,仅贵州水土流失面积就高达 7.3 万平方千米。长江上游流域作为长江经济带水系的源头,地处内陆,水环境容量有限,其干流和支流均存在不同程度的污染问题。长江中下游作为我国重要的商品粮生产基地,粗放经营方式导致农业面源污染严重,沿线农村生活污染物排放量大,饮用水安全保障压力大。不仅是长江流域,与长江流域相连接的湖泊同样面临着富营养化、局部水域污染严重的情形。

从管理体制机制而言,长江流域沿线省市的管理体制机制存在壁垒。首先,省域间的法规、标准等不一致。各个地方在制定环境保护目标时通常是与本地区的环境标准、治理能力等要素相结合,这使得各项规范因地域不同而出现不一致的情形。其次,流域沿线的联防联控机制尚未形成。上下游城市之间、农村区域之间环境污染存在传导性,虽然水环境保护与治理推行了河长制、湖长制,但在流域发生重大水灾或者旱灾时,上下游协同联动机制仍有待完善。最后,流域沿线的省市区域之间的利益难以调和。地区之间、行业之间因经济社会发展之需要,对环境治理的动力必然不同,不同的流域管理制度都关系到地区之间与行业之间的利益,而这也是长江流域环境治理的难题所在。

从市场运行层面而言,众多长江流域生态环境保护机制尚未完全建立。

---

① 习近平. 在深入推动长江经济带发展座谈会上的讲话[EB/OL]. (2019-08-31)[2020-08-10]. http://www.xinhuanet.com/politics/leaders/2019-08/31/c_1124945382.htm

② 亩:面积单位,1 亩≈666.67 平方米。

面对严峻的生态环境状况，国家提出建立生态环境多元化补偿机制，但由于排污权与碳汇交易机制不健全，特别是经济欠发达地区及农村生态环保市场化机制不健全，企业及用户排污权购买能力不足或者购买不充分，导致生态环境治理的动力不足。除此之外，在水资源、污水处理等主导性生态环境领域，相应的绿色生态产品购买与服务评价机制、排污权交易及其对应的监管机制等都面临着机制标准、条件、监管等规则不明确问题，有待进一步完善。

长江流域环境保护与治理是一项浩大的任务，即便我国有多部法律法规加以规制和保护，长江流域的环境问题仍然十分突出，近些年来更是已经恶化至影响人们生产生活的地步。当前，我国长江流域所面临的众多难题，反映了我国法律保护的实施效果不佳。若要解决这些难题，则有必要通过长江保护专门立法实现对长江流域环境治理难题的突破。

1.2.3 域外流域保护的法律发展

随着最初的洪水防控、水权分配等事务逐步扩大到跨流域调水、修建水库等多种活动，我国流域管理的方式也在不断发生变化，当以流域作为水资源管理单元的形式出现时，流域立法的方式便逐步产生。结合美国、欧盟等流域立法较为成熟的国家和国际组织的经验，现代流域立法的实践主要在两个层面展开。

一是普遍性流域立法，即用流域管理的理念，改造与环境保护或水相关的国家或地方立法，建立起流域管理的理念和框架性规范。比较典型的是欧盟国家，莱茵河和多瑙河从19世纪就成立了航行委员会，一些渔业条约也建立了管理机构，但调整方式往往为制定行为规范供各类主体自主遵守，仍然较为分散。2000年颁布的《欧盟水框架指令》在欧盟层面上实现了普遍性流域立法的统一。

二是为某一特定流域制定的流域特别立法。美国田纳西河流域是综合性流域特别立法的典型代表，因19世纪的不合理开发利用，1933年，美国国会通过《田纳西河流域管理局法》，成立了具有政府权力的机构——田纳西河流域管理局董事会，以及具有咨询性质的机构——地区资源管理理事会。1959年，《田纳西河流域管理局收益债券法》生效，赋予田纳西河流域管理局发行债券的权力，专门用于发展流域电力项目。除此之外，美国还存在着大量的流域州际协议。这类州际协议主要用于纠纷处理和流域中的水权划分，具体分为西部模式和东部模式。西部模式是以科罗拉多河协议和格兰德河协议为代表，采取限额分配方式限制各个州所能利用的水量。东部模式则以特拉华河流域协议和萨斯奎汉纳河流域协议为代表，建立了州际流域管理机构，通过机构代表组成的协议委员会对具体取水用水行为加以规制，甚至还规定了水污染排放的区域标准。还有一种模式是州际统一标准模式，即制定共同遵守的最低标准，并由各州自行实施标准，而该最低标准则由各个州共同协商制定。

值得一提的是，域外关于流域管理机构的设置也存在多种形式，随着流域管理理念的变迁，机构的职责也在不断变化。最初的流域管理机构比较单一，通常仅限于管理水流，控制航行、渔业、洪水等，如英国最初负责管理土地排水的排水沟监管会、欧洲的航海委员会。① 随后出现了田纳西河流域管理局这类管理集中的机构，其职权范围远超水资源管理，同时，也出现了一系列具有咨询权的流域机构。由于流域环境问题的频发，许多委员会从单一职能(水道管理、渔业管理、发电管理等)扩展到较为全面的流域管理职责。例如美国-加拿大国际联合委员会最初只具备水域管辖权，后因环境恶化而基于《美国加拿大间大湖区水质协议》②获得了额外的权力和责任。总之，从国际到国内都有不同形式的流域管理机构，这些流域管理机构探索创新的流域管理办法，取得了不错的成效。

1.3 《长江保护法》的制定过程

《长江保护法》的制定从最初关于立法思路的探讨开始就存在着众多理论争议，通过与现有环境法律的比较分析，《长江保护法》的立法目的有其特殊性，这种特殊的立法目的经过一次次立法审议和修订，最终呈现在《长江保护法》中。

1.3.1 《长江保护法》的立法思路不同

习近平总书记指出："人民群众对立法的期盼，已经不是有没有，而是好不好、管用不管用、能不能解决实际问题；不是什么法都能治国，不是什么法都能治好国；越是强调法治，越是要提高立法质量。"③因而，《长江保护法》的制定已

---

① TECLAFF L A. Fiat or custom: the checkered development of international water law[J]. Natural resources journal, 1991, 31(1): 47-53.

② 参见 https://www.epa.gov/glwqa.

③ 中共中央文献研究室. 习近平关于全面依法治国论述摘编[M]. 北京：中央文献出版社，2015：43.

成为我国长江流域法律保护的发展方向，不同课题组均以专家建议稿的方式提出了《长江保护法》的草案建议稿。

关于《长江保护法》的立法制定，存在众多争议。其一，《长江保护法》的立法模式。针对流域复杂的生态系统、社会文化系统，长江保护立法的模式是前提条件，其中涉及如何实现流域保护的法律协调、如何加强流域立法的多元化调整手段的衔接、如何处理好公法与私法手段的关系、如何将政策有效性与法律规范性相统一等。只有从长江流域的整体性保护出发，实现立法理念与方式的转变，区别于传统立法的模式，方能解决长江流域保护的各个冲突问题。

其二，《长江保护法》的性质定位。《长江保护法》旨在保护长江流域，但如何在我国已有的法律规范体系中定位《长江保护法》至关重要，这关系到与长江经济带有关的各种利益的博弈与协调，以及对各种利益的判断与选择采取何种价值判断标准。一方面，《长江保护法》的制定必然涉及《长江保护法》与《水法》《水污染防治法》等法律规范的关系，尤其是在我国环境法治的急剧转型阶段，我国许多法律规范都在不断修改和调整，《长江保护法》的制定必然要处理好其与同级相关立法的关系，避免冲突。另一方面，长江流域所经省市区各个地方均制定了大量与长江保护相关的地方性立法，如“河长制”“五水共治”等制度创新，特别是地方立法权进一步扩张，其中城乡规划、环境保护等内容都成为地方立法的重心。《长江保护法》必须处理好与流域内下位立法的关系。这决定了《长江保护法》绝对不是将各种长江保护的政治、经济、技术及管理等手段简单拼凑融合在一起，而是要遵循长江流域的整体性规律，实现长江流域保护的系统化。

其三，《长江保护法》的客体识别。《中华人民共和国环境保护法》(以下简称《环境保护法》)对环境采用概括加列举的方式作出了相对具体的规定①，而环境法保护的客体所指向的环境内容也在不断扩大，从环境容量到自然资源，再到生态系统。那么，在长江保护立法中，是否将所有的环境要素纳入“长江保护”的客体范畴以及以怎样的形式纳入立法中都是值得思考的问题。② 人类的环境问题不是如同人们所理解的仅指环境要素，而是“一个当前人类的社会

---

① 《中华人民共和国环境保护法》第二条：本法所称环境，是指影响人类生存和发展的各种天然的和经过人工改造的自然因素的总体，包括大气、水、海洋、土地、矿藏、森林、草原、湿地、野生生物、自然遗迹、人文遗迹、自然保护区、风景名胜区、城市和乡村等。

② 柯坚，琪若娜.“长江保护”的客体识别——从环境要素保护到生态系统保护的立法功能递进[J].南京工业大学学报(社会科学版)，2020，19(5)：1-9+115.

经济发展方向和发展模式与地球的生命支持能力相悖的问题”[①]。这就需要对长江保护的客体加以识别，改善长江保护立法的功能，实现长江保护立法的功能递进。同样，《长江保护法》的客体识别能够体现长江保护立法的价值功能，也决定了该部法律的制定方向。

1.3.2 《长江保护法》的立法目的转变

目的是全部法律的创造者，每条法律规则的产生都源自一种目的。[②]《长江保护法》的立法目的是长江保护立法中首要探讨和研究的前提性问题。在《长江保护法》的制定过程中，立法目的就出现了不同的思路和选择。

立法目的分为阐明立法基本价值理念的价值性目的和阐明立法具体任务的工具性目的两种。[③] 我国多数环境法律的立法目的包含了保护与改善环境、防治污染、保障公众健康、推进生态文明建设、促进经济社会可持续发展等内容。例如《水法》关注水资源合理开发利用与保护，《水污染防治法》以水污染防治为目标等。但即便有相对应的法律涵盖到流域保护，流域生态环境的整体观之缺失、部门行政权力分割的体制格局仍是造成我国水污染防治、水资源保护、水生态保护不足的内在原因。就《长江保护法》而言，既涉及中央事权与地方事权的划分，又涉及生态环境、自然资源、水利、农业农村、交通运输等众多职能部门的职责划分；既涉及城乡发展、产业规划、经济区划与布局等众多事项的调整，又涉及山水林田湖草等多种环境要素。[④] 由此可见，若是《长江保护法》继续按照现有法律规范的立法目的，则无法解决流域空间上不同区域存在的环境、资源、生态的差异性问题，因此需要寻找一种统筹全流域各地区不同利益诉求的立法价值，即在可持续发展、生态文明建设的价值性目标之上确立一种能够实现近期流域治理的工具性目标。

结合当前长江流域的生态环境紧迫状况，《长江保护法》的制定应当统筹考虑开发利用和保护的关系，把生态修复放在压倒性的位置，真正贯彻“共抓大保护、不搞大开发”的要求，在立法原则上强调“保护优先”，寻求长江经济带

---

① 王曦. 国际环境法[M]. 北京：法律出版社，1998：9.

② 博登海默. 法理学：法律哲学与法律方法[M]. 邓正来，译. 北京：中国政法大学出版社，2004：115.

③ 李挚萍. 环境基本法立法目的探究[J]. 中山大学学报（社会科学版），2008，48(6)：170-177+204-205.

④ 柯坚，王敏. 论《长江保护法》立法目的之创设——以水安全价值为切入点[J]. 华中师范大学学报（人文社会科学版），2019，58(6)：87-94.

开发利用与生态保护间的平衡，这就要求通过对长江专门立法，充分体现安全、公平、可持续发展的价值目标。其中，从满足人类生存、经济社会发展、自然生态等角度出发，安全应当是《长江保护法》立法的基础价值，因为只有在保障流域生态安全的基础上，再通过对不同区域的不同活动加以公平合理的资源配置，才能够实现长江流域的可持续发展。因此，专家建议稿的立法目的分为三个层次:第一，以“优化流域国土空间开发格局、强化用途管制”为直接立法目的;第二，考虑到长江流域以水为核心的国土空间单元，核心仍然在水，因此应确立以“三水共治”为具体立法目的，涉及“合理保护、开发、利用和节约流域水资源，保障流域水安全，改善流域水环境质量”三个方面;第三，鉴于长江流域对长江经济带发展战略乃至整个中华民族的突出重要意义，立法终极目的必然在于“推进长江经济带科学发展、有序发展、高质量发展，保障中华民族的永续发展”。

1.3.3 《长江保护法》的立法审议过程

《长江保护法》经历了数次立法审议和修订的过程。全国人大常委会坚决贯彻习近平总书记指示精神和党中央战略部署，将《长江保护法》列入 2018 年的十三届全国人大常委会立法规划和 2019 年全国人大常委会立法工作计划，交由全国人大环境与资源保护委员会(以下简称环资委)牵头起草并提请审议，其中，重点说明了制定《长江保护法》的重要性与紧迫性，明确了立法工作的指导思想、原则和起草过程，阐述了草案的主要内容，并就立法定位、长江流域协调机制、国土空间规划及生物完整性指数进行重点说明。2019 年 10 月 26 日，经环资委第二十次全体会议审议通过《长江保护法(草案)》。

2020 年 9 月 29 日，宪法和法律委员会对《长江保护法(草案)》进行了二次审议，并将修改情况向全国人大常委会进行汇报，审议内容主要涉及:第一，对草案有关水资源保护、水污染防治、水生态治理的内容和结构进行适当调整;第二，在立法目的的规定中增加“保障生态安全”“实现人与自然和谐共生、中华民族永续发展”的内容;第三，对《长江保护法》调整的活动和行为采取概括性规定;第四，对长江流域协调机制和该机制的主要职责作了规定;第五，充实长江流域规划体系相关内容;第六，对长江源头保护、防洪、发挥黄金水道作用作出规定;第七，加强《长江保护法》与长江禁渔和加强执法等规定之间的衔接;第八，充实、完善长江流域生态环境保护相关内容;第九，充实、完善有关长江保护的保障支持和监督措施;第十，加大对违法行为的处罚力度，并做好与有关法律的衔接。

2020年12月11日，宪法和法律委员会对《长江保护法（草案）》进行了第三次审议，并提出相应修改意见：第一，增加长江流域区域协同立法、执法的规定；第二，增加加强长江流域防灾减灾体系建设的内容；第三，增加保护与传承长江流域特色文化的内容；第四，进一步充实完善长江流域生态环境保护与修复的内容；第五，将长江河口规定区域纳入长江流域禁捕范围；第六，增加关于"推动长江流域协调、高质量发展，应当协同推进实施乡村振兴战略和新型城镇化战略，促进城乡融合"等内容；第七，进一步加大对部分违法行为的处罚力度。

2020年12月22日，宪法和法律委员会对《长江保护法（草案）》进行了再次审议，并提出修改意见：第一，将草案三次审议稿第十二条第一款中的"科学技术咨询委员会"修改为"专家咨询委员会"，充分发挥各领域专家的作用；第二，在草案三次审议稿第三十三条中增加保障跨流域调水的调出区域生态安全的规定，在第五十六条中增加科学调控水库水位的规定；第三，充实有关公众参与和监督长江流域生态环境保护的内容；第四，增加要求侵权人承担修复责任的规定。2020年12月26日，《长江保护法》已由第十三届全国人民代表大会常务委员会第二十四次会议通过，自2021年3月1日起施行。

02

第二章

《长江保护法》的重要意义

《长江保护法》的制定具有极大理论和实践意义，是我国立法史上的一次重大突破。《长江保护法》从最初立法理念上就结合现有法律规范现状，针对流域的特殊性展开研究，关注到当前立法的瓶颈问题，是一次流域立法的重大理念转变。随着《长江保护法》的顺利实施，其充分体现了对流域立法的法理探析，厘清了长江保护的法律概念，准确界定了流域的法律属性，并探寻了流域空间治理的逻辑。从整体来看，《长江保护法》的基本原则、基本功能、制度体系均是对流域立法的法理夯实。

2.1 《长江保护法》对流域立法的理念转变

《长江保护法》的制定实施是我国生态文明建设的重要组成部分，其不仅是对政策创新的具体体现，还是对生态环境整体主义的考量，更是将流域生态环境保护从全过程加以落实。

2.1.1 从政策创新转向法治创新

《长江保护法》的制定和实施是我国长江保护的重要内容，其中，将长江流域层面的政策创新转化为法治创新至关重要。

首先，贯彻落实习近平生态文明思想“最严法治观”。前述已经提及，政策在我国长江保护过程中发挥了重要作用。新时代中国社会主要矛盾“已经转化为人民日益增长的美好生活需要和不平衡不充分的发展之间的矛盾”[①]，人们对环境保护的需求逐步增长，迫切要求“新鲜空气、清洁的水、良好环境质量”等。习近平生态文明思想为此给出了方向，也为我国生态文明建设提供了坚实有力的理论基础。习近平总书记多次强调，只有实行最严格的制度、最严密的法治，才能为生态文明建设提供可靠保障。[②] 正是这种“最严”生态法治观为长江保护立法提供了明确的思路。《长江保护法》的制定是用法治思维和法治方法来维护长江流域生态安全，通过抓住长江流域保护中最主要的矛盾和问题，运用关键制度和重要措施加以妥善处理。

其次，以中华民族的生存发展和未来的历史使命及责任担当为目标。长

---

① 习近平.决胜全面建成小康社会　夺取新时代中国特色社会主义伟大胜利——在中国共产党第十九次全国代表大会上的报告[M].北京：人民出版社，2017：11.

② 习近平.习近平谈治国理政[M].北京：外文出版社，2014：210.

江流域资源丰富，是我国重要的战略水源地、生态宝库和重要的黄金水道，地位至关重要，事关中华民族的生存发展。《长江保护法》的制定将这一重要战略水源地进行升级保护，过去人们以牺牲长江流域生态环境为代价获取经济发展的模式得到彻底转变，未来将坚持把保护和修复长江流域生态环境放在压倒性位置，通过一系列保护、修复、开发、利用等法律制度，充分发挥长江流域的生态效益和综合效益。

再次，以维护长江流域乃至国家生态安全、促进长江经济带高质量发展为落脚点。为维护水生态健康、保障国家水安全、实现水资源可持续利用，习近平总书记提出了“节水优先、空间均衡、系统治理、两手发力”的新时期治水方针，为强化水治理、保障水安全指明了方向。基于长江流域生态安全的重要性，《长江保护法》的制定与实施是以保障水安全为目的，通过强调社会主体承担水安全保障义务，增强对长江流域生态环境的保护、修复、开发、利用等活动的操作规范，形成全面整体的规划方案，实现对长江流域的空间管控。可见，《长江保护法》的制定与实施对维护长江流域生态安全至关重要，是国家生态安全的重中之重。

最后，《长江保护法》充分体现了“以人民为中心”的理念，满足人民群众的新期待。《长江保护法》是在坚持“生态优先、绿色发展”“共抓大保护、不搞大开发”的理念下进行的立法设计，其不单单是对长江流域的保护，各项制度措施都旨在保障人民的生存权、发展权、环境权。通过其立法目的便可看到，《长江保护法》充分体现了以人民为中心的理念，通过对长江流域的保护以满足人民群众不断增长的对美好生活环境的需求。

2.1.2 从还原主义转向整体主义

我国环境法律体系的建构主要采取还原主义方法。所谓“还原主义”是把所有复杂的和发展着的客体看作是由无限多数量的较为简单的实体所组成的。[①] 我国有关环境保护的立法就是以《环境保护法》为基础，由污染防治与自然资源要素保护共同组成的体系，每部法律都是以要素保护为中心，发挥单行法的规范功能，包括规范污染控制、规范单项资源利用和生态保护三类。[②] 也正是在这种还原主义思想下，必然造成我国环境立法模式碎片化，最直接的表

① 柯坚，琪若娜.“长江保护”的客体识别——从环境要素保护到生态系统保护的立法功能递进[J].南京工业大学学报(社会科学版)，2020，19(5)：1-9+115.

② 翟勇.中国的环境法治建设[J].人民法治，2015(5)：51-53.

现就是各级各类环境保护法律规范凌乱堆积，相互之间缺乏系统性。①

一定程度上，还原主义对长江流域保护具有一定积极意义，但同时又存在着不可避免的局限性。长江流域涉及范围广泛，分为上中下游、左右两岸、干支流、山水林田湖草等，是一个生命有机体，若是试图用还原主义的思路确立法律规范，长江流域的有机整体属性很可能就会消失。这就需要从还原主义转向整体主义，对“长江保护”这一概念作全面理解。一方面，长江流域具有独特的水生态价值，不仅能够保障沿岸居民的基本生存，还能带来生态和审美价值。另一方面，要注意到长江流域的整体利益、流域生态系统各要素之间的内在关系等，即长江保护以水要素为中心，但同时水要素与土壤、湿地、大气、野生植物等要素都具有密切联系，相互依存。由此，对“长江保护”的理解就不能仅停留在一个单一的概念，而是要以长江流域高质量与绿色发展和长江流域各地区对生态、环境与资源的不同需求为出发点，关注“长江保护”中的各类要素，还要以整体观对长江流域进行调整，破除碎片化保护的立法模式。

《长江保护法》便是基于这样一种思维转变而进行的专门立法。从立法定位来看，《长江保护法》是政策法和监管法的统一体，以流域法的形式出现，不同于以水量分配和水污染防治为定位的法律。从立法思路上看，《长江保护法》解决的是流域层次的问题，或者说只针对流域性的问题立法，这就意味着其跨越了传统民法、刑法、行政法、经济法的界限，是一种以交错性的法律调整手段为调整方式的法律。从立法模式上看，《长江保护法》是一部综合性立法，它从流域层面上处理长江源头、江湖关系、长江河口等特殊性问题，解决重大流域性、控制性水工程问题，推进黄金水道建设等，完全区别于《水法》《水污染防治法》等法律。

2.1.3 从后果控制转向风险预防

我国“九龙治水”的问题一直存在，这也是我国流域保护的难点所在。事实上，各职责部门并非没有能力做好流域保护工作，而是受行政权内容安排之影响，各部门将更多注意力集中于污染事件发生后的补救，通常由相应主管部门采取应急性管理措施，这对于流域治理与保护而言是不够的。即便我国各地区已充分注意到流域治理问题的重要性，但一般会采取成立临时性机构的方式进行专项执行措施，对于流域保护而言是“治标不治本”。加之各部门职责权限存在着交叉重叠的情形，流域治理的效果并不佳。例如水行政主管部

① 郭武.论中国第二代环境法的形成和发展趋势[J].法商研究，2017，34(1)：85-95.

门负责水量、防洪等问题，而涉水源的污染排放则划归环保部门管理等，各部门的职责权限决定了源头预防必然存在着极大的困难。

与其他涉水法律比较，《长江保护法》从整体架构层面更加强调风险预防的理念。首先，《长江保护法》以生态优先、绿色发展为原则。《长江保护法》在推动重点产业升级改造和重污染企业清洁化改造、促进城乡融合发展、改善城乡人居环境质量等方面采取了许多有力措施，旨在从产业结构、增长方式、消费模式等方面实现全面的绿色转型，从源头对流域进行管控，从而统筹兼顾生态效益、经济效益、社会效益。其次，《长江保护法》重点强调规划和标准体系建设的预防作用。一方面，《长江保护法》按照国家规划体系的要求，明确由国家建立以国家发展规划为统领、空间规划为基础、专项和区域规划为支撑的新规划体系，从而加强对长江流域保护工作的指引和约束。另一方面，《长江保护法》推动建立健全长江流域各项标准体系，相比较已有标准，其涵盖内容更加全面、完整，且更具统一性和科学性。最后，《长江保护法》分层次贯彻落实风险预防理念。就资源保护而言，主要通过对水量分配及调度、生态流量管控等活动进行事先规划和安排，对特殊重点区域、珍稀物种的管理和保护进行监测，并加强防洪减灾体系和水工程联合防洪调度等的建设，保障水资源基本安全；就水污染防治而言，加强对长江流域相应排污口的管理和控制，并对可能的污染源进行类型划分、调查评估，从源头实现对污染物的严格管控；就生态环境修复而言，尽可能与长江流域禁捕、限捕政策相衔接，并通过确定岸线修复指标、构建野生动植物遗传资源基因库、河口综合监测等措施为生态环境修复提供支撑。

针对长江流域风险预防不足的问题，《长江保护法》结合流域整体性和系统性需求在现有法律制度基础上进行调整，并从加强系统治理、强化治理体系和治理能力现代化、推进绿色发展等方面进行制度创新，为长江流域的保护和风险预防提供充分的法治保障。

2.2 《长江保护法》对流域立法的法理探析

制定《长江保护法》首先需要进行理论创新、寻找法理支撑，从而为其制定提供正当性支撑，这就意味着《长江保护法》需要解决现有法律概念、法律关系、法律逻辑中存在的问题。同时，要明确其法理基础，并了解流域空间的多面向属性，对其自然规律、经济规律与生态规律加以梳理。

2.2.1 厘清长江保护的法律概念

随着《长江保护法》立法理念的转变,"长江保护"一词的概念从法律层面得以确立,其不再是简单的长江流域的环境污染防治,也不再是长江流域的生态环境修复,而是从长江流域的整体层面厘清了《长江保护法》的适用范围和适用对象。

在适用范围上,《长江保护法》长期存在着各种争议,概括起来,主要观点大致分为三种:一是适用于长江全流域;二是仅适用于长江干流;三是仅适用于长江干流和部分重要支流及部分重要流域功能单元。《长江保护法》第二条明确了长江流域的范畴,确立该法适用于长江全流域,而非流域内的部分空间单元。一方面,长江流域具有层级性。长江流域由干支流、亚流域、重点水体、小流域等流域内的各级部分层层组合而成,各个部分本身又是一个复杂的子系统。这些子系统可能存在于单一行政区域内(如鄱阳湖位于江西省境内),也可能跨行政区域而存在(如三峡库区的范围涉及重庆、湖北两地),若是仅对其中一部分区域进行规制和保护,那么,随着长江流域的环境要素流动,必然会导致损害后果延伸到其他区域范围内。另一方面,长江流域具有系统整体性。在流域系统内水资源及相关利益配置过程中,要从整体出发确保水资源的可持续利用,只有保障整体的基本利益,地区经济发展才能实现,这是长江流域绿色发展的前提性条件。从整体角度而言,这里的长江流域是"相对独立的生态系统、自然与经济社会相互作用的整体、以水为纽带的人类经济社会生活空间"①。

在适用对象上,以流域自然资源为基础,囊括了流域内人口、资源、环境、经济、文化、政策等要素。② 准确地说,长江流域是一个由水、土、气、生物等自然要素和人口、社会与经济等人文要素相互关联、相互作用而共同构成的复合系统。自2013年习近平总书记在《关于〈中共中央关于全面深化改革若干重大问题的决定〉的说明》中提出"山水林田湖是一个生命共同体"的绿色价值观,到现在的"山水林田湖草沙是一个生命共同体"的系统观,便决定了《长江保护法》所指向的长江流域不再是单纯水资源或水法意义上的集水区,而是一个涵盖山水林田湖草沙等全要素的综合性经济、社会、生态系统。

---

① 吕忠梅.《长江保护法》适用的基础性问题[J].环境保护,2021,49(Z1):23-29.

② 陈虹.流域法治何以可能:长江流域空间法治化的逻辑与展开[J].中国人口·资源与环境,2019,29(10):18-23.

基于对“长江保护”概念的重新认识,《长江保护法》不再是继续以单一要素为基础的专门立法,而是关注到长江流域整体的各类要素在上中下游、东中西部跨区域间的流动和优化配置,这也是我国对长江流域国土空间进行全方位布局的战略需求。

2.2.2 准确界定流域法律属性

流域最初体现为流域的水文学特征,通常认为流域是一条河流的集水区域,是一个自然单元。后来流域概念扩展至流域内的人口、环境、资源、经济、文化、政策等要素,这是一种社会经济单元的界定。之后从管理角度出发,将流域作为一个社会-经济-自然复合生态系统对待,认定其是一种管理单元。但基于流域作为自然单元和社会经济单元的矛盾冲突,对法律手段的介入提出了要求,而流域治理便发展到法律单元的概念,这就使得以自然要素、经济要素、管理要素与法律要素相叠加的流域单元将成为长江保护立法的突破点。

《长江保护法》是一部长江流域的特别法,区别于已有的部门法,它全面体现了流域的特殊性,我国也正是通过《长江保护法》对流域的法律属性进行了准确界定。首先,《长江保护法》超越了“部门”与“地方”。流域治理长期以来的问题在于“九龙治水”的立法现状①,如果继续按照原有部门立法或地方立法的模式,长江流域的治理问题仍然无法解决。只有充分考虑到流域的特殊性,综合考虑长江流域的整体性和系统性,结合特殊水事问题对立法的现实需求进行回应,才具备专门立法的必要性。其次,《长江保护法》统筹了“保护”与“利用”。长江流域长期面临着生态环境保护与社会经济发展的利益冲突问题,立法只有跳出任何一个面向才可能寻找到两者之间的平衡,即建立“保护-开发”相融合的体制机制。从《长江保护法》第二至六章可以看到,其充分考虑到长江流域的保护与发展关系,既有整体规划、绿色发展,也有资源保护、污染防治、生态修复。最后,《长江保护法》整合了“空间”与“平面”。传统法律主要调整人与人之间的社会关系,属于平面化的法律规定,而《长江保护法》则突破了平面化布局,“很大程度上将作为中国尺度最大的空间单元来进行部署和谋划的长江经济带发展战略”②转化为不同层次的法律关系规范体系。例如,在第二章“规划与管控”中明确规定了“以空间规划为基础,以专项规划、区域规划

---

① 吕忠梅,陈虹.关于长江立法的思考[J].环境保护,2016,44(18):32-38.

② 强乃社.习近平国家空间治理思想发微[J].湖南工业大学学报(社会科学版),2018,23(1):14-19.

为支撑的长江流域规划体系”，同时，又在后续章节中相继构建资源保护、水污染防治、生态环境修复、绿色发展等措施体系，从而形成一个层次分明、联系紧密的流域空间，与平面化的法律制度进行有效衔接。

通过《长江保护法》的整体布局，可以看到《长江保护法》是在对流域特殊性有着充分清晰的认识基础上作出的法律设计，其突破了传统法律的一般界定方式和规制逻辑，通过协调不同部门、不同区域间的利益冲突，实现了对流域法律属性的准确界定，从而满足长江大保护的特殊立法需求。

2.2.3 探寻流域空间治理逻辑

在地理意义上，流域是以水为核心要素生成的多维度空间体系，空间性是其典型特征。[①] 但“就水治水”的模式并不符合流域治理的空间性特征，这就需要对流域空间进行准确识别和认定，明确流域法律关系。

在功能面向上，流域空间是生态、生产、生活三重功能空间的重合叠加，是生态修复保育行为、资源开发利用行为和社会日常生活行为互动的场景。[②]这决定了《长江保护法》不能再局限于传统空间观、以单一生态要素为规制对象，而是要对三重功能空间进行不同的资源分配，并对生态、生产、生活这三个面向作出不同比例的机制回应。例如，《长江保护法》在整体性、协调性思维下，以“保护法”＋“开发法”的新模式，构建水资源、水环境和水生态统一治理的法律体制机制。通过确立“生态优先”原则，倒逼产业转型升级，实现高质量发展，以法律的形式为长江的开发、利用活动设限，最终实现长江保护的目标。

在空间关系上，流域治理包含了政府与流域、中央与地方、地方与地方三重空间关系。第一，政府对流域空间的功能定位和运行方式。《长江保护法》注意到流域空间的层次性问题，并就此进行了不同的回应。从政府管理的角度而言，流域的特殊性促使政府管理的范围和资源投入发生了变化，《长江保护法》明确了对流域实施综合管理，在已有长江流域管理机制基础上增加长江流域协调机制，统筹协调流域性重大事项。第二，央地关系直接关系到流域治理的权力结构和资源整合效率。长江流域的涉水事权一直面临着结构性失衡的问题，《长江保护法》考虑到现有水法律规范已经确立的水资源开发、利用、保

---

① 吕忠梅.关于制定《长江保护法》的法理思考[J].东方法学，2020(2)：79-90.

② 杜辉，杨哲.流域治理的空间转向——大江大河立法的新法理[J].东南大学学报(哲学社会科学版)，2021，23(4)：60-69＋151.

护法律制度，系统地规定与配置长江流域的涉水事权。从涉水事项的性质看，关系到长江流域生态系统安全和全国经济社会发展的重大事项应当属于中央政府事权范围，而地方政府应当对流域内某区域范围内的涉水事务享有涉水事权。同时，将一些特别重要、影响广泛的涉水事项确立为中央立法权事项。第三，地方与地方之间的利益平衡关系。流域空间治理的另一个关键点在于解决地方政府之间的协同，激励各地方政府开展流域治理竞争与合作。《长江保护法》明确建立长江流域生态保护补偿制度，要求国家加大财政转移支付力度，对长江干流及重要支流源头和上游的水源涵养地等生态功能重要区域予以补偿，并鼓励地方人民政府之间、社会主体之间开展生态保护补偿。

在治理机制方面，主要涉及政府、市场、社会三类主体。除了政府职责，《长江保护法》还专门考虑了市场、社会这两类主体，例如前面所提及的国家鼓励社会资金建立市场化运作的长江流域生态保护补偿基金、监测信息共享机制等，旨在推动长江流域空间治理的政府、市场和社会多主体良性互动的法律机制构建。

2.3 《长江保护法》对流域立法的法理夯实

通过对长江流域立法的法理分析，应当在结合我国现行立法模式基础上，认真研究长江流域立法的技术路线，即《长江保护法》通过“生态优先、绿色发展”和“统筹协调、系统治理”这两大原则的确立，使得权利冲突的消解功能和完善的制度体系逐步形成。

2.3.1 流域立法基本原则的确立

《长江保护法》作为我国第一部流域立法，定位于流域综合性立法，确立了“生态安全、和谐共生、永续发展”的长江保护价值目标，即确保不因长江经济带建设影响生态环境系统；通过统筹自然环境的多重价值与功能、协调多元利益诉求，确保长江流域开发利用和保护所带来的利益成为人民群众的最普惠福祉，切实增强人民的获得感、幸福感、安全感。由此，《长江保护法》确立了“生态优先、绿色发展”和“统筹协调、系统治理”的两大原则。

所谓“生态优先、绿色发展”原则，是指在长江流域治理中必须把流域生态安全摆在基础性、优先性的战略地位，把修复长江流域的生态环境摆在压倒性位置，同时，在传统发展基础上对生产方式和生活方式进行变革，建立在生态环境容量和资源承载力的约束条件下，将环境保护作为实现可持续发展重要支柱的一种新型发展模式。这就有以下要求：一是理解“共抓大保护、不搞大开发”和“生态优先、绿色发展”的内涵。经济社会固然要发展，但发展并非采取以牺牲环境为代价的模式，而是强调未来以生态优先、绿色发展为方向路径。二是探索将绿水青山转化为金山银山的路径。这需要以政府为主导，积极探索企业和社会各界参与、市场化运作的生态产品价值实现路径。《长江保护法》通过“三线一单”制度的确立为“生态优先、绿色发展”原则提供关键性制度支撑。① 具体来说，“三线一单”制度主要指生态保护红线、环境质量底线、资源利用上线和生态环境准入清单，是推进生态环境保护精细化管理、强化国土空间环境管控、推进绿色发展高质量发展的一项重要工作。

所谓“统筹协调、系统治理”原则，旨在解决“九龙治水”的困局，因而要从三个层面来理解。一是坚持长江保护的整体性。深刻认识到长江流域治理的碎片化问题，从整体层面进行长江流域治理事项的划分，构建综合治理体系。二是坚持长江保护的协同性。结合长江流域自然地理状况和生态环境保护需要，推动长江上中下游、江河湖库、左右岸、干支流协同治理。三是坚持长江保护的系统性。长江流域的治理要从生态系统的整体性和系统性出发，统筹山水林田湖草沙系统治理，推动全流域系统性保护。最能体现“统筹协调、系统治理”原则的创新举措是长江流域协调机制的建立，通过国家层面流域协调机制的建立，并赋予协调机制健全监测网络和监测信息共享机制、专家咨询委员会等具体职能，实现对长江保护工作的统一指导、统筹协调，以及地方层面的流域协调机制，就地方性法规、政府规章、规划编制等方面开展协作。可以说，流域协调机制的建立，为破解当前流域治理困局、化解利益冲突开辟了新的路径。

为准确体现长江流域治理的特征，《长江保护法》所确立的基本原则采取长江流域“保护与开发”的融合理念，充分体现了长江保护的基本价值，其发挥着价值宣誓、协调制度、指导执行、利益衡量等不同功能。

2.3.2 流域立法的基本功能指向

流域立法是基于法律上的权利冲突，为解决权利冲突问题而进行的相应

---

① 陈虹．“保护法”与“开发法”的共生相融：彰显《长江保护法》的绿色发展之维[J]．环境保护，2021，49(Z1)：42-47.

立法，而《长江保护法》的制定正是对长江经济带建设所涉及的各种权利及其冲突进行回应的结果，其针对不同权利冲突问题确立了不同的冲突化解理念，并建立了相应的法律制度。

长江经济带在建设过程中会受到长江流域水资源特征的影响，承载着不同功能的涉水权利之间必然存在着冲突问题，主要表现为以下三点。第一，水污染防治权与排污权的冲突。前者旨在防治水污染，强调对水环境容量资源的消极性利用；后者强调对水环境容量资源进行积极利用，侧重于水资源的经济功能。从价值层面来看，实则是生存权与发展权的冲突问题。为此，统一监测是流域管理的核心要素，也是《长江保护法》的核心制度之一。[①] 通过构建统一的流域监测法律制度，统一流域监测事权、统一流域监测网络、统一流域监测结果的法律效力，统一流域监测信息的收集和发布，能够有效提升长江流域水资源利用效果。第二，航运开发利用权与水能开发利用权的冲突。航运开发利用权与水能开发利用权都属于经济功能型长江流域涉水权利，前者强调流域水资源的航运功能，后者是将水能转化为电能的开发利用过程。两者之间的冲突来源于不同行业群体对水资源需求的不同而引发的涉水权利的冲突。基于此，《长江保护法》在第三章专门强调通过统筹协调的方式解决航运与水能开发利用之间的冲突，并针对长江流域水电工程的调度运行进行制度设计，明确加强水工程联合调度。第三，渔业养殖权与生态用水权的冲突。渔业养殖权是通过养殖方式实现流域渔业资源的繁衍增长，生态用水权是通过保留一定的长江流域水资源满足长江流域的生态系统需求。事实上，我国现有关长江保护的理念都是围绕着水资源的经济功能和生态功能的冲突所提出来的，通常是基于水域和滩涂所产生的开发利用问题。《长江保护法》在“生态优先”原则的指引下，确立了生态保护补偿制度，对生态保护补偿的主体、客体、类型作出了一系列详细的规定，包括国家财政转移支付的纵向生态保护补偿和横向的地方政府之间市场化的生态补偿等。

《长江保护法》针对涉水权利的冲突，结合相应规制理论采取了切实可行、合理有效的规制路径，有效整合并拓展了相关制度的实施，以化解不同权利冲突类型，达到保护和改善水生态环境、确保开发利用得到有序规制的效果。

---

① 邱秋. 长江流域省界断面水质监测制度的运行实效与立法建议——基于监测数据的实证分析[J]. 南京工业大学学报(社会科学版)，2019，18(5)：30-41＋111.

2.3.3 流域立法的制度体系形成

通过对流域空间治理逻辑的探寻,《长江保护法》形成了一整套完整的制度体系,既关注到现有法律规定,又聚焦到长江流域的特殊性,提出了许多具有针对性的制度措施,旨在通过实施更高标准、更严格的措施,推动长江经济带绿色发展以及长江流域生态环境保护。

纵观《长江保护法》的96个条款,其涵盖了长江流域治理的各个主体、各个层面的不同事项。具体而言,首先,创新长江流域管理体制机制。基于我国已有的长江流域管理机制,《长江保护法》创新建立长江流域协调机制,统筹长江流域的各项工作,协调跨区域跨部门间的重大事项,旨在消除"九龙治水"产生的碎片化弊端。其次,合理配置长江流域治理的政府事权。《长江保护法》从中央、流域、地方三个层级分配相应的流域层级事权,并将其与各级河湖长制相衔接,既考虑到政府间配置的权威性,又关注到合作协商途径,力图以法律方式消除过去事权配置存在的流域层级事权虚化或弱化、仅针对单一要素或缺乏专门性的事权配置等情形。再次,整合长江流域法律制度体系。为落实对流域治理主体事权的合理分配,发挥流域立法的指引、规范与保障功能,《长江保护法》按照规划管总、资源保护统筹、水污染防治攻坚、生态环境修复协同的思路整合了相应的制度体系,即"以空间规划为基础的流域规划与管控制度体系、以保障用水安全和保护生态系统完整性为目标的资源保护制度体系、以全方位污染防治为核心的水污染防治制度体系、以多维度修复为指向的生态环境修复制度体系"[①]。通过一系列的制度体系建立,形成对长江流域生态环境的硬约束。然后,补足长江流域相关配套法律机制。为进一步实现长江流域治理的目的,《长江保护法》通过系列配套法律机制以加强法律实施效果,主要包括建立执法协作机制、权力监督机制、经济激励机制、公众参与机制等,通过这些配套法律机制的实施以补足相应的制度体系,从而形成多元主体共治的局面。最后,加强长江流域纠纷处理与法律责任追究机制。《长江保护法》中的第八十三至九十四条系法律责任规定,共12条,占比12.5%。这类法律责任规定主要是建立在既有的法律责任制度体系基础上所设计的有关法律责任部分,集中表现在:一是明确《长江保护法》与其他法律之间的关系,明确违反《长江保护法》规定的法律责任,以及《长江保护法》未规定的应当适

---

① 刘佳奇.《长江保护法》中生态环境保护制度体系的逻辑展开[J].环境保护,2021,49(Z1):36-41.

用侵权、刑事责任。二是细化了行政机关、行政相对人的生态环境损害责任，构建起各类主体责任类型的纠纷解决途径。三是采取更加严厉的法律责任规定。相比较现有涉水法律规定，《长江保护法》采取的行政处罚标准更高，更加严格，针对严重违法行为创设双罚制，加大法律责任追究力度。

03

第三章

《长江保护法》重点内容解读

3.1 《长江保护法》对资源保护的规定

长江流域资源丰富，对国民经济和社会发展全局的战略支撑地位和作用不可替代[①]。长江全长 6 300 多千米，为世界第三大河流，全流域涉及 19 个省、自治区、直辖市，流域面积约 180 万平方千米，横跨东、中、西部三大经济区，是我国重要的战略水源地、生态宝库和黄金水道[②]，资源优势显著。但是，不顾资源环境承载能力搞大开发也成了长江生态环境恶化的主要“病因”[③]。由此，《长江保护法》对症下药，以长江流域为保护对象，在地理范围上，不仅保护长江干流，还要保护支流[④]，并以立法方式将资源开发利用与生态环境保护置于辩证统一的关系当中，在流域空间内确立加强生态环境修复，促进资源合理高效利用，保障生态安全，达到人与自然和谐共生的立法目的。本章通过解读《长江保护法》的重点内容，深入探究其规范意义。

3.1.1 对资源保护的立法追求

《长江保护法》在资源保护领域坚持以整体论为理论基础[⑤]，以可持续发展为立法内驱动力[⑥]。《长江保护法》第一条规定：“为了加强长江流域生态环境保护和修复，促进资源合理高效利用，保障生态安全，实现人与自然和谐共生、中华民族永续发展，制定本法。”这就为长江大保护确立了生态安全、和谐共生、永续发展的价值目标。生态安全是基础价值，和谐共生是基本价值，永续发展是根本价值[⑦]。

---

① 吕忠梅. 关于制定《长江保护法》的法理思考[J]. 东方法学，2020(2)：79-90.

② 高虎城. 关于《中华人民共和国长江保护法(草案)》的说明——2019 年 12 月 23 日在第十三届全国人民代表大会常务委员会第十五次会议上[J]. 中华人民共和国全国人民代表大会常务委员会公报，2021(1)：113-117.

③ 吕忠梅. 建立“绿色发展”的法律机制：长江大保护的“中医”方案[J]. 中国人口·资源与环境，2019，29(10)：1-10.

④ 胡保林.《长江保护法》立法定位和保护范围[J]. 北京航空航天大学学报(社会科学版)，2019，32(6)：1-3.

⑤ 高中意. 长江保护立法的理论建构：基于整体论的分析[J]. 南通大学学报(社会科学版)，2021，37(3)：34-41.

⑥ 王文革，陈耿钊. 流域水资源可持续利用——长江保护法立法原则解读[J]. 南京工业大学学报(社会科学版)，2019，18(5)：1-15+111.

⑦ 吕忠梅.《长江保护法》适用的基础性问题[J]. 环境保护，2021，49(Z1)：23-29.

生态安全是指生态系统的健康和完整情况，尤其是指生存与发展的不良风险最小以及不受威胁的状态[①]。在该首要价值的指引下，一切有害于生态安全的开发利用活动都必须受到法律的限制乃至禁止，这是对总体国家安全观的贯彻，更是保护长江生态系统健康完整的迫切需要[②]。在生态安全的价值导引下，《长江保护法》第三十二条规定加快病险水库除险加固，提高防御水旱灾害的整体能力；第三十三条强调国家在进行跨流域调水时，应保障用水安全和生态安全；第三十四至三十六条规定加强饮用水水源地保护，保障饮用水安全和水质稳定；第三十七条规定国家有保障地下水资源安全的义务。

在和谐共生价值的指导下，《长江保护法》强调对资源的生态功能与生物多样性的保护。第三十九条规定了国家具有保护生态体系完整性从而建立自然保护地的义务；第四十条要求各级政府严格保护长江流域天然林、草原资源和湿地，以保护生态脆弱区，保持资源自身的生态功能，以及维护生物多样性；第四十一、四十二条强调建立水生生物完整性指数评价体系，保护珍贵、濒危水生野生动植物。总体而言，长江流域的资源保护不再以资源的经济贡献为中心，而是以维护生态系统的整体功能为要义。

永续发展是《长江保护法》的根本价值，是建立在生态安全与和谐共生基础上的价值追求，也是对长江流域可持续发展的高度凝练，其最终立足点在于满足当代和未来世世代代人们对美好生活的向往。这不但是从经济角度考虑，更是从民族、文化、代际层面考虑得出的论断。长江流域杭州余杭的良渚文化遗址贡献了最早期的文明印记，自封建时代以来，江淮和江南地区凭借长江流域独特的气候条件和地理因素，一直是政治中心的粮食供应地，直至元、明、清三朝，中国的经济重心逐渐转到了南方。到了当代，长江流域的资源贡献更为显著，长江流域具有完备的自然生态系统、独特的生物多样性，蕴藏着丰富的野生动植物资源、矿产资源，全国 1/3 的水资源和 3/5 的水能资源[③]，而其千里航道又是国家重要能源输运通道[④]，沿线 11 个省市的地区生产总值占

---

① 余谋昌. 论生态安全的概念及其主要特点[J]. 清华大学学报(哲学社会科学版)，2004，19(2)：29-35.

② 吕忠梅.《长江保护法》适用的基础性问题[J]. 环境保护，2021，49(Z1)：23-29.

③ 彭波. 长江保护法草案提请审议　立法保护一江清水[EB/OL].（2019-12-24)[2020-08-19]. http://www.npc.gov.cn/npc/cjbhflf003/201912/a4c8b3eea54e4d079db29b637e76876a.shtml.

④ 苏铭. 长江经济带能源协同发展研究[J]. 宏观经济管理，2019(12)：37-41+57.

全国比重超过了 45%[①]。可以说，从古至今，长江流域都是中华民族永续发展的重要依托。

理解永续发展，就要尊重科技论证的结果，结合法治文明进步的需要。永续发展，首先要考虑流域水资源的生态价值，这种价值是维持适宜居住环境的必需，也是维护流域内生物多样性的体现。为此，《长江保护法》第三十一条提出国家加强长江流域生态用水保障。永续发展还要防止过度取用造成资源枯竭，减少或避免人类活动对水资源的浪费[②]。我国用水效率不高和用水严重浪费的现象普遍存在，2010 年长江流域水资源利用率仅为 15%[③]。尽管 2013—2019 年长江流域 11 省、区、市水资源利用效率总体呈上升趋势，但是水资源利用水平仍具有显著的空间差异，尤其是东西部地区差距较大[④]。我国用水总量和美国相当，但国民生产总值(GNP)仅为美国的 1/8[⑤]，长江流域多年平均径流量占全国水资源量的 35%，在我国经济社会发展中贡献甚巨[⑥]。因此《长江保护法》第三十八条对行业用水能耗以及工农业用水效率提出限制，防止水资源枯竭。

3.1.2 对水资源保护的规定

《长江保护法》在水资源保护方面，通过对水资源的公平分配(包括水资源地区分配和功能分配)和合理利用(追求效率)来实现水生态安全的目标。在调整对象上，《长江保护法》从整体性出发，不再仅仅局限于单一的水元素和水污染问题，而是更加关注水资源和水生态[⑦]，兼顾了生活、生产、生态用水的不同需求，平衡与协调各种因水而生的复杂利益关系。在立法技术上，《长江保

---

① 习近平. 在深入推动长江经济带发展座谈会上的讲话[EB/OL]. (2019-08-31)[2020-08-10]. http://www.xinhuanet.com/politics/leaders/2019-08/31/c_1124945382.htm.

② 王文革，陈耿钊. 流域水资源可持续利用——长江保护法立法原则解读[J]. 南京工业大学学报(社会科学版)，2019，18(5)：1-15+111.

③ 许秀贞，李斐，刘扬扬. 长江流域水资源利用现状及保护措施探讨[J]. 人民长江，2013(10)：101-104.

④ 陈述，吕文芳，王建平. 长江流域水资源利用效率时空演变特征分析[J/OL]. 水资源保护，2021：1-21[2021-09-13]. http://kns.cnki.net/kcms/detail/32.1356.TV.20210830.1246.004.html.

⑤ 中国工程院"21 世纪中国可持续发展水资源战略研究"项目组. 中国可持续发展水资源战略研究综合报告[J]. 中国工程科学，2000(8)：1-17.

⑥ 许秀贞，李斐，刘扬扬. 长江流域水资源利用现状及保护措施探讨[J]. 人民长江，2013(10)：101-104.

⑦ 王敏. 长江保护地方立法的现状、问题与因应[J]. 南京工业大学学报(社会科学版)，2020，19(5)：37-47+115.

护法》突破了现有的部门立法理念、单项立法原则和分别立法模式，确立流域立法新层次、新模式[①]；在立法原则上，遵循流域资源保护的整体观、系统观、协调观[②]，将长江流域的不同环境要素进行综合治理[③]，围绕流域水资源保护目标，统筹相关的山水林田湖草沙的系统保护[④]，着重加强生态保护，维护国家生态安全。

和谐共生作为《长江保护法》的基本价值，是指人与自然的和谐发展[⑤]。和谐共生要求对水资源进行分配时，既要为生活用水、生产用水、生态用水建立秩序，也要处理好上下游、左右岸的关系，处理好不同地区、行业、部门的利益。总体而言，这要求立法者建立公平配置流域水资源的实体和程序规则。为此，《长江保护法》第二十九条确立了长江流域水资源利用的秩序："优先满足城乡居民生活用水，保障基本生态用水，并统筹农业、工业用水以及航运等需要"，该规定基本确定了生活—生态—生产用水目的位序。值得注意的是，该条提高了生态用水目的的优先性，其适用必将改变行政机关的水权许可颁发的裁量角度和司法机关处理取水权纠纷时的审判思路。在水资源保护方面，《长江保护法》第三十一条进一步重申了加强长江流域生态用水保障的要求，保障方式主要分三种：一是控制河湖生态流量。河湖生态流量是指为了维系河流、湖泊等水生态系统的结构和功能，需要保留在河湖内符合水质要求的流量（水量、水位）及其过程[⑥]，河湖生态流量管控指标可以为生态用水保障提供依据。二是将生态水量纳入年度水量调度计划，并明确水量调配的生态目标——保证河湖基本生态用水需求，保障枯水期和鱼类产卵期生态流量以及重要湖泊的水量与水位，保障长江河口咸淡水平衡。三是规定水利水电和航运枢纽工程具有生态用水调度责任。

《长江保护法》第三十一条首次将长江流域的生态用水保障提升至国家责任层面。长江为其流域内各类动植物提供栖息与生存的基础，随着沿江开发建设，长江生态用水日渐不足，威胁着流域内诸多生态系统的稳定，如果不能

---

① 吕忠梅．关于制定《长江保护法》的法理思考[J]．东方法学，2020(2)：79-90．

② 柯坚，王敏．论《长江保护法》立法目的之创设——以水安全价值为切入点[J]．华中师范大学学报（人文社会科学版），2019，58(6)：87-94．

③ 晋海．准确把握《长江保护法》的基本原则[N]．中国社会科学报，2021-04-27(A08)．

④ 常纪文．长江保护法开创我国生态文明法治新局面[N]．中国经济时报，2021-05-26(A04)．

⑤ 吕忠梅．《长江保护法》适用的基础性问题[J]．环境保护，2021，49(Z1)：23-29．

⑥ 水利部《关于做好河湖生态流量确定和保障工作的指导意见》（水资管〔2020〕67号）。

保障生态用水，长江生态环境的保护和修复将是一句空话[①]。

3.1.3 对水源地保护的规定

长期以来，长江流域普遍存在主要饮用水水源地同各类危、重污染源生产储运集中区交替配置，水运航道穿越饮用水水源保护区的现象，这给饮用水安全带来很大的威胁[②]。水源的空间分异性特点表明饮用水水源保护既存在着全国统一的问题，也存在着大量特定区域的特殊问题，尤其是跨界饮用水水源保护问题一直是摆在立法者面前的难题[③]。《长江保护法》作为流域性立法就是力图解决饮用水水源地保护问题。

《水污染防治法》在2017年修正时将"保障饮用水安全"作为立法目标之一，并在其第三条规定水污染防治应当"优先保护饮用水水源"，又在第六十三条规定"国家建立饮用水水源保护区制度"。《长江保护法》在此沿用了《水污染防治法》的规制思路，其第三十四条规定"国家加强长江流域饮用水水源地保护"。保护方式主要依靠中央政府制定饮用水水源地名录和由省级地方政府组织划定水源保护区。

我国长期以来实行流域管理与行政区域管理相结合的水资源管理制度，即除了行政区域内水资源管理体制，我国还在国家确定的重要江河、湖泊设立流域管理机构，它们在所管辖的范围内行使法律、行政法规规定的和国务院水行政主管部门授予的水资源管理与监督职责[④]。自2019年5月以来，长江流域生态环境监督管理局负责跨界饮用水水源保护监督和管理工作，具体指导、协调流域饮用水水源保护有关工作，协助划定跨省（自治区、直辖市）行政区饮用水水源保护区。长江流域生态环境监督管理局一方面隶属于生态环境部，另一方面又需要接受水利部业务指导，这种跨部门双管模式有利于两个部门之间的协调与沟通，但是因其属于派驻机构，在与地方政府沟通中，主要通过

---

① 周亚成，周旋. 母亲河的守护神——《长江保护法》的使命与期冀[EB/OL].（2021-03-12）[2021-08-10]. http://www－pkulaw－com－s. vpn. hhu. edu. cn：8118/lawfirm/findarticle?SearchKeywordType＝Author&Keywords＝＋周亚成.

② 周亚成，周旋. 母亲河的守护神——《长江保护法》的使命与期冀[EB/OL].（2021-03-12）[2021-08-10]. http://www－pkulaw－com－s. vpn. hhu. edu. cn：8118/lawfirm/findarticle?SearchKeywordType＝Author&Keywords＝＋周亚成.

③ 王彬辉. 从碎片化到整体性：长江流域跨界饮用水水源保护的立法建议[J]. 南京工业大学学报（社会科学版），2019，18(5)：16-29＋111.

④ 王彬辉. 从碎片化到整体性：长江流域跨界饮用水水源保护的立法建议[J]. 南京工业大学学报（社会科学版），2019，18(5)：16-29＋111.

生态环境系统层级展开，缺乏与各层级政府及其他部门的协作机制，因而难以拥有实质性的协调治理权力①。

此外，在水源地保护中，我国还将丹江口水库水源区划分为安全保障区、水质影响控制区、水源涵养生态建设区，并对其按照不同的水质标准分别管理，以实现水源涵养和水质安全的目标。丹江口水库是国家南水北调中线工程水源地、国家一级水源保护区。2014 年颁布的《南水北调工程供用水管理条例》第二十六条规定，丹江口水库库区所属的省级人民政府应当组织拆除各类养殖设施，控制养殖规模、品种和密度，并且在库区内禁止餐饮等经营活动；第二十三条规定，库区内城镇污水应当经过集中处理，达标排放，城乡生活垃圾应做无害化处理，避免污染水环境；第十九条规定，库区内县级以上地方政府应当加强工业、城镇、农业和农村、船舶等水污染防治，建设防护林等生态隔离保护带，确保供水安全。

另根据《水污染防治法》第六十八条规定，县级以上地方人民政府应当在准保护区内采取建造湿地、水源涵养林等生态保护措施，防止水污染物直接排入饮用水水体。根据《饮用水水源保护区污染防治管理规定》第六条规定："跨地区的河流、湖泊、水库、输水渠道，其上游地区不得影响下游饮用水水源保护区对水质标准的要求。"有关丹江口库区水源地保护的相关法律、法规与部门规章旨在保护水源地不受人为经济活动的污染，而水质监控是水源地保护的核心。为此，《长江保护法》将水源地库区保护划分为三种方式，并将这种管理方式法定化。

3.1.4 对自然保护地体系建设的规定

《长江保护法》第三十九条规定："国家统筹长江流域自然保护地体系建设。"该项规定是继十九大报告提出"建立以国家公园为主体的自然保护地体系"和 2017 年《中华人民共和国自然保护区条例》(以下简称《自然保护区条例》)修订以来，又一个有力促进自然保护地法律体系建设的重要规定。按照世界自然保护联盟的定义，自然保护地是一个明确界定的地理空间，通过法律或其他有效方式获得认可、得到承诺和进行管理，以实现对自然及其所拥有生态系统的服务和文化价值的长期保护②。我国《自然保护区条例》第一条规定，

---

① 王彬辉. 从碎片化到整体性：长江流域跨界饮用水水源保护的立法建议[J]. 南京工业大学学报(社会科学版)，2019，18(5)：16-29+111.

② DUDLEY N. IUCN 自然保护地管理分类应用指南[M]. 朱春全，欧阳志云，等译，北京：中国林业出版社，2016：16.

自然保护区建设和管理的目标是“保护自然环境和自然资源”，自然保护地体系构建是对生态型自然资源进行保护的主要方式。生态型自然资源是与环境保护、生态平衡具有密切关联的自然资源①。根据其功能、性质、组成结构的不同，划定一定区域对其进行保护，有利于保持资源本身的完整性、原真性。自1956年广东鼎湖山自然保护区设立以来，我国现已建立自然保护地1.18万处，占国土陆域面积的18%，领海面积的4.6%②。截至2019年，长江流域内现有的各类国家级“自然保护地”共计658处（包含因空间重叠而重复计算的数字），以设立时的法规规章和审批或主管部门作为分类标准，可将其分为八类：自然保护区、地质公园、湿地公园、城市湿地公园、森林公园、风景名胜区、水利风景区、沙漠公园③。

《长江保护法》规定国务院和长江流域省级政府在流域内典型生态系统的完整分布区、生态环境敏感区以及珍贵野生动植物天然集中分布区和重要栖息地、重要自然遗迹分布区等区域，依法设立国家公园、自然保护区、自然公园等自然保护地。对此规定的理解必须结合长江流域内“自然保护地”现有的管理体制。目前，我国自然保护地管理采取的是“各级政府＋专门管理机构”模式，即由国务院、省级政府负责不同级别的保护地申请、审批、规划工作，基层人民政府负责指导和监督辖区内具体保护地管理工作，专门保护地管理机构负责具体的经营、管理工作④。这种模式导致自然保护地空间设置交叉重叠、管理部门冗余且监管缺位，以及流域管理整体性被割裂⑤。自然保护地立法一直是生态环境立法中的“短板”，基于对自然生态进行完整性、原真性保护的需要，被划为自然保护地的空间很可能与行政区划的边界不同，甚至以跨行政区划的空间边界形式存在，可以说，自然保护地的自然地理空间嵌套于行政区划之内，构成了对自然保护地管理体制的挑战⑥。

长江流域自然保护地法规体系的构建还将依托我国自然保护地立法的总体进程，在全面吸收以往自然保护地管理经验教训的基础上，科学合理地设计

---

① 黄文瀚.生态型自然资源保护的立法困境与出路——以国家公园试点体制为研究对象[J].中南林业科技大学学报(社会科学版)，2020，14(3)：74-82.

② 吕忠梅.自然保护地立法基本构想及其展开[J].甘肃政法大学学报，2021(3)：2-14.

③ 胡德胜，杨焱.长江流域自然保护地体系及其管理体制机制探析[J].江西社会科学，2021，41(1)：139-151＋256.

④ 吕忠梅.自然保护地立法基本构想及其展开[J].甘肃政法大学学报，2021(3)：2-14.

⑤ 胡德胜，杨焱.长江流域自然保护地体系及其管理体制机制探析[J].江西社会科学，2021，41(1)：139-151＋256.

⑥ 刘佳奇.自然保护地管理体制的立法构建[J].甘肃政法大学学报，2021(3)：15-25.

具有流域空间整体性和资源整体性的自然保护地体系，将是实现“统一规范高效”的管理体制改革目标的必经之路。应当予以注意的是：自然保护地法规体系并非调整保护区内资源开发、污染排放等环境利用行为的唯一规范，而是在已有资源保护法、污染防治法等一般性规范的基础上，为实现特定地域生态环境的特殊保护而制定的特别法。因此，自然保护地法规必须与资源法和环境法相协调，并确立其生态环境保护的独立价值追求①。

3.1.5 对其他资源保护的规定

《长江保护法》第四十条规定国务院相关职能部门与地方政府应当对长江流域森林、草原以及湿地资源实行严格管理并加强保护，最终目的是满足流域生态环境功能需要，提高流域环境资源承载能力。

对森林资源的保护主要采取划定公益林和天然林的措施。根据《中华人民共和国森林法》（以下简称《森林法》）第四十七、四十八条规定，国务院与省级人民政府有权将森林生态区位重要或者生态状况脆弱的林地和林地上的森林划定为公益林，具体情况包括：重要江河源头汇水区域、重要江河干流及支流两岸与饮用水水源地保护区、重要湿地和重要水库周围、森林和陆生野生动物类型的自然保护区、荒漠化和水土流失严重地区的防风固沙林基干林带、沿海防护林基干林带、未开发利用的原始林地区、需要划定的其他区域。公益林分为国家级公益林与地方公益林，其划定与管理分别由国务院和省级人民政府负责。对于公益林实行严格管理的主体主要是县级以上人民政府林业主管部门，其应组织公益林经营者对公益林采取林分改造、森林抚育等措施，提高公益林的质量和生态保护功能，在符合公益林生态区位保护要求和不影响公益林生态功能的前提下，可以合理利用公益林林地资源和森林景观资源，适度开展林下经济、森林旅游等②。此外，对于公益林的采伐，还要遵守《水土保持法》的相关规定，对水源涵养林、水土保持林、防风固沙林等防护林只能进行抚育和更新性质的采伐③。

《长江保护法》对于草原资源的保护，重点在于对在调节气候、涵养水源、保持水土、防风固沙方面具有特殊作用的基本草原④进行严格管理。国家对草

① 吴凯杰. 环境法体系中的自然保护地立法[J]. 法学研究，2020，42(3)：123-142.
② 参见《中华人民共和国森林法》第四十九条。
③ 参见《中华人民共和国水土保持法》第二十二条。
④ 参见《中华人民共和国草原法》第四十二条。

原保护、建设、利用实行统一规划[①]，实行草原规划审批层级制。

对于湿地的保护，《长江保护法》规定的主要措施是发布湿地保护名录，确定湿地保护范围。湿地是指常年或者季节性积水地带、水域和低潮时水深不超过 6 米的海域，包括沼泽湿地、湖泊湿地、河流湿地、滨海湿地等自然湿地，以及重点保护野生动物栖息地或者重点保护野生植物原生地等人工湿地[②]。湿地按照其生态区位、生态系统功能和生物多样性等重要程度，分为国家重要湿地、地方重要湿地和一般湿地[③]。为湿地资源划分保护范围，符合《环境保护法》所规定的国家在重点生态功能区、生态环境敏感区和脆弱区等区域划定生态保护红线，实行严格保护的规定[④]。

《长江保护法》第四十一条规定建立长江流域水生生物完整性指数评价体系，并将水生生物完整性指数与水环境质量标准挂钩。生物完整性是指与区域环境相适应的，经长期进化形成的生物群落组成、结构和功能方面的属性[⑤]。生物完整性是水生态系统健康评价的重要指标，是水生态完整性的关键组分[⑥]。长江水生生物完整性指数主要评价长江水生生物类群资源及结构状况，以及满足其生存需求的生境条件。自 1992 年 6 月在巴西举行的联合国环境与发展大会上 150 多个国家首脑签署《生物多样性公约》以来，各国都在开展保护生物多样性的具体行动。“生物多样性”可以至少从以下三个角度理解：生物学上的生物多样性主要指物种及其以下的实体在代谢、生理、形态、行为等方面表现出的差异性，如生命多样性、有机体多样性；生态学的多样性主要指群落、生态系统甚至景观在组成、结构、功能及动态等方面的差异性，包括有关的生态过程及生境差异，如物种多样性；生物地理学上的多样性主要指不同的分类群或其组合的分布特征或差异，如植物区系多样性[⑦]。2021 年 1 月，《长江水生生物完整性指数评价体系论证报告》正式通过，旨在推动落实长江退捕禁捕政策，是贯彻《长江保护法》第四十一条的重要支撑。其主要内容是：将长江水生生物完整性分为“极好、好、一般、差、极差、无鱼”六类等级，其中“无鱼”作为

---

① 参见《中华人民共和国草原法》第十七条。

② 参见《湿地保护管理规定》第二条。

③ 参见《湿地保护管理规定》第十二条。

④ 参见《中华人民共和国环境保护法》第二十九条。

⑤ KARR J R. Biological integrity: a long-neglected aspect of water resource management [J]. Ecological applications, 1991(1): 66-84.

⑥ 陈凯，陈求稳，于海燕，等. 应用生物完整性指数评价我国河流的生态健康[J]. 中国环境科学，2018，38(4)：1589-1600.

⑦ 马克平. 试论生物多样性的概念[J]. 生物多样性，1993(1)：20-22.

最低等级，反映长江水生生物资源严重衰退、生态系统持续恶化的状况[①]。鉴于自然界每时每刻都在发生捕食和被捕食关系，被吃掉的意义在于其维持了物质循环和能量流动[②]。因此，野生动物的物种保护，尤其对濒危野生鱼类的保护对于整个食物链意义重大。国家保护药用野生动植物资源，有利于保护资源种质基因库的完整。《长江保护法》第四十二条规定对长江流域珍贵、濒危水生野生动植物实行重点保护。有关水生物种的保护，《太湖流域管理条例》规定了若干措施，包括开展水生生物资源增殖放流，实行禁渔区和禁渔期制度，划定水产种质资源保护区[③]。《中华人民共和国野生动物保护法》明确提出“保护野生动物，拯救珍贵、濒危野生动物，维护生物多样性和生态平衡，推进生态文明建设”的立法主旨，其第十条规定对野生动物实行分类分级保护，由中央与地方政府分别确定国家重点保护和地方重点保护野生动物范围和名录，每五年进行一次调整。《中华人民共和国水生野生动物保护实施条例》(以下简称《水生野生动物保护实施条例》)规定“水生野生动物，是指珍贵、濒危的水生野生动物”，《长江渔业资源管理规定》第四条又对长江渔业资源保护范围进行了具体规定。总体而言，在对长江流域的野生动物进行保护的立法实践中，确定物种种类、建立保护名录、划定保护区域、安排禁渔期和禁渔区是主要方式。

此外，不能忽视对外来物种的风险防御。《长江保护法》第四十二条第三款规定：“禁止在长江流域开放水域养殖、投放外来物种或者其他非本地物种种质资源。”随着国际贸易和旅游业的发展，生物入侵正在威胁我国生物多样性，其所造成的生态代价是本地物种的消失和农林牧渔业产量与质量的损失，以及高额的防治费用[④]。因此，《长江保护法》对于外来物种投放养殖行为采取禁止的态度。

---

① 《长江水生生物完整性指数评价体系论证报告》通过专家论证[J]. 中国水产，2021(2)：25-26.

② 王放. 野生动物保护要关注基石物种 它们连被吃掉都很有意义[N]. 第一财经日报，2020-05-26(A12).

③ 参见《太湖流域管理条例》第四十八条。

④ 万方浩，郭建英，王德辉. 中国外来入侵生物的危害与管理对策[J]. 生物多样性，2002(1)：119-125.

3.2 《长江保护法》对水污染防治的规定

从事权配置的角度看,《长江保护法》应顺次建立流域规划、水安全保障、生态保护与修复、水污染防治、涉水资源可持续利用五类基本法律制度①。从功能结构看,《长江保护法》以"资源保护""水污染防治""生态环境修复"3个功能专章和"绿色发展"专章构成了"3+1"的结构模式。"水安全"是涵摄于"生态安全"之下的外延较窄的概念,是"生态安全"之上位概念中全部要素的其中之一,用以指引流域水污染防治、水环境保护与水生态修复等具体事项的制度安排②,而第四章"水污染防治"恰是水安全价值从理念转化为实质性功能规范的路径③。《长江保护法》第四章"水污染防治"共有9个条文,是在全面落实《水污染防治法》的基础上,对《水污染防治法》的补充、完善和强化。④《长江保护法》第四十三条作为该章的一般条款,规定国务院生态环境主管部门和长江流域地方各级人民政府应当采取有效措施,加大对长江流域的水污染防治、监管力度,预防、控制和减少水环境污染。由此可见,将流域行政管理视为行政义务的履行,具有较为充分的法律依据。不过,在流域管理责任(或义务)的语境下,流域行政内部应当通过设定具体可操作的流域风险预防目标和考核评价制度及相应奖惩机制,在科层体制下有效驱动各级行政机关积极预防流域环境风险,改变流域治理传统模式的权力思维惯性。⑤ 为了实现该总体性要求,本章分别就水环境质量和污染物排放标准、水污染控制、各类水污染处理、水污染责任保险和财务担保等方面进行了规定,就水污染治理逻辑而言,这些规定应该属于预防和控制的行为规范。

---

① 吕忠梅.关于制定《长江保护法》的法理思考[J].东方法学,2020(2):79-90.

② 肖融.我国流域保护立法的价值表达与功能建构——以《长江保护法》为分析对象[J].长江流域资源与环境,2021,30(12):3017-3028.

③ 柯坚,王敏.论《长江保护法》立法目的之创设——以水安全价值为切入点[J].华中师范大学学报(人文社会科学版),2019,58(6):87-94.

④ 熊文,李志军,黄羽,等.中华人民共和国长江保护法要点解读[M].武汉:长江出版社,2021:152.

⑤ 杜健勋,廖彩舜.论流域环境风险治理模式转型[J].中南大学学报(社会科学版),2021,27(6):1-16.

3.2.1 对水环境质量和污染物排放标准的规定

水环境质量评价是水环境保护的一项基础性工作①，而开展水环境质量评价的主要技术依据便是“水环境质量标准”。对此，《长江保护法》第一章“总则”第七条即规定：“国务院生态环境、自然资源、水行政、农业农村和标准化等有关主管部门按照职责分工，建立健全长江流域水环境质量和污染物排放、生态环境修复、水资源节约集约利用、生态流量、生物多样性保护、水产养殖、防灾减灾等标准体系。”

那么，要建立什么样的“长江流域水环境质量标准体系”“污染物排放标准体系”？如何建立“长江流域水环境质量标准体系”“污染物排放标准体系”？可以在《长江保护法》第四章第四十四条、第四十五条中找到相关依据。

《长江保护法》第四十四条规定了长江流域水环境质量标准的分类、制定主体和制定程序。根据该条规定，长江流域水环境质量标准分为国家标准和地方标准，其国家标准的制定主体是“生态环境主管部门”，其地方标准的制定主体是“长江流域省级人民政府”。长江流域水环境质量国家标准可以是对原“国家水环境质量标准”中“未作规定的项目”的“补充规定”，也可以是对原“国家水环境质量标准”中“已经规定的项目”作出更加严格的规定。因此，长江流域水环境质量标准的国家标准是原“国家水环境质量标准”的空白补充或档次升级。为了保障该标准的适宜性，《长江保护法》第四十四条规定“制定长江流域水环境质量标准应当征求国务院有关部门和有关省级人民政府的意见”，这为生态环境主管部门结合流域保护和发展实际情况，制定既满足法定最低要求又切实可行的国家标准，提供了制度空间和实践可能。长江流域水环境质量地方标准，是指由长江流域省级人民政府制定、在其流经辖区内适用的水环境质量标准，该地方标准可以“严于长江流域水环境质量标准(国家)”。在制定程序上，省级人民政府制定的相应标准需报国务院生态环境主管部门备案。当然，此处的备案，应属于地方标准生效后的管理性程序而非其生效的前置性程序。

与水环境质量直接关联的另一标准是“水污染物排放标准”。根据《长江保护法》第四十五条第一款规定，长江流域省级人民政府有权制定地方水污染物排放标准。该标准的制定空间包括两方面：一是针对“没有国家水污染物排放标准的特色产业、特有污染物”，可以制定地方标准，以补充该标准的空白；

---

① 夏军，史晓新. 水环境质量评价标准探讨[J]. 重庆环境科学，1997(5)：14-17.

二是针对“国家有明确要求的特定水污染源或者水污染物，补充制定地方水污染物排放标准”。文意解释上，此处所谓“补充”应当解释为：可以是在国家标准基础上的更严标准，或者可以是制定更细致的标准。如果将该条第一款理解为“授权性规范”，则其第二款是“强制性规范”。第四十五条第二款对长江流域省级人民政府制定地方水污染物排放标准提出了强制性要求，即针对特定问题，长江流域省级人民政府应当制定严于国家水污染物排放标准的地方水污染物排放标准。这些特定问题有三个方面：一是产业密集、水环境问题突出的；二是现有水污染物排放标准不能满足所辖长江流域水环境质量要求的；三是流域或者区域水环境形势复杂，无法适用统一的水污染物排放标准的。

需要注意的两个问题是：

第一，长江流域“水环境质量标准体系”和“污染物排放标准体系”之间具有的关联性问题。长江流域“水环境质量标准体系”和“污染物排放标准体系”之间的关联性首先表现在标准之间的协调性上，水环境质量标准是制定水污染排放标准的根据，同时也是确定排污行为是否造成水体污染及是否应当承担法律责任的依据[①]。水环境质量标准的提高必然要求提高污染物排放标准，污染物排放标准的提高必然有助于水环境质量的改善。因此，标准之间的这种内在关联性要求标准的制定者在立、改、废相应标准时，必须统筹兼顾而不能顾此失彼。

第二，标准制定主体问题。在《长江保护法》中，长江流域“水环境质量标准”和“污染物排放标准”的国家标准的制定主体是“国务院生态环境主管部门”，其地方标准的制定主体是“长江流域省级人民政府”。但是，《中华人民共和国标准化法》(以下简称《标准化法》)第十条第一、二款规定“对保障人身健康和生命财产安全、国家安全、生态环境安全以及满足经济社会管理基本需要的技术要求，应当制定强制性国家标准。国务院有关行政主管部门依据职责负责强制性国家标准的项目提出、组织起草、征求意见和技术审查。国务院标准化行政主管部门负责强制性国家标准的立项、编号和对外通报。国务院标准化行政主管部门应当对拟制定的强制性国家标准是否符合前款规定进行立项审查，对符合前款规定的予以立项”。即在《标准化法》下，长江流域“水环境质量标准”和“污染物排放标准”的国家标准应当是由生态环境安全主管部门负责“项目提出、组织起草、征求意见和技术审查”，“国务院标准化行政主管部门

---

① 熊文，李志军，黄羽，等. 中华人民共和国长江保护法要点解读[M]. 武汉：长江出版社，2021：154.

负责强制性国家标准的立项、编号和对外通报”。不过,《标准化法》第十条第五款规定“法律、行政法规和国务院决定对强制性标准的制定另有规定的,从其规定”。对于国家标准,《水污染防治法》规定“国务院环境保护主管部门制定国家水环境质量标准”,“国务院环境保护主管部门根据国家水环境质量标准和国家经济、技术条件,制定国家水污染物排放标准”;对于地方标准,由“省、自治区、直辖市人民政府”制定①。《长江保护法》与《水污染防治法》就此问题保持了一致。根据特别法优于一般法的原则,在“水环境质量标准”和“污染物排放标准”制定主体方面,应当优先适用《长江保护法》。

3.2.2 对水污染控制的规定

对于水污染的控制,《长江保护法》第二十一条第二款首先要求国务院生态环境主管部门根据水环境质量改善目标和水污染防治要求,确定长江流域各省级行政区域重点污染物排放总量控制指标。长江流域水质超标的水功能区,应当实施更严格的污染物排放总量削减要求。企业事业单位应当按照要求,采取污染物排放总量控制措施。

磷是生物地球化学循环的物质基础之一,也是自然水域中重要的营养或污染物质。作为河流生态的重要限制因子,磷通量时空输移特性改变会引起水体富营养化、浮游植物群落组成改变、频繁赤潮、河湖湿地迅速变化等一系列生态环境效应②。总磷是水体中所有形态磷的总量。近年来,总磷污染成为长江流域的突出性污染问题,也成为长江流域水环境质量改善的关键因子③。在水环境质量方面,磷污染成为制约水质改善的主要影响因素,农业源排放量占比高,但工业源入河对水体的影响更直接,水库群运行带来的水沙条件变化对磷污染沿程演变有明显影响④。为此,《长江保护法》第四十六条对总磷污染控制专门作出了进一步要求。一是长江流域省级人民政府制定本行政区域的总磷污染控制方案,并组织实施。二是对磷矿、磷肥生产集中的长江干支流,有关省级人民政府应当制定更加严格的总磷排放管控要求,有效控制总磷排放总量。三是磷矿开采加工、磷肥和含磷农药制造等企业,应当按照排污许可

---

① 参见《中华人民共和国水污染防治法》第十二至十四条。

② 李思璇,宋瑞,许全喜,等.长江上游总磷通量时空变化特征研究[J].环境科学与技术,2021,44(5):179-185.

③ 熊文,李志军,黄羽,等.中华人民共和国长江保护法要点解读[M].武汉:长江出版社,2021:160.

④ 刘录三,黄国鲜,王璠,等.长江流域水生态环境安全主要问题、形势与对策[J].环境科学研究,2020,33(5):1081-1090.

要求，采取有效措施控制总磷排放浓度和排放总量；对排污口和周边环境进行总磷监测，依法公开监测信息。因此，《长江保护法》从国务院生态环境主管部门、长江流域省级人民政府，以及磷矿开采加工、磷肥和含磷农药制造等企业三个层面对磷污染控制作出了立体性调整。对于企业，《最高人民法院关于印发〈贯彻实施《长江保护法》工作推进会会议纪要〉的通知》(法〔2021〕304 号)也要求“严格贯彻实施《长江保护法》第四章关于水污染防治规定，审理水污染责任纠纷案件，侵权人以没有超过国家或地方水污染物排放标准，或者不属于相关污染物标准明确列举的污染物种类，或者被污染水域有自净功能、水质得到恢复为由，主张水污染责任不成立或免除、减轻生态环境修复责任的，人民法院应当依照《民法典》第一千二百二十九条等规定予以确定”①。为此，最高人民法院强调，一方面，企业污染常见流域水体应当承担严格责任；另一方面，企业若违反水污染物排放标准的，可能将承担惩罚性赔偿。

3.2.3 对各类水污染处理的规定

《长江保护法》第四十七条至第五十条规定了各类水污染处理。对于水污染源的处理，《长江保护法》采取了“源头治理、环节控制、末端处理”的思路和路径。

第一，针对主要污染源头“农业废弃物”和“固体废物”，《长江保护法》规定：“国家加强长江流域农业面源污染防治。长江流域农业生产应当科学使用农业投入品，减少化肥、农药施用，推广有机肥使用，科学处置农用薄膜、农作物秸秆等农业废弃物。”②禁止在长江流域河湖管理范围内倾倒、填埋、堆放、弃置、处理固体废物。③ 同时要求“长江流域县级以上地方人民政府应当加强对固体废物非法转移和倾倒的联防联控”④。

第二，隐患评估与整改。要求地方政府组织开展地下水环境风险隐患调

---

① 《中华人民共和国民法典》第一千二百二十九条规定：因污染环境、破坏生态造成他人损害的，侵权人应当承担侵权责任。第一千二百三十条：因污染环境、破坏生态发生纠纷，行为人应当就法律规定的不承担责任或者减轻责任的情形及其行为与损害之间不存在因果关系承担举证责任。第一千二百三十二条：侵权人违反法律规定故意污染环境、破坏生态造成严重后果的，被侵权人有权请求相应的惩罚性赔偿。

② 参见《中华人民共和国长江保护法》第四十八条。

③ 参见《中华人民共和国最高人民法院关于印发〈贯彻实施《长江保护法》工作推进会会议纪要〉的通知》(法〔2021〕304 号)第十一条：严格贯彻实施《长江保护法》第四十九条规定，对在河湖管理范围内实施违法倾倒、填埋、堆放、弃置、处理等行为以及为其提供帮助的侵权人，依法追究相应责任。

④ 参见《中华人民共和国长江保护法》第四十九条。

查评估，对沿河湖垃圾填埋场、加油站、矿山、尾矿库、危险废物处置场、化工园区和化工项目等地下水重点污染源针对性地采取风险防范和整治措施[①]。同时，加强对长江流域危险化学品运输的管控，禁止在长江流域水上运输剧毒化学品和国家规定禁止通过内河运输的其他危险化学品。

第三，治理排污口。关于排污口治理主要是三个方面：一是城乡污水集中处理设施方面，要求长江流域县级以上地方人民政府应当统筹长江流域城乡污水集中处理设施及配套管网建设，并保障其正常运行，提高城乡污水收集处理能力。二是长江流域县级以上地方人民政府应当组织对本行政区域的江河、湖泊排污口开展排查整治，明确责任主体，实施分类管理。三是在长江流域江河、湖泊新设、改设或者扩大排污口，应当按照国家有关规定报经有管辖权的生态环境主管部门或者长江流域生态环境监督管理机构同意。对未达到水质目标的水功能区，除污水集中处理设施排污口外，应当严格控制新设、改设或者扩大排污口[②]。

值得一提的是，《长江保护法》是最高立法机关第一次就“污水集中处理设施及配套管网建设”要求县级以上地方人民政府应当城乡无差别地统筹建设、保障其正常运行，提高城乡污水收集处理能力[③]，这对于提升长江流域农村污水收集处理能力非常重要。不过在实施层面，关键问题在于如何能够保证城乡无差别地进行污水收集处理，其中，投入资金来源单一且有限是首先要解决的问题。

3.2.4 对水污染责任保险和财务担保的规定

《长江保护法》第五十一条第一款规定：“国家建立长江流域危险货物运输船舶污染责任保险与财务担保相结合机制。具体办法由国务院交通运输主管部门会同国务院有关部门制定。”责任保险，是企业以保险方式就长江流域运输危险货物导致船舶污染责任而采取的社会化的风险化解机制；财务担保，既是长江流域运输危险货物导致船舶污染损害的经济补偿机制，也是对长江流域船运企业的督促机制。建立长江流域危险货物运输船舶污染责任保险与财

---

① 参见《中华人民共和国长江保护法》第五十条。

② 参见《中华人民共和国长江保护法》第四十七条。

③ 这不同于《水污染防治法》，该法第四十九条规定：城镇污水应当集中处理。县级以上地方人民政府应当通过财政预算和其他渠道筹集资金，统筹安排建设城镇污水集中处理设施及配套管网，提高本行政区域城镇污水的收集率和处理率。第五十二条规定：国家支持农村污水、垃圾处理设施的建设，推进农村污水、垃圾集中处理。地方各级人民政府应当统筹规划建设农村污水、垃圾处理设施，并保障其正常运行。

务担保相结合机制，是长江保护的经济策略，更是保障长江流域高质量发展的法治策略，是“在发展中保护、在保护中发展”，体现了《长江保护法》坚持“保护法”与“开发法”共生相融的理念[①]。

3.3 《长江保护法》对生态环境修复的规定

3.3.1 确立长江生态环境修复的体系架构

作为我国第一部流域立法，《长江保护法》首次明确了流域生态环境修复顶层设计的体系性制度保障，在其第一条申明“为了加强长江流域生态环境保护和修复，促进资源合理高效利用，保障生态安全，实现人与自然和谐共生、中华民族永续发展”。由此可见，本部专门立法特别强调将长江生态环境修复作为整部立法的主要目的和重要任务，从科学整体观的角度出发，明确了系统性地开展多维度的生态环境修复治理的重要性。作为我国首部流域生态环境保护立法，不仅将生态环境修复纳入长江流域生态环境系统性保护当中，而且突出强调了生态环境修复法治的重要价值和意义。立法强调生态环境基本生态功能的恢复，既包括系统生态功能的自然恢复，也包括在生态功能遭受严重损害情况下的人工修复工程。同时，立法在宏观上强调以自然恢复为主，与人工修复相结合，以此作为长江生态环境修复的总体原则。通过立法规范增强各项保护措施之间的关联与协调，确保生态修复措施与其他举措协调机制的合理构建，加强综合治理系统性和整体性，有利于系统性地开展多维度的生态环境修复治理活动。

长江流域是一个独立的生态系统，其所面临的生态环境问题具有特殊性和系统性。因此，对于长江流域生态环境的治理和保护，首先要遏制流域生态功能进一步退化，在采取各项保护措施之前，应当首先确保长江生态系统恢复元气，即长江生态环境的修复。这也是“不搞大开发”治理理念的题中之义，是“治好‘长江病’，要科学运用中医整体观，追根溯源、诊断病因、找准病根、分类施策、系统治疗”的贯彻和体现。[②] 党的十八大将生态文明建设纳入中国特色

---

① 陈虹．“保护法”与“开发法”的共生相融：彰显《长江保护法》的绿色发展之维[J]．环境保护，2021，49(Z1)：42-47．

② 习近平．在深入推动长江经济带发展座谈会上的讲话[EB/OL]．(2019-08-31)[2021-06-09]．http://www.qstheory.cn/dukan/qs/2019—08/31/c_1124940551.htm．

社会主义事业"五位一体"的总体布局，翻开了我国生态文明建设的新篇章。党的十八届五中全会提出了"创新、协调、绿色、开放、共享"五大发展理念，进一步突出生态环境保护的重要性。基于长江流域的重要性和特殊性，加强长江生态环境保护和修复，对于引领和支撑全国生态文明建设，具有十分重要的意义。① 而当前长江保护急切需要采取的措施正是长江流域生态环境修复。解决好生态环境修复问题，有利于及时遏制长江生态退化、改善生态环境系统功能，是开展其他各项治理措施的重要保障。而且从长江生态环境保护的实际需求出发，加强长江生态环境修复也是维护健康长江的客观需要。习近平总书记在深入推动长江经济带发展座谈会上多次强调，推动长江经济带发展必须从中华民族长远利益考虑，把修复长江生态环境摆在压倒性位置，共抓大保护、不搞大开发。因此，在当前和今后相当长的一个时期，长江生态环境治理的重点是生态环境修复。通过构建综合治理新体系，统筹考虑水环境、水生态、水资源、水安全、水文化和岸线等多方面的有机联系，推进长江上中下游、江河湖库、左右岸、干支流协同治理，改善长江生态环境和水域生态功能，提升生态系统质量和稳定性。

《长江保护法》将流域生态环境修复作为其主要立法目的之一，是对长江生态环境治理客观现实的准确把握和回应，同时也是科学合理地治理长江生态环境的顶层设计的体现。《长江保护法》第二条规定："在长江流域开展生态环境保护和修复以及长江流域各类生产生活、开发建设活动，应当遵守本法。"该条规定从整体上明确了长江保护立法规制的对象，并将长江流域生态环境修复作为重要内容。《长江保护法》适用于长江经济带 11 个省份的全部行政区域以及长江流域其他 8 个省份相关县级行政区域的生态环境保护修复。既要金山银山、又要绿水青山的发展理念对长江流域生态环境的保护和修复提出了更高的法治保障要求。《长江保护法》既是对一般环境保护立法的补充，同时也是结合长江环境保护特点的特殊重要领域立法。在一般环境保护立法基础之上，《长江保护法》在体系上建构了长江流域协调机制，提出了保护和修复生态环境、加大处罚力度、提升威慑力等规定，以国家意志形式为长江经济带建设立下了严格规矩，为法治保障长江流域生态环境保护以及护航长江经济带高质量绿色发展奠定了重要制度基础。②

---

① 马建华. 全面加强长江生态环境保护 着力建设沿江绿色生态廊道[EB/OL]. (2017-08-31)[2021-06-09]. http://www.cjw.gov.cn/ldzl/mjh/lsjn/28562.html.

② 吕忠梅. 筑牢长江大保护的法治之基[N]. 光明日报，2021-01-05(10).

长江保护立法在生态环境修复方面的体系建构不仅体现在对生态环境修复作出了原则性规定，还体现在具体章节和条款中将流域生态环境修复作为立法的重要内容加以规定。第一，在明确长江生态环境保护各级各类主体的职责内容的规定中，长江生态环境修复是各项职责内容中必不可缺的环节和举措。第二，在长江流域协调机制的顶层规划和制度建构中，立法在制定规章、编制规划以及监督执法等多方面的协作机制中强调长江生态环境修复制度的完善，要求有关主管部门按照各自职责分工，建立健全长江流域水生态环境修复的标准体系，进一步明确生态环境的修复标准。第三，在长江流域内珍稀濒危野生动植物资源的保护方面，规定建立相应的普查和专项调查制度，健全野生动物资源档案，并向社会公布长江流域野生动物资源状况。第四，在组织开展长江流域建设项目、重要基础设施和产业布局相关规划中，需要对长江流域生态系统包括生态环境修复在内的多方面建立第三方评估、分析、论证机制。第五，在健全长江流域信息共享系统中，涵盖了生态环境修复相关信息。此外，《长江保护法》还特别强调长江生态环境修复工作中的宣传教育和激励机制。更为重要的是，作为《长江保护法》的立法亮点，该法设置专章特别规定了长江流域生态环境修复法治问题。该章确立了流域生态修复的总体原则，同时还较为全面地规定了重点水域严格捕捞管理、河湖水系修复、水生生物栖息地修复以及重要区域和重点生态系统修复等内容，为长江流域生态环境修复提供了较为完备的法治保障。

3.3.2 明确生态环境修复各级主体与职责内容

长江作为我国第一大河流，从流域面积、水资源量、流经区域以及承载人口和经济总量等诸多方面来看，都是我国重要的战略水源地、清洁能源战略基地、航运业的“黄金水道”以及野生动植物天然宝库。无论是在我国经济社会发展中，还是生态文明建设中，都具有极其重要的战略地位。过去，因为流域生态环境治理相应管理体制不健全，分割管理问题突出，严重降低了生态治理的效率，影响了治理效果。这些正是未能有效遏制长江生态环境恶化、实现生态恢复的深层原因之一。当前，随着我国流域生态环境治理理念的逐步发展，流域治理的整体性和系统性特点逐渐受到重视。长江流域生态环境治理方式已经显现出多元主体共同参与和协商共治的趋势。在生态环境修复方面，治理理念、目标导向、任务布局和制度设计等都旨在构建流域多元主体共同参与和协同治理的体制机制，进一步协同政府之间、政企之间，以及政府、企业与公众之间的目标和利益成为立法的重要内容。[①]

首先,《长江保护法》注重在流域治理专门机构的基础上重构不同主体间的职责权限。根据长江流域治理的特殊性要求,分别对中央、流域、地方层级的事权配置进行统筹考虑,明确生态环境修复中各级各类主体及其各自具体的职责内容。[②]《长江保护法》中生态环境修复制度的规定涉及多个领域、多个部门、多个地方的修复工作,实现了体制创新、统一指导、统筹协调、整体推进。同时,具体职责的划定体现了《长江保护法》以责任为导向的鲜明特点,规范长江流域保护法律责任,界定不同主体的法律义务和违法后果。在"生态环境修复"之外,该法还专门设置"保障与监督""法律责任"两章,通过考核评价与监督机制,强化生态环境修复主体职责落实到位。[③] 在生态环境修复主体方面,该法涵盖了各级政府及其相关主管单位,具体包括国务院有关部门、长江流域省级人民政府、地方各级人民政府以及各级河湖长。此外,该法还将企业和社会纳入生态环境修复的主体。过去,非人为造成的直接生态环境损害的修复,都是由政府承担修复责任,修复主体过于单一。单纯依赖政府有限的修复能力和财政投入,不足以支持修复活动的高效开展。将企业和社会纳入生态环境修复的主体之中,通过政策优惠、特许权拍卖以及财政贴息贷款等多种方式,提高企业和社会参与的积极性,实现生态环境修复的市场化和专业化。通过鼓励社会资本投入修复工作,可以解决政府财政投入有限和负担过重的问题。

其次,《长江保护法》为各级各类主体规定了生态环境修复的具体职责。国务院有关部门主要负责从宏观层面编制长江流域生态环境修复规划,组织实施重大生态环境修复工程,统筹推进长江流域各项生态环境修复工作。此外,国务院有关部门还负责制定重点水域禁渔具体办法,河湖水系连通、河湖岸线、野生动植物生态系统以及河口生态环境的修复方案、修复规范、修复指标和行动计划。长江流域地方各级人民政府的职责主要在于会同国务院有关部门制定本行政区域的具体办法和修复方案,按照国家有关规定因地制宜地组织实施本行政区域生态环境修复的具体工作,针对生态环境破坏问题采取综合治理措施。在关于生态环境修复的地方性法规和政府规章制定、规划编制、监督执法、标准体系、信息共享系统的协作方面,长江流域相关地方有协同推进的职责。国务院有关部门和长江流域县级以上地方人民政府及其有关部门应当加强长江流

---

① 邓宏兵,刘恺雯,苏攀达. 流域生态文明视角下多元主体协同治理体系研究[J]. 区域经济评论,2021(2):146-153.

② 吕忠梅. 关于制定《长江保护法》的法理思考[J]. 东方法学,2020(2):79-90.

③ 吕忠梅. 筑牢长江大保护的法治之基[N]. 光明日报,2021-01-05(10).

域生态环境保护和绿色发展的宣传教育。新闻媒体应当采取多种形式开展生态环境保护和绿色发展的宣传教育，并依法对违法行为进行舆论监督。与此同时，国家鼓励、支持单位和个人参与长江流域生态环境修复活动，按照政策支持、企业和社会参与、市场化运作的原则，鼓励社会资本投入长江流域生态环境修复。

最后，《长江保护法》还规定了生态环境保护修复主体在保障和监督制度方面的职责权限。《长江保护法》在资金投入方面规定国务院和长江流域省级人民政府按照中央与地方财政事权和支出责任划分原则，专项安排用于长江流域生态环境保护和修复的资金；由国务院相关部门制定合理利用社会资金促进长江流域生态环境修复的政策措施。在科研和金融方面，规定了国家鼓励和支持长江流域生态环境修复方面的科学技术研究开发和推广应用，鼓励金融机构发展绿色信贷、绿色债券、绿色保险等金融产品的总体原则。在司法保障建设方面，规定了行政执法机关、人民法院、人民检察院等专门机关的生态环境修复法律服务职责，明确各部门在依法查处长江保护违法行为或者办理相关案件过程中，发现存在涉嫌犯罪行为的，应当将犯罪线索移送具有侦查、调查职权的机关，确保信息共享和执法衔接。《长江保护法》还特别强调生态环境修复考核评价制度，明确上级人民政府对下级人民政府生态环境修复目标完成情况等进行考核，运用法律将考核评估制度变成有效抓手，督促各级政府开展长江保护修复工作。

3.3.3 制定恢复流域生物多样性的一体化措施

野生动植物是流域生态环境的重要组成部分，流域内生物多样性状况是衡量生态环境健康状况的重要指标。生物多样性本底不清，生物遗传资源流失、丧失的趋势尚未得到根本遏制，生物安全形势严峻是当前我国生态环境修复面临的现实困境。恢复生物多样性、维护和保障生物安全、深化野生动植物保护与生物资源管理，是生态环境修复中不可忽视的内容之一。[①] 长江是世界上水生生物最为丰富的河流之一，是中国水生生物种质资源宝库。保护好长江的生物多样性，是事关我国生态安全和经济社会可持续发展的头等大事。据统计，长江流域现有各类水生生物 4 300 多种，其中鱼类约为 400 多种，特有

---

① 王夏晖，张箫．我国新时期生态保护修复总体战略与重大任务[J]．中国环境管理，2020，12(6)：82-87.

鱼类 180 多种。[1] 然而，长期以来，受拦河筑坝、水域污染、过度捕捞、航道整治、挖沙采石、滩涂围垦等影响，长江水生生物的生存环境日趋恶化，生物多样性指数持续下降，珍稀特有物种资源全面衰退。长江水生生物资源严重衰退，特别是渔业资源退化更为严重，年均捕捞产量逐年锐减。[2] 生物完整性指数降至最差级，珍稀、濒危野生动植物种群数量急剧下降，流域系统生态环境功能进一步退化。

《长江保护法》坚持标本兼治，针对生物资源严重衰退和生物多样性严重受损的问题，为了实现推进长江流域生物多样性恢复的体系建设的目标，从生物与生态环境一体化修复理念出发作出整体性和系统性的规定。

首先，《长江保护法》确立了流域生物多样性调查制度，有助于解决流域内生物多样性本底不清的问题。科学合理地制定有关珍贵、濒危水生生物及其生态系统保护修复的法律法规和计划，前提在于准确查明流域内生物多样性的现实状况。为此，立法明确长江流域生物多样性调查的主体是长江流域县级以上地方人民政府农业农村主管部门和本级人民政府有关部门。调查的主要内容包括水生生物产卵场、索饵场、越冬场和洄游通道等重要栖息地。此外，立法还同时建立了野生动物及其栖息地状况定期和专项普查制度，由国务院野生动物保护主管部门开展，建立野生动物资源档案，并向社会公布长江流域野生动物资源状况。

其次，针对长江生态环境问题中最突出的渔业资源衰退，《长江保护法》与《中华人民共和国渔业法》(以下简称《渔业法》)相衔接，并在 2017 年和 2018 年两个中央一号文件以及 2019 年三部委联合印发的《长江流域重点水域禁捕和建立补偿制度实施方案》等相关法律法规规定的基础上，进一步严格规范长江流域重点水域捕捞管理制度。其意义在于将近年来国务院办公厅和农业农村部发布的长江水生生物保护区全面禁捕和重点水域暂定十年禁捕等规定上升到法律层面，比《渔业法》的规定更直接、更明确。[3] 立法规定“在长江流域水生生物保护区全面禁止生产性捕捞；在国家规定的期限内，长江干流和重要支流、大型通江湖泊、长江河口规定区域等重点水域全面禁止天然渔业资源的生产性捕捞”。明确国务院农业农村主管部门会同国务院相关部门制定有关禁捕、限捕的具体管理办法，长江流域其他水域禁捕、限捕管理办法则由县级以

---

① 李储信，朱尧虎. 长江流域即将全面禁渔 10 年[J]. 生态经济，2019，35(12)：9-12.

② 参见《长江流域重点水域禁捕和建立补偿制度实施方案》。

③ 唐议.《长江保护法》构建长江流域生物保护新体系[J]. 农村工作通讯，2021(4)：29-31.

上地方人民政府制定。为严格捕捞管理、完善相关法律依据，在制定捕捞管理办法之外，立法还对执法管理活动作出了规定。国务院农业农村主管部门会同国务院有关部门和长江流域省级人民政府作为责任主体，加强禁捕执法工作，严厉查处破坏渔业资源和生态环境的捕捞行为。作为严格捕捞管理的配套保障措施，立法还进一步规定了长江流域重点水域退捕渔民的补偿、转产和社会保障工作，既确保了捕捞管理措施顺畅实施，同时也充分体现了人与生态和谐的治理理念。

再次，《长江保护法》的一体化保护理念还体现在其对水生生物和野生动植物赖以生存的生态环境修复方面的规定。长江流域生物多样性的恢复不仅涉及严格捕捞管理制度，同时还应当有计划地恢复生物赖以生存的生态系统。生物栖息地和典型生态系统的面积缩减、破碎、功能退化等，是造成流域内水生生物数量骤减、珍贵野生动植物濒危的重要原因。《长江保护法》从系统性和整体性出发，着眼生态环境恢复的有效性，规定由国务院林业和草原、农业农村主管部门对数量急剧下降或者极度濒危的野生动植物和受到严重破坏的栖息地、天然集中分布区、破碎化的典型生态系统，制定具体可行的修复方案和行动计划。例如，划定禁止和限制船舶航行区域，禁止或合理限制航道整治工程，减少航行对水生生物的干扰；通过修建迁地保护设施、建立野生动植物遗传资源基因库等方式，进行抢救性修复；针对长江流域水生生物产卵场、索饵场、越冬场和洄游通道等重要栖息地的破坏，规定应当实施生态环境修复和其他保护措施。立法及时回应了涉水工程对生态系统的破坏问题，明确了可能阻隔水生生物洄游的涉水工程的生态修复措施，并结合实际采取多种建设措施，充分满足水生生物的生态需求。对于可能影响水生生物及其栖息地、集中分布区和典型生态系统的水利水电工程建设、施工和改造应当进行科学论证。

最后，长江流域水生生物多样性恢复的一体化还体现在《长江保护法》针对自然资源保护、水污染防治以及河湖岸线管制等方面的多措并举上。在自然资源保护中，通过开展长江流域自然保护地体系建设，在长江流域重要典型生态系统的完整分布区、生态环境敏感区以及珍贵野生动植物天然集中分布区和重要栖息地依法设立国家公园、自然保护区、自然公园等自然保护地。根据不同生态区位、生态系统功能和生物多样性保护的需要，发布长江流域国家重要湿地、地方重要湿地名录及保护范围，以此加强对长江流域湿地的保护和管理，维护湿地生态功能和生物多样性。在水污染防治中，加大对长江流域的水污染防治及监管力度，预防、控制和减少水环境污染，改善长江流域的水质，恢复水生生物生存环境状况。在河湖岸线管制方面，通过制订河湖岸线修复计划，恢复其生态功能，清除违法利用、占用河湖岸线现象，实现对水生生物栖息地及其生息繁衍的保护。

3.3.4 完善河湖水系连通修复方案的制定与实施

随着长江生态环境的严重损害，水资源安全面临的压力日益加大，水旱灾害频发、水环境污染、水生态损害、水土流失严重等新老水问题交织，已经成为影响可持续发展的重要制约因素。河流健康是指具有足够、优质水量供给，使受到污染物质以及外界干扰破坏的河流生态系统能够自行恢复并维持良好的生态环境，发挥水体正常功能，持续地满足人类需求，不威胁或损害人类健康和经济社会发展安全。① 长江流域的生态环境问题最明显的是河湖水系的问题。“长江病”的诊断和治疗也要相应地从河湖水系的生态环境修复入手。长江流域生态环境的一大特点即其拥有庞大复杂的河湖水系，中下游更是集中分布着众多浅水湖泊，形成了独特而完整的江湖复合生态系统。然而，长期以来的修闸建坝、围湖造田等人类活动破坏了河湖水系的自然连通，隔断了长江和湖泊之间的流通，割裂了河湖复合生态系统的完整性。一方面，河湖水系的连通性与水系生境相互影响。连通性影响生境质量，后者直接改变河床、河(湖)岸、滨岸带的物理结构，物理结构的改变又反过来影响着连通性。② 尤其是人类改造活动对水系自然连通性的改变，导致水系生态系统退化、碎片化，河流功能简单化甚至丧失等问题。另一方面，河湖水系的连通问题同时还影响着生物群落分布，水系连通性退化会导致生态环境恶化。河湖水利工程会不同程度地改变河流的自然形态，降低生物群落多样性，影响水系生态系统的健康，成为河湖连通性退化的主要因素。③ 此外，河湖水系阻隔也使得湖泊水体的自净能力迅速衰退，水质逐步恶化，进而使得生物多样性受到严重损害，

---

① HEATHER J, EVAN H, CAMPBELL G, et al. How restructuring river connectivity changes freshwater fish biodiversity and biogeography[J]. Water resources research, 2011,47(5): W05531(1-10).

② 张欧阳，卜惠峰，王翠平，等. 长江流域水系连通性对河流健康的影响[J]. 人民长江，2010(2):1-5+17.

③ 向莹，韦安磊，茹彤，等. 中国河湖水系连通与区域生态环境影响[J]. 中国人口·资源与环境，2015(S1):139-142.

湖泊面积日益缩减，防洪供水能力持续下降。[①] 因此，科学有效地制定和实施长江河湖水系连通修复方案，对长江流域生态环境保护和修复十分必要。

《长江保护法》立法坚持问题导向，遵循长江流域自然特性，针对水系严重断流、河湖生态功能退化等问题，对河湖水系连通修复作出了全方位的规定。立法内容囊括长江干支流水系、湖泊、河口等的连通修复。第一，立法立足于流域生态修复总体布局，制定长江流域河湖水系连通修复总体规划和方案。长江河湖水系既具有一体性，同时也具有复杂性，在生态修复方面应当注重“保护优先、分区治理、突出重点”的原则。立法规定了长江干流、重要支流以及不同行政区域的河湖水系连通修复方案的制定和组织实施。干流和重要支流的连通修复整体方案具有跨区域性，因此由国务院水行政主管部门会同国务院有关部门统一制定并组织实施。分属各个行政区划内的支流和湖泊则由省级人民政府具体制定和组织实施修复方案。通过采取对严重污染河段河道清淤、生态护坡及滨河植被景观建设等措施，形成河湖水系的分层系统治理。由此逐步实现改善长江流域河湖连通状况，恢复河湖生态流量，维护河湖水系生态功能的目的。第二，明确国家对长江流域重点湖泊如太湖、鄱阳湖、洞庭湖、巢湖、滇池等加大生态修复的支持力度。立法规定由地方政府组织开展对富营养化湖泊的生态环境修复，严格控制影响湖泊水质的汇水区内氮磷污染物的排放。通过采取综合修复措施，恢复和改善湖泊生态系统的质量和功能。对重点湖泊水生态进行综合治理，推进健康河湖生境构建，通过湖区生态清淤、湖滨带湿地修复及主要入湖河道水生态综合治理，来达到改善入湖水质的目的。实施环湖河网地区河湖水系、运河水系连通修复工程，修复河网生态环境。[②] 第三，立法规定国务院水行政主管部门会同国务院有关部门和长江河口所在地人民政府按照陆海统筹、河海联动的要求，制定实施长江河口生态环境修复和其他保护措施方案。河口生态环境修复的实施应当首先由陆地生态环境主管部门和海洋生态环境主管部门联合划定生态环境保护红线。制定和实施修复方案应当充分体现生物多样性维持、水源涵养等生态效应。同时，加强对水、沙、盐、潮滩、生物种群的综合监测，采取有效措施防止海水入侵和倒灌，平衡生态水和城市居民饮用水保护，恢复长江河口的良好生态功能。

---

① 赵贝，刘丁维. 长江经济带省市政协来鄂研讨“长江大保护”，湖北持续推进江河湖库水系连通工程[EB/OL]. (2021-10-20)[2021-12-09]. https://baijiahao.baidu.com/s?id=1714056914560683940&wfr=spider&for=pc.

② 黄锦辉，赵蓉，史晓新，等. 河湖水系生态保护与修复对策[J]. 水利规划与设计，2018(4)：1-4+107.

3.3.5 健全重点区域和典型生态系统修复机制

长江流域的生态环境修复既要重点关注河湖水系、水生生物资源及其生态系统的修复，同时还要注重长江岸线诸多制约生态环境的因素。长江岸线发挥着无可替代的生产、生活和生态功能，也是长江的生态屏障和污染物入江的最后防线，同时还是修复和建设长江绿色生态的关键所在。[①] 岸线生态环境恢复的有效性极大影响着整个流域生态环境。此外，《长江保护法》从生态环境修复的系统性和整体性特点出发，加强对流域内影响长江生态环境的重点区域的修复力度。以山水林田湖草沙一体化环境治理理念，将流域内典型生态系统的修复一并纳入制度设计，推进森林、草地、湿地的修复工作，开展水土流失综合治理等，提升流域水源涵养能力，实现生态脆弱地区的修复保护，有效地提升了流域整体生态功能和生态产品服务水平，实现生态修复的常态化、规范化和制度化。[②]

首先，立法规范了长江流域河湖岸线修复机制。长江干流和主要支流沿岸聚集了大量环境高风险企业，给流域生态环境保护带来巨大隐患。港口码头违规扩建和无序发展，对长江流域生态环境造成了严重影响。为此，立法规定通过国家长江流域协调机制统筹协调相关部门和长江流域省级人民政府制定修复方案，确定岸线修复指标。由各地方政府按照河湖岸线保护规划、修复规范和指标要求，制定并组织实施修复计划，保障自然岸线比例，规范岸线利用，恢复河湖岸线生态功能。其次，立法规定了针对三峡库区、丹江口库区等重点库区消落区的生态环境修复。消落区是库区水质安全的最后屏障，并且具有稳固库岸、减少水土流失、降解面源污染和净化水质等生态功能。立法规定库区消落区应当因地制宜实施退耕还林还草还湿，建立管理长效机制，遏制消落区内“乱搭乱建、乱倒乱堆、乱填乱挖、乱耕乱种”行为，禁止施用化肥、农药，防止水质污染。科学调控水库水位，加强库区水土保持和地质灾害防治工作，从而保障消落区良好生态功能的恢复。最后，立法针对长江流域森林、草原、湿地以及其他典型生态系统的修复，规定长江流域县级以上地方人民政府林业和草原主管部门负责组织实施修复计划，科学推进森林、草原、湿地修复工作，加大退化天然林、草原和受损湿地修复力度。通过对流域湿地、山地、森

---

① 段学军，王晓龙，徐昔保，等．长江岸线生态保护的重大问题及对策建议[J]. 长江流域资源与环境，2019，28(11)：2641-2648.

② 刘佳奇.《长江保护法》中生态环境保护制度体系的逻辑展开[J]. 环境保护，2021，49(Z1)：36-41.

林等国家重点生态功能区的区域共建，优先布局重大生态保护工程。在天然林资源保护二期工程成果的基础之上，按照《天然林保护修复制度方案》要求，确保实现天然林保护修复目标。此外，立法还明确了长江流域水土流失重点预防区和重点治理区水土流失的防治措施。总体上，生态保护红线范围内的水土流失地块以自然恢复为主，按照规定有计划地实施退耕还林还草还湿；划入自然保护地核心保护区的永久基本农田，应依法有序退出并予以补划。立法严禁在长江流域水土流失严重、生态脆弱的区域开展可能造成水土流失的生产建设活动，对于需要开展相关生产建设活动的要求应设置相应的论证程序和严格的审批手续。通过完善法律法规制度建设、加强生产建设项目监管、开展监管履职督查等工作，强化水土保持工作的效果。对石漠化的土地，立法要求因地制宜地采取综合治理措施，修复生态系统。加快历史遗留矿山的生态环境修复工作，并加强对在建和运行中矿山的监督管理，督促矿山生态环境修复责任的履行。

04

第四章

管理体制机制与法律制度创新

《长江保护法》是我国首次以国家法律形式为特定流域专门制定的法律，其中，长江流域协调机制是流域法的重中之重。破除条块分割、部门分割、多头管理的流域管理体制弊端是制定《长江保护法》的直接原因之一，也是实现长江大保护的关键环节。

4.1 以往长江流域管理体制的不足

1988年颁布的《水法》第一次采用“流域管理”概念；2002年修订的《水法》正式确立了我国流域管理机构的法律地位；2018年我国通过机构改革进一步完善了流域管理体制。我国长江流域管理涉及事务繁多，是一项综合性的系统工作，其整体性和协同性仍存在不足。

(1) 长江流域管理体制的整体性不足

长江流域是我国一个独特而完整的复杂巨型系统，其从地域上横跨我国东中西部共19个省级行政区，以水为载体，是由环境、资源、社会、经济等若干子系统相互作用而形成的有机统一整体。其中，流域水资源的自然特性和多功能属性不仅构成了经济、社会发展的资源基础，也是诸多水问题和生态问题的共同症结之所在。因此为了依法治江、保护和改善长江流域生态环境，确立流域管理体制至关重要。

流域管理体制，是指流域管理机构的设置、管理权限的分配、职责范围的划分以及机构运行和协调的机制①。其核心在于流域管理主体及其管理权行使，涉及水资源分配、水资源保护等具体利益分配与调整，触及利益关系较为复杂。2002年修订的《水法》确立了流域与区域相结合的环境管理模式，旨在强调流域空间整体功能的实现，但该《水法》②仅概括性规定了流域管理机构的定位及其权限范围，使得流域管理机构的定位被弱化。实践中的流域管理机构表现为“具有行政职能的事业单位”，且在一定时期内下设部分具有企业性质的单位或机构，这种“在形式上依法具有实施法律制度的权力，但事实上政

---

① 王树义.流域管理体制研究[J].长江流域资源与环境，2000(4)：419-423.

② 《水法》第十二条：国家对水资源实行流域管理与行政区域管理相结合的管理体制。国务院水行政主管部门负责全国水资源的统一管理和监督工作。国务院水行政主管部门在国家确定的重要江河、湖泊设立的流域管理机构(以下简称流域管理机构)，在所管辖的范围内行使法律、行政法规规定的和国务院水行政主管部门授予的水资源管理和监督职责。县级以上地方人民政府水行政主管部门按照规定的权限，负责本行政区域内水资源的统一管理和监督工作。

事企不分的状态，使得其并非一级真正的管理机构”①，逐步形成国家与地方条块分割的管理局面。正因如此，流域管理机构因管理权限不足，实际未能有效发挥流域统一管理的作用。关于长江流域，我国按照中央职能部门设置与分工，先后设立了5个流域性管理机构，包括水利部长江水利委员会、长江流域水资源保护局、交通运输部长江航务管理局、长江流域渔业资源管理委员会、长江上游水土保持委员会，在2018年国务院机构改革后，原长江流域水资源保护局转隶生态环境部，并组建了生态环境部长江流域生态环境监督管理局，实行生态环境部和水利部双重领导、以生态环境部为主的管理体制，负责水资源、水生态、水环境方面的生态环境监管工作，将原先部门的权限进行了有限度的整合，这在一定程度上为统一实现流域管理与区域管理相结合的模式奠定了良好基础。

然而，政府机构改革并未彻底解决长江流域管理的主要问题，大部分管理职能仍然分散于各个不同的管理机关，主要是水利、环保、交通及建设等部门。在其他职能方面通常也都是跨部门的，多数为水行政部门与其他部门共同完成涉水事务，如农业、发展计划、建设、林业、卫生、能源电力、地质矿产等，一段时间内呈现出“九龙治水”的现象。

(2) 长江流域管理体制的协同性不足

流域与区域相结合的环境管理模式仍然未能脱离行政区域实施的自利性和封闭性，特定行政区划内的地方政府难以跨越区域空间范围而兼顾流域的整体性事务，出现流域内不同行政区域地方政府“各自为政”的情形。一方面，地方政府作为一个利益主体势必受到经济发展的目标影响；同时，因流域内以水为核心的相关要素分布存在空间差异性，必然会产生对区域内资源的竞争。在这种强烈的地方经济发展冲动和流域水资源有限的竞争下，就会发生各类污染、省际激烈的水事冲突等事件。另一方面，地方政府对流域管理的范围受限于其行政区划，难以兼顾到行政区域范围之外的流域事务，以致出现“不同行政区域各自为政、各立不同的标准、各行其是的现象”②。即便设置了多个流域专业管理机构，也无法从实质层面解决长江流域跨区域带来的各类管理问题，如长江水利委员会主要以提供技术服务为主，不具备流域行政管理职能，长江流域生态环境监督管理局主要强调对流域进行生态保护监督管理，但其

---

① 廖志丹，孔祥林. 流域管理与立法探析[M]. 武汉：湖北科学技术出版社，2014：7.

② 应力文，刘燕，戴星翼，等. 国内外流域管理体制综述[J]. 中国人口·资源与环境，2014(S1)：175-179.

层级依旧较低。可以说，这种跨部门共管只能解决少数业务上的协调问题。

长江流域涉及地理区域广泛，流域功能较为复杂。显然，我国对长江流域的立法布局并未体现出综合生态系统管理理念，所采取的方法和措施都较为单一。所谓综合生态系统管理理念，是生态环境的综合一体化管理，将生态系统视为一个整体，强调生态系统内部各主体间的相互协调及生态系统间的相互作用①。例如，我国《水法》主要功能在于确定水域功能，调整用水需求，保障水资源可持续利用，依据水功能区限制纳污，制定水功能区开发强度限制等管理制度；《水污染防治法》主要强调防治水污染，保护水环境，依据水环境功能区纳污红线制度进行管理。可见，虽然我国多部法律均有对水资源保护的规定，但通常是对流域的一项功能加以管控，导致众多法律之间存在直接冲突、事权重叠交叉等情形。这就要求在流域功能管控方面朝着综合性管理转变，客观上实行“水资源、水环境、水生态统一的流域综合管理”②。习近平总书记在推动长江经济带发展座谈会上强调，“要加强协同联动，强化山水林田湖草等各种生态要素的协同治理，推动上中下游地区的互动协作，增强各项举措的关联性和耦合性”。③ 这直接抓住了新时代流域管理的关键性问题。要实现流域空间内行政区之间的协同合作和多元要素的系统治理，就必须构建超越单一行政区域范围的流域协调机制，主要包括从主体上协同中央与地方、部门与部门、流域与区域、区域与区域之间的关系，从对象上统筹山水林田湖草等要素的系统治理，从方法上推动有序协同、整体联动。

4.2 《长江保护法》对体制机制的创新

为破除条块分割、各自为政、重复建设的弊端，《长江保护法》对涉及多个领域、多个部门、多个地方的流域保护工作进行了统筹协调和系统性的体制机制设计。一方面，从国家和地方层面确立了长江流域协调机制，对国家重大事项和地方流域治理进行统筹协调；另一方面，通过确立一系列的具体制度和机制为长江流域协调机制提供实践支撑。

---

① S. E. 约恩森. 生态系统生态学[M]. 曹建军，等译. 北京：科学出版社，2017：22.

② 陈虹. 流域法治何以可能：长江流域空间法治化的逻辑与展开[J]. 中国人口·资源与环境，2019，29(10)：18-23.

③ 新华社. 贯彻落实党的十九届五中全会精神 推动长江经济带高质量发展[N]. 新华日报，2020-11-16(01).

(1) 国家长江流域协调机制

地方利益和流域整体利益不可避免地存在冲突,因而,流域管理的最佳落脚点应当是协调多元主体利益关系。为维护流域空间的整体利益,《长江保护法》首创长江流域协调机制,在中央层面统筹协调流域性重大事项,有利于摒弃水资源单一价值观念和部门利益[①]。

结合《长江保护法》具体条款可见,国家长江流域协调机制主要从以下几个方面加以创新:其一,国家长江流域协调机制的基本职能。《长江保护法》第四条明确赋予国家长江流域协调机制相应职责权限。具体来说,一方面,通过采取审议政策和规划、协商重大事项等手段实现对长江流域管理的宏观统筹,避免区域间的政策、规划或事项冲突;另一方面,督促检查长江保护重要工作的落实情况,如打击长江非法采砂等问题,确保长江保护工作得以落实开展。不仅如此,《长江保护法》第十二条确立设立专家咨询委员会,组织专业机构和人员对长江流域重大发展战略、政策、规划等开展科学技术等专业咨询,即确立国家长江流域协调机制的重要职能是为长江流域提供专业咨询和技术意见。其二,国家长江流域协调机制的协调对象。《长江保护法》第五条明确规定,国家长江流域协调机制的协调对象为国务院有关部门和长江流域各省级人民政府。不仅如此,国家长江流域协调机制在河长制的基础上,强调其统筹协调范围集中在部际关系、省际关系和部省关系,因而,其既不协调流域市县地方各级人民政府之间的关系,也不参与流域市县各级河长的工作,而是与河长制各自分工,相互补充。其三,国家长江流域协调机制与流域管理机构的关系。国家在长江流域设立了水利部长江水利委员会、生态环境部长江流域生态环境监督管理局等流域管理机构,均具备协调长江流域相关事权的法定职能。流域管理机构依照法律法规和国务院有关部门授权或委托对长江流域具体事务进行专项协调,如水利部长江水利委员会负责长江流域水资源的开发、管理和监督等工作,而生态环境部长江流域生态环境监督管理局专门负责水资源、水生态、水环境方面的生态环境监管工作,具有明显的部门职能特征,并不具备统筹协调"山水林田湖草"的综合能力。国家长江流域协调机制所承担的正是流域综合管理职能,强调以水资源为核心的流域多要素综合管理。

基于《长江保护法》之规定,国家长江流域协调机制充分体现了协同治理理念,其从全流域的系统性、整体性角度出发设置协调机制,使得国家长江流

---

① 中国21世纪议程管理中心. 国际水资源管理经验及借鉴[M]. 北京:社会科学文献出版社,2011:104.

域协调机制以相对超脱的法律地位得以确立，并关注到其与流域管理机构、流域内各省市县人民政府、各级河长等主体之间的关系处理，主要指向流域管理所涉多元主体利益的协调问题，能够最大程度保障流域整体利益的维护和实现，同时又兼顾到区域利益的发展和平衡。

（2）地方长江流域协作机制

《长江保护法》不仅确立了国家层面的流域协调机制，更从地方层面建立协作机制，其背后蕴含着协作治理理论，而协作治理理论作为一种公共管理理论很早便被运用到行政管理领域，它所体现的是整体政府模式，即强调目标职能和权力行使的统一，还要求多方协作管理与合作①。

根据《长江保护法》第六条规定，地方长江流域协作机制具备以下四个特点：第一，地方长江流域协作机制的主体是地方。区域内各级政府等相关利益主体跨越行政区划而通过协同合作的方式开展系列环境治理活动，主要包括地方性法规和政府规章制定、规划编制、监督执法等方面。第二，地方长江流域协作机制的范畴在子流域或区域层面。地方长江流域协作机制不同于国家长江流域协调机制，其主要是统筹协调跨行政区域重大事项，通常涉及省与省之间。第三，地方长江流域协作机制分布在不同层级。基于对生态破坏、环境污染等问题的协同治理，地方长江流域协作机制既可能存在于同一级行政区域之间，也可能存在于非同级行政区域之间。第四，地方长江流域协作机制离不开科层体制的保障②。地方政府并非纯粹的环保主义者，其对区域范围内流域水污染等情形的治理很大程度取决于中央政府的监管成本和处罚力度，若是监管和处罚不足，地方政府会“理性”地选择用牺牲环境的方式获得地方经济发展。

至于地方协作的事项，结合《长江保护法》规定来看主要分为三个方面：第一，地方协作立法。2015 年《中华人民共和国立法法》（以下简称《立法法》）明确将地方立法权扩展到涉及环境保护方面的事项，在地方协作机制中，立法事项成为重要环节。具体可通过政府联席会议、人大座谈会等方式推动区域地方协作立法活动，对生态环境保护和治理事项进行立法调研、立法清理和立法规划等活动，从而避免区域间的法律冲突。第二，地方规划编制。《长江保护法》专章确立了“规划与管控”篇章，其中第十七条针对无法协调的规划编制问

---

① 于文轩. 生态环境协同治理的理论溯源与制度回应——以自然保护地法制为例[J]. 中国地质大学学报（社会科学版），2020(2)：10-19.

② 李正升. 从行政分割到协同治理：我国流域水污染治理机制创新[J]. 学术探索，2014(9)：57-61.

题，建立以国家发展规划为统领，以空间规划为基础，以专项规划、区域规划为支撑的长江流域规划体系，涉及水资源、生态环境保护、国土空间等规划内容。第三，地方协作监督执法。各级地方政府需要通过加大执法力度遏制流域污染和破坏行为，如长三角区域在水污染、大气污染等方面就开展了一系列的生态环境保护联防联治活动，共同制定实施《长三角区域落实大气污染防治行动计划实施细则》等，确立信息共享、预报预警、应急联动、联合执法等机制。

由此可见，长江流域地方协作机制的实质是长江流域沿线各行政区域基于流域整体性和生态环境修复利益的外部性考量，对行政区域间的各类流域事项展开协作，从而形成体系化的协作机制以实现环境保护与绿色发展目标。

（3）长江流域协调机制的制度载体

为夯实长江流域协调机制，《长江保护法》结合长江流域特性确立了具体的制度，对不同主管部门提出了相应要求，确保流域资源环境保护的协同开展。

第一，建立流域标准体系和资源基础数据库。针对长江流域的水环境质量等现状，《长江保护法》第七条明确要求由国务院协调不同主管部门按照职责分工建立健全适用于长江流域的特殊标准体系，第八条规定国务院相关部门统筹协调建立长江流域自然资源基础数据库。其中，国务院自然资源主管部门统筹协调长江流域土地、矿产、水流、森林、草原、湿地等长江流域自然资源状况调查，建立资源基础数据库，开展环境承载能力评价，并向社会公布；野生动物保护主管部门统筹协调野生动物及其栖息地状况普查，组织专项调查，建立野生动物资源档案，并向社会公布；长江流域县级以上地方人民政府农业农村主管部门会同本级人民政府有关部门，对水生生物的重要栖息地开展生物多样性调查。

第二，建设长江流域突发生态环境事件应急与灾害应对体系。长江流域船舶、港口等环境污染问题突出，突发生态环境事件时有发生。《长江保护法》第十条规定，国务院生态环境主管部门会同国务院有关部门和长江流域省级人民政府建立健全长江流域突发生态环境事件应急联动工作机制，加强对船舶、港口、矿山、化工厂、尾矿库等具有长江流域特殊性的突发生态环境事件的应急管理，并强调其应与国家突发事件应急体系相衔接。第十一条规定应加强长江流域灾害监测预报预警、防御、应急处置与恢复重建体系建设，以提高防灾、减灾、抗灾、救灾能力。

第三，确立长江流域联合执法制度。长江流域通常会涉及跨行政区域的违法案件或生态敏感区域内的环境案件等，需要通过联合执法行动加强对违法行为的整治和惩处。例如，长江流域的非法采砂十分猖獗，但往往因为跨省域而无法得到有效遏制，需要毗邻省域执法部门联合开展行动。由此，《长江保护法》第八十条确立了对长江流域跨行政区域、生态敏感区域和生态环境违法案件高发区域以及重大违法案件的联合执法制度，提升流域执法效力。

《长江保护法》所确立的制度涵盖长江流域保护的全过程，从前期标准确立、数据统计公布到突发环境事件的应急处置，再到流域违法行为的严格执法，进一步细化了长江流域的环境保护事项，也为长江流域启动协调机制找准制度落脚点。

(4) 长江流域协调机制下的具体机制

长江流域协调机制的职能需要进一步细化规定。《长江保护法》为长江流域协调机制的实施展开，确立了一系列的具体机制以统筹协调关键事项。

第一，健全长江流域监测网络体系和监测信息共享机制。我国已经初步建立起覆盖省、市、县各级的监测网络体系和信息共享机制，但是其仍然受监测范围的限制，无法有效全面地覆盖到全流域，无法实现监测对象、标准、程序的一致性，导致信息共享机制被割裂。《长江保护法》第九条规定了国务院有关部门应当健全长江流域监测网络体系和监测信息共享机制，从而为组织完善生态环境风险报告和预警机制提供翔实的监测数据和信息。

第二，建立长江流域信息共享系统。长江流域协调机制旨在把握长江流域的重大事项和规划，需要健全完备的信息共享系统。例如，水利部太湖流域管理局牵头建立了水利、环保部门涉水信息共享机制，组建太湖流域水环境综合治理信息共享平台，重点站点水位、流量、水质等 10 类信息一目了然，太湖流域内 87 个自动监测站的监测数据实现实时共享。《长江保护法》第十三条在实践基础上进一步深入推进长江流域信息共享，包括生态环境、自然资源以及管理执法等信息。

第三，强调河湖岸线的保护和修复机制。河湖岸线通常具有防洪、港口、交通、工农业利用等多元化功能，但相应法律缺失致使河湖岸线的保护和修复受到极大阻碍。《长江保护法》第二十六条规定，国家对长江流域河湖岸线实施特殊管制，由国家长江流域协调机制统筹协调各部门和流域省级人民政府，划定河湖岸线保护范围，制定河湖岸线保护规划，严格控制岸线开发建设，促进岸线合理高效利用。同时，以“禁令”的方式严格限制长江干支流岸线 1 千米范围内、长江干流岸线 3 千米范围内和重要支流岸线 1 千米范围内的特定开发利用活动。第五十五条则明确规定，由国家长江流域协调机制统筹协调各部门和流域省级政府制定长江流域河湖岸线修复规范，确定岸线修复指标。

目前,《长江保护法》所确立的具体机制多集中于国家层面,重点为引导国家流域协调机制朝着纵深方向发展,但相关制度和机制的建立健全并非长江流域协调机制的全部事项。随着长江流域协调机制的确立,如何开展和落实已有制度和机制,并进一步强化长江流域协调机制的统筹协调功能,应当成为下一步工作的落脚点。

05

第五章

绿色发展法律制度创新

5.1　绿色发展成为长江保护的重要目标

《长江保护法》对于贯彻落实习近平生态文明思想和党中央有关决策部署，加强长江流域生态环境保护和修复，促进生态资源协调与可持续发展，保障流域生态环境安全，实现绿色开发和人与自然和谐共处，具有重大意义。绿色发展是对人类社会传统发展模式的重大变革，是在当前我国生态环境容量和自然资源承载力的前置条件下，将环境保护作为实现可持续发展重要支柱的一种新型发展模式。

生态文明进入“五位一体”总体布局是国家发展战略调整优化的结果，也是我国四十多年环境保护实践创造的结果，是执政党通过总结我国环境保护四十多年经验教训对国家发展战略作出的重大调整[①]。绿色发展作为新时期推动长江经济带高质量发展的行动指南，具有高度的理论性和实践性，对该指南的认识深度和践行力度直接决定着长江经济带高质量发展的实现程度。目前，长江经济带对绿色发展各项指标的执行程度不一，呈现出愈加明显的区域平衡、经济发达程度与环境保护治理情况之间张力较大的趋势。例如，发展与保护的矛盾依旧突出；绿色发展各相关指标的刚性约束不强；流域整体性保护力度不足等。如何寻求经济社会发展与生态环境保护之间的平衡，准确把握并科学践行绿色发展的内核与基本要义，是实现长江经济带从高速度发展向高质量发展转变的核心课题，也是实现可持续发展亟待破解的难题。《长江保护法》准确把握生态环境保护和经济发展的辩证统一关系，用“绿色发展”专章构建绿色发展机制，凸显绿色治理、绿色生产、绿色消费、绿色园区、绿色产业体系等绿色发展主流理念，树立绿色发展规范，试图破解这一难题。《长江保护法》“绿色发展”专章共 11 条，对此进行了专门的规定。

当下，我国经济发展已经进入了新常态，经济潜在增长率、资源环境承载能力都不容许再盲目追求高速度，必须从粗放增长转向质量效率型集约增长，这为中国经济的绿色发展提供了契机。整体而言，该章不仅在微观层面优化治理修复的具体方式、手段和技术，更重要的是在宏观层面科学把握绿色治理的思路和要求。在绿色治理思路上进行分类指导，全面强化制度约束，加强绿

① 徐祥民. 习近平生态文明法治思想的基本命题：环境保护优先[J]. 中国政法大学学报，2021(3)：5-18.

色发展体制建设，开展产业转型示范，培育绿色文明风尚，推动全流域实现经济社会绿色发展、生产生活方式绿色转型。从主体角度，法律将绿色发展的义务赋予了多元主体，即构建协同治理体系、实现流域多元共治。第一，不同层级政府(国务院、长江流域地方各级人民政府及其主管部门)对于绿色发展政策的促进与倡导。通过落实政府主体责任，强化顶层设计，切实发挥好其在推动长江经济带发展过程中规划、政策、体系制定者的作用；引导和协调其他主体共同参与，提高公共服务水平，创造良好市场环境。第二，各产业、行业、企业(开发区)对于绿色发展转型的遵循和创新。通过强化企业责任，按照“谁污染、谁治理”的原则，自发推动转型升级，淘汰落后产能，发展绿色清洁生产；自觉遵守生态法规，树立模范典型。第三，消费者对于绿色低碳生活方式的参与和响应。公众作为推动长江经济带发展过程中数量最大、范围最广的主体，是生态环境的直接受益者。通过调动公众的积极性、主动性和创造性，主动参与推动长江经济带发展，共同守护好母亲河；唤醒并且增强节约意识、环保意识和生态意识，加快形成绿色生活方式，倡导绿色消费、适度消费。

5.2 《长江保护法》对绿色发展的具体措施规定

5.2.1 《长江保护法》对绿色发展的法条解读

《长江保护法》是一部既立足于环境保护，又重视经济生态发展的法律，不同于以往的仅侧重于环境保护或经济开发的地方性法规，其是在“长江大保护”的基调之上，结合绿色发展理念所创制的。绿色发展是在传统发展基础上的生产方式和生活方式的重大变革，是建立在生态环境容量和资源承载力的约束条件下，将环境保护作为实现可持续发展重要支柱的一种新型发展模式①。

(1) 统筹发展，城乡结合。《长江保护法》第六十四条规定：“国务院有关部门和长江流域地方各级人民政府应当按照长江流域发展规划、国土空间规划的要求，调整产业结构，优化产业布局，推进长江流域绿色发展。”第六十五条规定：“国务院和长江流域地方各级人民政府及其有关部门应当协同推进乡村

---

① 陈虹.“保护法”与“开发法”的共生相融：彰显《长江保护法》的绿色发展之维[J]. 环境保护，2021，49(Z1)：42-47.

振兴战略和新型城镇化战略的实施，统筹城乡基础设施建设和产业发展，建立健全全民覆盖、普惠共享、城乡一体的基本公共服务体系，促进长江流域城乡融合发展。”这些规定从中央层面确立城乡统筹发展战略，并且大力支持基础设施投资。在公共产品提供上，长江流域应不仅着眼于城市，更重视农村公共产品的提供，致力于推进覆盖城乡的公共服务体系的落实。

(2) 加强资源节约，减少污染。第六十六条规定：“长江流域县级以上地方人民政府应当推动钢铁、石油、化工、有色金属、建材、船舶等产业升级改造，提升技术装备水平；推动造纸、制革、电镀、印染、有色金属、农药、氮肥、焦化、原料药制造等企业实施清洁化改造。企业应当通过技术创新减少资源消耗和污染物排放。长江流域县级以上地方人民政府应当采取措施加快重点地区危险化学品生产企业搬迁改造。”该条规定对于基层政府的产业扶植政策提出了明确要求，要求基层政府推动重工业、高污染企业的环保化改造，并鼓励企业进行清洁技术革新，实现对环境的最小损害。第六十八条规定：“国家鼓励和支持在长江流域实施重点行业和重点用水单位节水技术改造，提高水资源利用效率。长江流域县级以上地方人民政府应当加强节水型城市和节水型园区建设，促进节水型行业产业和企业发展，并加快建设雨水自然积存、自然渗透、自然净化的海绵城市。”该条规定侧重于用水技术的节能型改造。我国南北水资源分布严重不均，较大城市一直保持巨大的用水量。虽然长江流域水量非常丰富，但出于可持续发展的目的，应当对用水技术提出绿色化的要求。对于能够实现自然净化的海绵城市，也应当进一步加快各方面建设进程。《长江保护法》第七十条规定：“长江流域县级以上地方人民政府应当编制并组织实施养殖水域滩涂规划，合理划定禁养区、限养区、养殖区，科学确定养殖规模和养殖密度；强化水产养殖投入品管理，指导和规范水产养殖、增殖活动。”该条规定要求地方政府对于滩涂养殖业加大管理力度，对于水产养殖业进行合理规划，建立绿色水产产业，在尽可能降低对生态资源损害的前提下，实现最大程度的产业发展。

(3) 建立开发区绿色发展评估机制。《长江保护法》第六十七条规定：“国务院有关部门会同长江流域省级人民政府建立开发区绿色发展评估机制，并组织对各类开发区的资源能源节约集约利用、生态环境保护等情况开展定期评估。长江流域县级以上地方人民政府应当根据评估结果对开发区产业产品、节能减排措施等进行优化调整。”该条规定提出了建立由中央政府牵头的跨区域评估机制，对于流域资源开发情况、环境保护落实情况进行定期评估，从而督促地方人民政府。

(4) 推进美丽乡村建设。《长江保护法》第六十九条第一款规定:“长江流域县级以上地方人民政府应当按照绿色发展的要求,统筹规划、建设与管理,提升城乡人居环境质量,建设美丽城镇和美丽乡村。”该款规定侧重于乡村建设,对于基层政府的社会治理提出不仅要建设富裕乡村,更要建设绿色乡村的政策目标。第六十九条第二款规定:“长江流域县级以上地方人民政府应当按照生态、环保、经济、实用的原则因地制宜组织实施厕所改造。”该款规定着眼于卫生条件的进一步完善,要求地方人民政府加大对于基层社会卫生环境的完善和发展。第六十九条第三款规定:“国务院有关部门和长江流域县级以上地方人民政府及其有关部门应当加强对城市新区、各类开发区等使用建筑材料的管理,鼓励使用节能环保、性能高的建筑材料,建设地下综合管廊和管网。”该款规定着眼于城市建材环保化的管理,出于建设绿色城市的要求,对于建材实行更加环保的管理标准。第六十九条第四款规定:“长江流域县级以上地方人民政府应当建设废弃土石渣综合利用信息平台,加强对生产建设活动废弃土石渣收集、清运、集中堆放的管理,鼓励开展综合利用。”该款规定体现了对于建设活动废弃物的管理及处理,以期在平台化管理的前提下实现绿色发展。

(5) 促进水陆交通节能高效。《长江保护法》第七十一条规定:“国家加强长江流域综合立体交通体系建设,完善港口、航道等水运基础设施,推动交通设施互联互通,实现水陆有机衔接、江海直达联运,提升长江黄金水道功能。”该条规定有利于提高长江流域水运资源的开发效率,通过立体交通网络的构建,能在缓解交通不畅的同时,刺激地方基础设施建设。而对于水运基础设施的建设,既可以带动当地经济发展,也有利于国家整体运输系统的进一步完善。第七十二条规定:“长江流域县级以上地方人民政府应当统筹建设船舶污染物接收转运处置设施、船舶液化天然气加注站,制定港口岸电设施、船舶受电设施建设和改造计划,并组织实施。具备岸电使用条件的船舶靠港应当按照国家有关规定使用岸电,但使用清洁能源的除外。”该规定使得水运船舶的维护、补给更加便利,并通过船舶受电项目升级水运船舶的自身技术,更有利于绿色环保。

(6) 倡导绿色低碳生活。《长江保护法》第七十三条规定:“国务院和长江流域县级以上地方人民政府对长江流域港口、航道和船舶升级改造,液化天然气动力船舶等清洁能源或者新能源动力船舶建造,港口绿色设计等按照规定给予资金支持或者政策扶持。国务院和长江流域县级以上地方人民政府对长江流域港口岸电设施、船舶受电设施的改造和使用按照规定给予资金补贴、电价优惠等政策扶持。”该条规定凸显了国家对于船舶自身技术绿色化改造的迫切需要，强调对于水运船舶动力能源的清洁化改进，最大限度地减少对于长江流域的污染，并且对于积极进行清洁能源动力更新的企业给予补贴，鼓励产业性的技术更新。《长江保护法》第七十四条规定：“长江流域地方各级人民政府加强对城乡居民绿色消费的宣传教育，并采取有效措施，支持、引导居民绿色消费。长江流域地方各级人民政府按照系统推进、广泛参与、突出重点、分类施策的原则，采取回收押金、限制使用易污染不易降解塑料用品、绿色设计、发展公共交通等措施，提倡简约适度、绿色低碳的生活方式。”该条规定赋予地方政府宣传绿色消费的义务，并倡导全社会有序进行绿色消费，尽可能减少使用对环境有害的产品，最大限度降低对环境的损害。同时，对于日常生活中绿色低碳的宣传也以法律的形式进行固化。

5.2.2 《长江保护法》中绿色发展的亮点

《长江保护法》是首部流域法，也是一部特别法、综合法，存在诸多创新之处，如建立流域协调机制、流域信息共享机制、专家咨询委员会，明确地方人民政府考核制度等。《长江保护法》中涉及绿色发展的法律条文共计 14 条，即第三条、第十六条、第六十四—七十四条以及第七十五条第四款，是绿色发展的原则、制度等内容的法律依据。

(1) 明确生态优先、绿色发展的原则。习近平总书记指出，“长江经济带应该走出一条生态优先、绿色发展的新路子……生态优先、绿色发展强调未来和方向路径，彼此是辩证统一的……”[①]，“生态优先、绿色发展”原则首先要解决的问题是以法律手段推动形成“共抓大保护、不搞大开发”的社会共识与自觉行动。《长江保护法》通过确立“生态优先、绿色发展”原则，落实“生态优先、绿色发展的新路子”，奠定了长江流域的生态保护和绿色发展基调。“生态优先、绿色发展”原则为正确处理发展与环境保护的关系，为促进长江经济带高质量发展提供了稳定预期[②]。《长江保护法》专设“规划与管控”一章，通过长江流域国土规划，划定生态保护红线，优化国土空间结构和布局；规定长江流域产业结构和布局应当与长江流域生态系统和资源环境承载能力相适应；通过水资源合理配置、水能源合理开发、长江流域河湖岸线特殊管制、河

① 习近平. 在深入推动长江经济带发展座谈会上的讲话[EB/OL]. (2018-06-14)[2021-12-15]. http://politics.people.com.cn/n1/2018/0614/c1001—30055965.html.

② 吕忠梅.《长江保护法》适用的基础性问题[J]. 环境保护，2021，49(Z1)：23-29.

道采砂规划和许可制度，促进长江流域产业绿色化转型，实现长江流域可持续发展。

(2) 建立开发区绿色发展评估机制。开发区绿色发展评估机制是以资源利用、环境治理、环境质量、生态保护、经济增长质量和绿色生活等指标体系为基础，量化评估绿色发展现状，并以评估结果为依据，对开发区产业产品、节能减排措施等进行优化调整。开发区在广义上一般指中央及地方政府为整合经济、高新技术资源或实验示范而划定的功能区，在功能区内通过给予优惠政策以吸引人才、资金、技术等资源，使其成为推动工业化、城镇化快速发展和对外开放的重要平台。在经济高质量发展转型期，开发区的管理体制和功能也在发生变化，对环境、生态的要求也越来越高。《长江保护法》第六十七条针对开发区的资源能源节约集约利用、生态环境保护等情况要求进行定期评估。开发区是带动当地经济发展的重要地区，是对外开放的窗口、吸引外资的主要区域以及发展区域经济的引擎。开发区对于地方经济的发展起着重要带动作用，在经济高质量发展的转型期，开发区的绿色发展指数也应发挥着引领作用。长江经济带涉及 11 省、直辖市的开发区各项指标占全国开发区近半数，对全国开发区的绿色发展具有重要影响和带动作用，需要着重关注和规范。建立开发区绿色发展评估机制的目标主要在于通过绿色 GDP 绩效评估，实现对开发区绿色发展现状的有效区分和科学比较，帮助政府找到开发区绿色发展的政策着力点，鼓励先进，促进后进，有效推进不同开发区的绿色发展，并通过比较分析和科学诊断，帮助开发区在高质量发展经济的同时寻找最适合自身实际的绿色发展模式，为政府决策提供理论参考和现实依据。

(3) 保障绿色发展的资金支持。长江流域生态保护和修复是一项系统工程，所需资金规模巨大。经济发展应依靠研发技术创新支撑的全要素生产率提高，以实现经济绿色低碳循环持续发展①。在传统环保法律政策框架下，财事权不对等，基层地方政府职责多、财力少是导致地方政府环境治理能力有限的一个重要原因。应合理引导地方政府行为，促进地方政府之间的良性竞争，改变以往"唯 GDP 增长论"的观念，促进我国各地区绿色发展目标的实现②。作为一部解决长江流域累积生态环境问题的"综合法"，《长江保护法》弥补了传统立法之不足，强化了国务院和长江流域省级人民政府的财政资金保障职

---

① 朱东波. 习近平绿色发展理念：思想基础、内涵体系与时代价值[J]. 经济学家，2020(3)：5-15.

② 李光龙，周云蕾. 环境分权、地方政府竞争与绿色发展[J]. 财政研究，2019(10)：73-86.

责，规定国务院和长江流域省级人民政府必须安排专门用于长江流域生态环境保护的资金，该类资金只能单独核算、专款专用，为长江流域生态环境保护和修复的财政投入提供有力保障。

《长江保护法》创建绿色金融等制度，鼓励社会资金参与，建立纵横向生态补偿机制，以多元投入机制为长江流域生态环境保护和修复提供资金保障。《长江保护法》第七十五条第一款规定了国务院和长江流域县级以上地方人民政府在长江流域生态环境保护和修复上的一般财政投入责任；第二款明确了国务院和长江流域省级人民政府的专项资金投入责任。从经济学上看，良好的生态环境质量与生态系统服务功能是典型的公共物品，由于公共物品消费存在非排他性与非竞争性，以追求私人利益最大化为目标的市场通常是无效率的。因此，需要由代表公共利益的政府主导供给。长江流域生态环境保护和修复所产生的流域整体及各组成部分的良好生态环境质量是公共物品，受益于全国及各行政区域，这些环境公共物品的供给理应由国务院和长江流域县级以上地方人民政府来提供财力保障。因此，《长江保护法》规定国务院和长江流域县级以上地方人民政府应当加大长江流域生态环境保护和修复的财政投入，这将是长江流域生态环境保护和修复的重要资金来源。长江流域生态环境修复所需投入巨大，仅依靠政府财政资金是不够的，为了拓宽资金渠道，《长江保护法》规定了引入社会资金的措施，鼓励社会资金参与。第七十五条第二款规定“国务院自然资源主管部门会同国务院财政、生态环境等有关部门制定合理利用社会资金促进长江流域生态环境修复的政策措施”，这为国家未来制定社会资金政策措施提供了依据。

《长江保护法》第七十五条第四款创新性地规定：“国家鼓励金融机构发展绿色信贷、绿色债券、绿色保险等金融产品，为长江流域生态环境保护和绿色发展提供金融支持。”当前，我国经济正处在向高质量发展转型的攻坚期，绿色金融对于提高金融资源配置效率，引导资金流向生态环境保护和绿色发展产业领域至关重要。相较于传统环保法，《长江保护法》规定的绿色金融制度是一种重要的制度创新，这一制度的实施将大力拓宽长江流域各地区节能环保、清洁能源、绿色交通、绿色建筑等绿色产业和项目的投融资渠道。国家开发银行于 2020 年 12 月 8 日发行长江大保护专题“债券通”绿色金融债券①，此次绿

① 国家开发银行于 2017 年创新绿色金融服务模式，首创专题发债序列，已发行“大气污染防治”“京津冀协同发展”“绿色循环发展”“长江经济带水资源保护”“粤港澳大湾区清洁交通建设”等专题绿色金融债券，合计 250 亿元。

色债券发行资金拟支持项目涵盖长江经济带上中下游，主要位于成渝经济区和长三角地区核心城市，项目类型包括污水处理、水环境整治、林业开发等。良好的绿色金融模式是长江保护和生态修复等项目顺利开展的重要保障，《长江保护法》明确其重要性并予以充分的鼓励和支持，因此需要得到重视和贯彻实施。

06

第六章

生态环境修复法律制度的创新

6.1 流域休养生息法律制度创新

6.1.1 《长江保护法》出台前长江流域生态环境不容乐观

(1) 资源环境承载能力这一指标并未发挥实际约束作用。《国务院关于2017年度环境状况和环境保护目标完成情况的报告》《中华人民共和国国民经济和社会发展第十三个五年规划纲要》等一系列文件,虽然都提到了资源环境承载能力这一概念,但是只是将其作为经济活动中的预警监测指标,希冀保证经济活动不突破资源环境承载能力底线,却没有明确规定资源环境承载能力这个底线指标从何而来,由何主体开展评价,导致"不突破资源环境承载能力"成为口号,使该科学指标在实际操作中被束缚,不能真正发挥硬性的预测和约束作用。

(2) 长江流域过度捕捞,渔业资源告急。在《长江保护法》出台前,有关禁渔的规定主要体现在《渔业法》第三十条。① 该条笼统地规定了禁止采取的捕捞方法、禁渔期以及禁渔区。自《渔业法》实施以来,水利部会同有关部门和长江经济带各省市政府采取了不少措施试图打击非法捕捞行为,但是长江流域的渔业资源状况并未明显好转,政府部门权责不明确、法律规定罚则较轻导致渔业资源接近枯竭,一般性法律对长江水生资源的保护力度有限。

(3) 非法采砂活动仍然猖獗。我国于2002年1月1日起施行的《长江河道采砂管理条例》是《长江保护法》出台前对长江河道采砂活动进行规范的主要法规。2016年施行的《最高人民法院、最高人民检察院关于办理非法采矿、破坏性采矿刑事案件适用法律若干问题的解释》明确将非法采砂入罪,但是对于非法采砂行为的控制收效甚微。司法实践表明,近些年来非法采砂活动仍旧泛滥,甚至形成了"造船、采砂、船上搬运、陆地搬运、售卖"五环节为一体的黑色产业链。同时,非法采砂的暴利性催生了地方黑恶势力参与采砂、充当非法

---

① 《渔业法》第三十条规定:"禁止使用炸鱼、毒鱼、电鱼等破坏渔业资源的方法进行捕捞。禁止制造、销售、使用禁用的渔具。禁止在禁渔区、禁渔期进行捕捞。禁止使用小于最小网目尺寸的网具进行捕捞。捕捞的渔获物中幼鱼不得超过规定的比例。在禁渔区或者禁渔期内禁止销售非法捕捞的渔获物。重点保护的渔业资源品种及其可捕捞标准,禁渔区和禁渔期,禁止使用或者限制使用的渔具和捕捞方法,最小网目尺寸以及其他保护渔业资源的措施,由国务院渔业行政主管部门或者省、自治区、直辖市人民政府渔业行政主管部门规定。"

采砂活动保护伞的恶性循环①。非法采砂活动在长江中下游城市(以江苏、安徽、湖北等砂石资源丰富的省市为代表)屡禁不止。通过对裁判文书网上所公开的非法采砂案件进行检索可以发现,从 2014 年伊始,近 10 年来公开的非法采砂案件裁判文书共 7 379 件,其中 2018 年、2019 年、2020 年这三年的裁判数量均超千件。从 2014 到 2020 年,非法采砂案件数量呈逐渐递增的趋势,究其原因与 2016 年非法采砂入刑有关,但也从侧面反映出《长江保护法》出台前非法采砂活动泛滥成灾,亟待制定特别法进行规制,规定更加严厉的罚则,明确执法主体权责,为坚决打赢"长江保卫战"添砖加瓦。非法采砂案件数量呈现逐年递增的趋势,究其原因与 2016 年非法采砂入刑有关,但也侧面反映出《长江保护法》出台前非法采砂活动泛滥成灾,亟待制定特别法进行规制,规定更加严厉的罚则,明确执法主体权责,为坚决打赢长江保卫战添砖加瓦。

6.1.2 推进流域休养生息成为长江流域生态修复的重要目标

《长江保护法》作为我国第一部流域保护专门法律,是立足新发展阶段、贯彻新发展理念、构建新发展格局的重要体现。对于贯彻习近平生态文明思想,推进长江生态环境保护和修复,统筹推动长江经济带高质量发展具有深远的意义。过去长期的"粗放型"经济发展理念使长江流域水生生物数量锐减,许多鱼类被纳入濒危品种,如在 2019 年 12 月 23 日长江白鲟被宣告灭绝,由此可见长江流域生物多样性保护面临严峻挑战。2018 年,习近平总书记再次考察调研长江经济带时强调,新形势下推动长江经济带发展,要"坚持新发展理念,坚持稳中求进工作总基调,坚持共抓大保护、不搞大开发"。可见在未来很长一段时间内,对于长江经济带的"大保护"将是我国生态文明建设各项工作的重要目标。2020 年,习近平总书记在全面推动长江经济带发展座谈会上指出,"(长江经济带)生态地位突出,发展潜力巨大,应该在践行新发展理念、构建新发展格局、推动高质量发展中发挥重要作用"。② 用严格的法律制度推进长江流域生态保护和环境修复,同时也是用法治力量守卫长江经济带高质量发展,为长江流域永续发展保驾护航,是贯彻落实习近平总书记所强调的"绿水青山就是金山银山"发展理念的重要体现。

推进长江流域休养生息,是立足于长江经济带资源环境保护研究,基于

---

① 叶小琴.长江大保护中治理非法采砂犯罪的多元共治法律机制[J].环境保护,2020,48(Z1):81-84.

② 习近平在全面推动长江经济带发展座谈会上强调 贯彻落实党的十九届五中全会精神 推动长江经济带高质量发展 韩正出席并讲话[J].思想政治工作研究,2020(12):8-10.

“生态优先、绿色发展”新思路作出的一项重要战略部署。休养生息配套制度的确定，说明我国在顶层设计层面开始摒弃“先污染、后保护”的路线，开始重视“预防为主、治理为辅”的理念，指明了长江生态环境修复的科学道路，为长江流域生态环境科学修复注入新活力。同时，长江流域休养生息相关制度是我国在借鉴发达国家水环境治理经验基础上形成的符合我国基本国情的再改造，尊重自然规律的要求，体现了“尊重自然、顺应自然、保护自然”的科学理念。过去的粗放型经济发展方式给长江各流域带来了不可磨灭的伤害，例如我国长江流域过度捕捞问题是长江流域水生态环境修复的沉疴痼疾，虽然带来了直观的经济增长，但却直接导致长江流域大量水生资源枯竭、产量严重下降等后果。长江流域鱼类资源捕捞产量从 20 世纪 50 年代的 40 万吨下降到 2018 年的 10 万吨。如今，必须停止各种对水生态资源过分掠夺的行为，给母亲河以必要的自行修复时间，给长江生态系统自我更新、自我循环留足空间。推动长江流域休养生息成了新形势下亟待解决的重点问题，必须将其提高到生态文明建设全局中更重要的位置。《长江保护法》虽然没有专章规定长江流域休养生息制度，但是在第一章（总则）、第二章（规划与管控）、第五章（生态环境修复）三章中穿插规定了长江流域休养生息相关制度，分别体现在《长江保护法》第八条、第二十二条、第二十八条、第五十三条。重点构建了以资源环境承载能力评价制度、“三线一单”生态环境分区管控制度、禁止生产性捕捞和禁渔制度以及划定禁止采砂区和禁止采砂期制度为框架的长江流域休养生息制度，是我国第一次在一部法律中比较全面地规定了长江流域休养生息制度。

推进长江流域休养生息，有助于用法治力量为长江经济带高质量发展注入新活力，是恢复和保持长江良好的自我修复、自我净化功能的根本措施，是在新发展理念指引下转变发展方式、调整生产结构的重要实践，是建设“资源节约型、环境友好型社会”的重要支撑，是建设美丽中国的重要基础。推进长江流域休养生息，一方面需要以资源环境承载能力为基础，停止过度的人为开发活动，在长江重点水域严格管理捕捞行为，全面禁止生产性捕捞和以牺牲水生态环境为代价的破坏性捕捞方式，依法划定禁止采砂区和禁止采砂期；另一方面要遵循生态系统的自然科学规律，建立自然资源基础数据库，科学开展环境资源承载能力评价，为长江流域的合理开发和经济活动提供科学参考，同时还要采取措施修复生态系统功能。坚持两手发力，为长江流域水生态环境修复提供有力的法治保障。

6.1.3 《长江保护法》对流域休养生息的具体措施规定解读

《长江保护法》不仅体现了生态文明理念，还规定了一系列配套措施以指明文明发展道路，为建设富强、民主、文明、和谐、美丽的社会主义现代化强国奠定了生态基础，是美丽中国建设的具体实践，是贯彻人与自然和谐共生理念的重要行动，有助于实现人与人、人与自然、人与社会之间的和谐共处，良性循环，共同发展，持续繁荣。在新时代背景下，我国改变了过去以GDP为导向的旧经济形态和经济发展模式，致力于在新发展理念指引下构建新发展格局，打造经济新常态。在经济新常态下，我国经济格局将发生如下变化：首先，经济增长速度由高速增长转变为中高速增长，在长江流域发展上转变过去大力开发、不顾环境承载力的思路，告别“大开发”，推进“大保护”，提高长江经济带经济发展质量，将新发展理念融入长江流域生态环境保护和修复中，正确处理保护和发展的关系，推动形成在保护中发展、在发展中保护的格局，尽力打造长江经济带经济新常态。其次，经济结构发生转变，主要体现在经济增长方式转变的层面上，需进一步调整长江流域产业结构，大力发展绿色经济，在长江流域停止“大开发”。最后，在动力上，由要素驱动、投资驱动转变为创新驱动，在科技创新之余加大制度创新力度，将休养生息理念正式体现在法律之中，并规定了详细的法律责任，划清各级政府部门职责，使之成为长江经济带各省市必须普遍遵守的制度。《长江保护法》在三章中穿插体现休养生息理念，列出如下4条规定。

（1）确定资源环境承载能力评价制度。《长江保护法》第八条第一款规定：“国务院自然资源主管部门会同国务院有关部门定期组织长江流域土地、矿产、水流、森林、草原、湿地等自然资源状况调查，建立资源基础数据库，开展资源环境承载能力评价，并向社会公布长江流域自然资源状况。”《长江保护法》第二十二条第二款规定：“长江流域产业结构和布局应当与长江流域生态系统和资源环境承载能力相适应。”这两条规定确定了开展资源环境承载能力评价的主体是国务院自然资源主管部门以及国务院有关部门，即以国务院自然资源主管部门作为牵头部门，国务院其他有关部门积极配合，形成部门合力，共同开展资源环境承载能力评价；同时还阐明了评价客体，即长江流域土地、矿产、水流、森林、草原、湿地等自然资源状况。自然资源是指可以满足人类生产和生活需要的一切自然资源，具有整体性、有限性。《长江保护法》第八条将自然资源分为土地资源、矿产资源、水流资源、森林资源、草原资源、湿地资源等。对全品类自然资源状况进行动态监测和调查，有利于政府部门稳定发展预期。

长期以来，囿于“大开发”的落后发展观念，各地往往忽视了资源环境容量限制和生态环境保护要求，导致资源环境状况不断恶化，环境容量告急，成为经济社会进一步发展的瓶颈①。研究发现，2010—2018 年长江经济带各省市平均水资源负载指数总体呈上升趋势，水资源压力逐年上升②，长江经济带水资源环境承载力在超载的临界点徘徊，长江经济带各省市经济规划亟待引入资源环境承载能力指标。按照资源环境的负荷程度，可以将资源环境承载力分为可载、临界超载、超载、过载四档。研究表明，2016 年，长江经济带城市资源环境可载的城市为 13 个，资源环境临界超载的城市为 29 个，超载的城市为 47 个，过载的城市为 21 个，分别占长江经济带城市总数（110 个）的 11.8%、26.4%、42.7%以及 19.1%③。根据《2018 年长江流域及西南诸河水资源公报》，2018 年长江流域废污水排放总量达 344.1 亿吨，工业废水排放量达 170.5 亿吨，占 49.5%，且排污主要集中在湖北、湖南、江苏、江西、四川、重庆、安徽以及上海，占长江流域废污水排放总量的 86.8%，工业过度开发以及产能落后和资源利用低效性使长江“病得不轻”。调整产业布局和提高资源利用效率，将资源环境承载力拉回可载的界限内刻不容缓，是关系到长江经济带水资源生态安全的一项重大任务，是当前和今后工作的重中之重。上述规定从顶层设计层面引入了资源环境承载能力评价制度，发挥资源环境承载能力指标在长江流域产业结构和布局调整中的基础作用，有助于在经济活动中体现经济效益、社会效益、生态效益的有机统一，为长江经济带所涉各级政府根据资源环境承载力开展生态环境保护工作、调整产业结构、转变发展方式提供了科学指标和参考。上述规定旨在科学评价资源环境承载能力的限度范围，引导合理开发，为长江流域生态环境修复留足空间。

（2）“三线一单”生态环境分区管控。《长江保护法》第二十二条第一款规定：“长江流域省级人民政府根据本行政区域的生态环境和资源利用状况，制定生态环境分区管控方案和生态环境准入清单，报国务院生态环境主管部门备案后实施。生态环境分区管控方案和生态环境准入清单应当与国土空间规划相衔接。”《“生态保护红线、环境质量底线、资源利用上线和环境准入负面清单”编制技术指南（试行）》中指出，“三线一单”指的是以改善环境质量为核心，

---

① 杜铭. 从大开发到大保护是历史进步[N]. 经济日报，2016-01-19(13).

② 卢亚丽，徐帅帅，沈镭. 基于胡焕庸线波动的长江经济带水资源环境承载力动态演变特征[J]. 自然资源学报，2021，36(11)：2811-2824.

③ 尚勇敏，王振. 长江经济带城市资源环境承载力评价及影响因素[J]. 上海经济研究，2019(7)：14-25+44.

以空间管控为手段，统筹生态保护红线、环境质量底线、资源利用上线以及环境准入负面清单等要求的系统性分区环境管控体系；生态保护红线指的是在生态空间范围内具有特殊重要生态功能、必须强制性严格保护的区域，是保障和维护国家生态安全的底线和生命线；环境质量底线指的是按照水、大气、土壤质量不断优化的原则，结合环境质量现状和相关规划、功能区划要求，考虑环境质量改善潜力，确定分区域分阶段环境质量目标及相应的环境管控、污染物排放控制等要求；资源利用上线指的是按照自然资源资产“只能增值、不能贬值”的原则，以保障生态安全和改善环境质量为目的，利用自然资源资产负债表，结合自然资源开发管控，提出的分区域、分阶段的资源开发利用总量、强度、效率等上线管控要求；环境准入负面清单指的是基于环境管控单元，统筹考虑生态保护红线、环境质量底线、资源利用上线的管控要求，提出的空间布局、污染物排放、环境风险、资源开发利用等方面禁止和限制的环境准入要求。

该条规定以习近平生态文明思想为统领，是体现《全国人民代表大会常务委员会关于全面加强生态环境保护 依法推动打好污染防治攻坚战的决议》《中共中央、国务院关于全面加强生态环境保护 坚决打好污染防治攻坚战的意见》精神的重大制度成果，是发挥生态保护红线、环境质量底线、资源利用上线刚性约束作用，建立环境准入负面清单的依据，体现了生态环境领域网格治理理念，划定环境管控单元（按标准分类为优先保护单元、重点管控单元、一般管控单元），对照不同特点的环境问题，建立有针对性、导向性的环境准入负面清单。该条规定有助于有关部门有的放矢地解决各种环境问题，精准打赢污染防治攻坚战，满足人民日益增长的对绿水青山的需要。同时，该条规定指明了接下来一段时期内我国生态环境保护工作将从“粗放型”全面升级为“集约型”，在长江流域生态环境保护上，实行分区域、分阶段精细管控；有助于转变经济增长方式，从以往依靠物质资源消耗拉动经济转向生产效率高、资源消耗低、环境污染少的生产方式，因地制宜地提高资源节约集约利用效率，实现长江经济带高质量发展；把经济活动、人的行为限制在自然资源和生态环境能够承受的限度内，给自然生态留下休养生息的时间和空间。在《长江保护法》生效前，截至 2020 年 12 月 29 日，长江流域各省、自治区、直辖市（共计 19 个）均已发布“三线一单”生态环境分区管控方案，以配合《长江保护法》落地生效。

（3）禁止生产性捕捞和禁渔。《长江保护法》第五十三条规定：“国家对长江流域重点水域实行严格捕捞管理。在长江流域水生生物保护区全面禁止生产性捕捞；在国家规定的期限内，长江干流和重要支流、大型通江湖泊、长江河口规定区域等重点水域全面禁止天然渔业资源的生产性捕捞。具体办法由国务院农业农村主管部门会同国务院有关部门制定。国务院农业农村主管部门会同国务院有关部门和长江流域省级人民政府加强长江流域禁捕执法工作，严厉查处电鱼、毒鱼、炸鱼等破坏渔业资源和生态环境的捕捞行为。长江流域县级以上地方人民政府应当按照国家有关规定做好长江流域重点水域退捕渔民的补偿、转产和社会保障工作。长江流域其他水域禁捕、限捕管理办法由县级以上地方人民政府制定。”

该条规定授权国务院农业农村主管部门会同国务院有关部门制定禁止生产性捕捞和禁渔的具体办法规定，为实践中的灵活操作留足空间。该规定明确了在水生生物保护区实行严格的全面禁止生产性捕捞的制度，根据《农业部关于公布率先全面禁捕长江流域水生生物保护区名录的通告》（农业部通告〔2017〕6 号），该条规定所指的禁渔区主要是长江上游珍稀特有鱼类国家级自然保护区等 332 个水生生物保护区（包括水生动植物自然保护区和水产种质资源保护区）。同时该条规定还指明在长江干流和重要支流、大型通江湖泊、长江河口规定区域等国家规定的重点水域内定期禁渔。目前长江“十年禁渔”已经落实，自 2020 年 1 月 1 日零时起，在长江干流和重要支流、大型通江湖泊、长江河口规定区域等国家规定的重点水域内全面禁止生产性捕捞。同时该规定第二款采取具体列举和抽象概括的方式对破坏资源和环境的捕捞行为予以禁止，旨在保护长江流域水生生物多样性，给曾被无情掠夺的水生生物资源自我修复留出时间和空间。该规定第三款明确规定了长江流域县级以上地方人民政府要做好退捕渔民的补偿、转产和社会保障工作，有利于提升长江流域生态修复工作的科学性、整体性和协同性，广泛调动沿岸退捕渔民对实施禁渔制度的积极性和参与性，提高法律制度的社会可接受性，有助于减少行政机关在执法过程中所受到的阻力。在保护长江流域生态环境的同时抓好沿岸民生保障工作，彰显了“两手抓，两手都要硬”的发展思想和中国智慧，为世界各国重要流域治理提供了中国经验。该项规定是以习近平同志为核心的党中央为修复长江流域生态环境，从党和国家事业发展全局高度作出的一项重要战略举措，是拯救渔业资源的重要手段。该条规定为“十年禁渔”提供了强有力的制度保障，意味着长江保护“持久战”正式拉开序幕，是为了实现中华民族永续发展而作出的现实抉择。

（4）划定禁止采砂区和禁止采砂期。《长江保护法》第二十八条规定：“国家建立长江流域河道采砂规划和许可制度。长江流域河道采砂应当依法取得国务院水行政主管部门有关流域管理机构或者县级以上地方人民政府水行政主管部门的许可。国务院水行政主管部门有关流域管理机构和长江流域县级以上地方人民政府依法划定禁止采砂区和禁止采砂期，严格控制采砂区域、采砂总量和采砂区域内的采砂船舶数量。禁止在长江流域禁止采砂区和禁止采砂期从事采砂活动。国务院水行政主管部门会同国务院有关部门组织长江流域有关地方人民政府及其有关部门开展长江流域河道非法采砂联合执法工作。”

长江河道采砂管理关系到长江经济带生态环境修复全局，关系到长江流域各省市行洪安全、长江流域航道航行安全以及江面基础设施稳固性，必须予以高度重视。该条规定进一步明确了在长江河道采砂采取行政许可制度，有权授予许可的行政机关是国务院水行政主管部门有关流域管理机构或者县级以上地方人民政府水行政主管部门。首先，长江河道砂石不仅是国家资源，还是自然资源、有限资源，而且体现着公共利益，涉及公共安全、生态环境保护，因此长江河道采砂资格适用行政许可制度的必要性可见一斑。其次，该条规定还明确了划定禁止采砂区和禁止采砂期的主体，即国务院水行政主管部门有关流域管理机构和长江流域县级以上地方人民政府。再次，明确了上述授权主体可采取的措施，即控制采砂区域、采砂总量以及采砂区域内采砂船舶数量，以全方位、立体式的制度构建致力于从源头上遏制非法采砂活动，精准打击非法采砂行为。近些年来，我国建材行业需砂量逐年攀升，基于利益驱动，非法采砂活动泛滥。根据水利部发布的 2023 年《中国河流泥沙公报》，2023 年长江流域主要泥沙事件为长江河道采砂及疏浚砂综合利用。长期的非法采砂活动使长江江底千疮百孔，夏季汛期崩岸、江面基础设施坍塌可能性大幅增加。该条规定在空间维度和时间维度上确定了较完善的禁止非法采砂的规范，对减少长江流域洪水隐患具有切实可行性，为提高长江流域抵御洪水能力提供了法治保障。同时，《长江保护法》较之于《长江河道采砂管理条例》规定了更加严格的罚则，为执法主体禁止小型偷采船的违法行径提供了更加完善的制度依据，保证执法工作有法可依、执法必严。

6.2 长江资源保护法律制度创新

“十三五”期间，长江流域各地区、各部门以习近平新时代中国特色社会主义思想为指导，坚持人与自然和谐共生，以节约优先、保护优先、自然恢复为主要方针，践行绿水青山就是金山银山理念，致力于建立健全自然资源管理制度体系。为此，《长江保护法》加大对重大基础性工作的关注，形成了具有创新性的资源综合监管体制，包括构建自然资源标准体系、自然资源状况调查和公布制度、自然资源监测网络体系和执法信息共享机制等。这些创新举措与以往的资源保护法相比，在现代性和科学性方面有着大跨步的前进，夯实了国家安全的资源基础。

6.2.1 构建自然资源标准体系

《长江保护法》第七条规定，国务院相关部门“按照职责分工，建立健全长江流域水环境质量和污染物排放、生态环境修复、水资源节约集约利用、生态流量、生物多样性保护、水产养殖、防灾减灾等标准体系”。标准是经济活动和社会发展的技术支撑，是国家基础性制度的重要方面。标准化在推进国家治理体系和治理能力现代化中发挥着基础性、引领性的作用。新时代推动高质量发展、全面建设社会主义现代化国家，迫切需要进一步加强标准化工作①。

标准体系是一段时期内指导和保障标准化工作有效、科学开展的总纲，对做好整个标准化战略、规划、计划和日常管理工作意义重大②。在自然资源管理过程中，行政审批涉及多部门的多个标准。目前，尚无统一的自然资源标准体系。各业务标准化工作是由不同部门来管理的，每个部门根据自己领域的标准化工作需要，建立各自的标准体系，体系内各标准之间的关联性和逻辑性都是围绕各自业务的开展需要而形成的，虽各自独立，但也存在体系间的交叉、重复问题。举例来说，湖北省各类自然资源调查标准之间就存在诸多不兼容，如调查标准不一、综合评价能力差、分类编码规则不一致等问题，难以为自然资源综合管理提供有效的技术支撑③。自然资源部负责统一管理国土、地质、矿产、海洋、测绘地理信息等自然资源相关业务的标准化工作，与其承担“两统一”职责，开展统筹山水林田湖草系统治理工作尚有距离。生态环境部负责制定生态环境相关标准，包括国家生态环境质量标准、国家生态环境风险管控标准、国家污染物排放标准、国家生态环境监测标准、国家生态环境基础标准和国家生态环境管理技术规范等，并管理相关标准化工作④。水利部负责水文、水资源、水生态水环境、水利水电工程、水土保持、农村水利、水灾害防御、

---

① 参见2021年10月10日中共中央、国务院印发的《国家标准化发展纲要》。

② 吴桐，黄琛，严竞新，等.自然资源标准体系构建思考[J].中国标准化，2021(3)：116-121.

③ 黄景孟，周豹，石先滨.湖北省自然资源综合调查标准化现状及对策[J].资源环境与工程，2020，34(4)：642-645.

④ 详见生态环境部网站：https://www.mee.gov.cn/zjhb/。

水利信息化等的标准化工作[①]。农业农村部负责农产品质量标准、农药标准、耕地质量标准的制定与管理。为了有力支撑自然资源调查评价监测制度，自然资源部按照《自然资源调查监测体系构建总体方案》要求，于 2021 年 1 月印发了《自然资源调查监测标准体系（试行）》（以下简称《标准体系》）。《标准体系》充分考虑了土地、矿产、森林、草原、水、湿地、海洋等领域现有标准的基础，按照标准体系编制的原则和结构化思想，以统一自然资源调查监测标准为核心，按照体系构建的总体设计和工作流程而构建[②]。

长江流域内江苏、浙江等地正在以标准化推动自然资源治理能力现代化[③]。无锡市自 2014 年以来，致力于构建自然资源“四全”服务标准体系，即“全流程优化审批、全区域便民服务、全业务网上办理、全节点效能监管”。该体系提出了一套可复制、可推广的模型，提高了自然资源系统公共服务标准化工作效率[④]。标准体系的构建是一种制度创新，极大提高了公共服务能力和水平。

6.2.2 自然资源状况调查与监测制度

《长江保护法》第八条规定行政部门应分级分部门对自然资源、野生动物及其栖息地以及水生生物栖息地开展资源调查，第九条规定了健全长江流域资源监测网络体系和监测信息共享机制。这两条规定有助于构建长江流域自然资源统一调查监测体系，是实现自然资源管理“两统一”职责的基础，也是贯彻生态文明思想的重要举措。

自然资源调查是指采用一定的技术方法了解自然资源的现状和全貌信息[⑤]。自然资源监测是在一定时间和空间范围内，利用各种信息采集和处理方法，对自然资源状态进行系统的观察、测定、记录、分析和评价，以揭示区域自然资源变动过程中各种因素的关系和变化的内在规律，展现资源演变轨迹和变化趋势，其目的是为各级资源主管部门和政府提供宏观和微观的资源现状数据和动态变化数据[⑥]。

“山水林田湖草是生命共同体”的系统思想迫切需要系统的自然资源调查

---

① 详见水利部网站：http://www.mwr.gov.cn/jg/。

② 宁晶. 自然资源调查监测标准体系发布[N]. 中国自然资源报，2021-01-07(1).

③ 李海晏. 福建省自然资源管理标准体系构建研究[J]. 质量技术监督研究，2020(2)：13-18.

④ 李佳. 自然资源“四全”服务标准体系构建研究[C]//中国标准化协会. 第十七届中国标准化论坛论文集，2020：950-955.

⑤ 崔巍. 对自然资源调查与监测的辨析和认识[J]. 现代测绘，2019，42(4)：17-22.

⑥ 叶远智，张朝忙，邓轶，等. 我国自然资源、自然资源资产监测发展现状及问题分析[J]. 测绘通报，2019(10)：23-29.

监测体系。长江流域各地区在自然资源调查监测领域一直都存在诸多问题,目前,针对这些具有共性和个性的问题,各省也在探索符合本省数据基础和治理能力的资源调查监测方式。江苏省为结合本地资源状况实现资源调查监测目标,早在2020年就出台了《江苏省自然资源调查分类(试行)》,将自然资源根据空间功能用途、自然特性和管理属性进行了空间利用层分类、自然物层分类和自然资源管理层分类三种模式的分类①。近年来,湖南省也在着力开展土地调查、地理国情监测、森林资源清查、水利普查、草地资源清查等自然资源调查监测工作,丰富了资源基础数据,为政府决策部署提供了数据支撑,为推动全省经济社会的综合发展发挥了重大作用②。湖南省自然资源监测工作主要以“国土三调”数据成果为本底,以卫星影像为支撑,以月度、季度和年度为监测周期,创新研发构建了标准统一、机制完备、技术多元、质量可靠、服务快速的“1+N”卫星监测体系:“1”是常规监测,“N”是专项监测,包括违法用地监测、农村建设用地监测、耕地使用情况监测、建设用地批后监测等③。其中,以生态修复工程和增减挂钩项目为焦点实施专项服务监测,动态掌握全省各类自然资源的类型、面积、范围、分布等变化情况,组织开展应急监测,关注社会关注的焦点和难点问题,第一时间为决策和管理提供资料和数据支撑④。

6.2.3 自然资源执法信息共享机制

《长江保护法》第十三条提出建立健全长江流域信息共享系统的要求。国务院有关部门和长江流域省级人民政府及其有关部门应当按照规定,共享长江流域生态环境、自然资源以及管理执法等信息。构建长江流域信息共享系统,是利用科学数据保护长江的重要一步。

人类社会截至目前所积累的科学数据量已经超过过去五千年的总和⑤,数据共享可以为长江法治化管理节约很多人力物力成本。例如,长江流域分布着大量的生态敏感区,其对维持流域生物多样性和保障流域生态安全具有重

---

① 楚亮,董士玲,付丽莉,等.市级自然资源调查监测体系构建探索——以徐州市为例[J].中国地质调查,2021(3):106-112.

② 吴志伟.全力履行自然资源调查监测新使命[J].南方国土资源,2019(3):16-17.

③ 谢优平,肖海,刘专,等.综合应用现代测绘技术构建自然资源监测保护体系——湖南省“1+N”自然资源卫星监测纪实[J].中国测绘,2021(5):18-20.

④ 陈根良,郭双仁,全思湘,等.湖南省自然资源调查监测体系构建[J].测绘通报,2021(6):139-142.

⑤ 郭明航,李军超,田均良.我国科学数据共享管理的发展与现状[J].西安建筑科技大学学报(社会科学版),2009(4):83-88+100.

要战略意义。但由于缺乏流域生态敏感区信息共享平台，在流域开发规划上难以表达生态敏感区保护信息①。

构建流域信息共享系统，实则是要通过数字化平台的构建打破行政区域的信息壁垒。2016 年中共中央政治局审议通过并印发的《长江经济带发展规划纲要》明确提出了“打破行政区划界限和壁垒，加强环境污染联防联控，推动建立地区间、上下游生态补偿机制，加快形成生态环境联防联控、流域管理统筹协调的区域协调发展新机制”等要求。为此，建立统筹长江流域生态、资源与执法信息的数字化平台，将为改善长江生态环境、提高资源利用效率发挥重要作用，当然也是摆在流域各级政府面前的一项艰巨任务。

目前，长江流域已建立的跨界共享式资源信息平台包括水利部长江水利委员会定期发布的有关月度长江流域重要控制断面水资源监测信息的“长江公报”以及年度发布的有关长江泥沙信息的公报，水利部网站发布的实时水情信息和统计公报等，即目前已有的共享信息模式主要是以“公报”这类文献资料为载体呈现。

6.3 污染防治措施法律制度创新

在完善水污染防治措施方面，《长江保护法》在《水法》《水污染防治法》《环境保护法》等基础性法律的基础上，对长江保护的制度创新主要包括创新水环境质量标准的制定制度，创新水污染物排放标准的制定制度，首创总磷总量控制法律制度，创制长江流域危险货物运输船舶污染风险分担机制。

6.3.1 创新水环境质量标准的制定制度

关于水环境质量标准的制定，《水污染防治法》已有规定，即该法第十二条规定：“国务院环境保护主管部门制定国家水环境质量标准。省、自治区、直辖市人民政府可以对国家水环境质量标准中未作规定的项目，制定地方标准，并报国务院环境保护主管部门备案。”②《长江保护法》第四十四条关于国家水环境质量标准和地方水环境质量标准的制定与《水污染防治法》有所不同，这是

---

① 雷明军，黄鹤鸣，周国勇. 长江流域生态敏感区信息共享平台建设探讨[J]. 人民长江，2012(19)：82-84+93.

② 国务院机构改革后“环境保护主管部门”已调整为“生态环境主管部门”。

《长江保护法》的制度创新之处。

(1) 国家长江流域水环境质量标准专项化

根据《长江保护法》第四十四条规定,在国家水环境质量标准制定方面,"国务院生态环境主管部门负责制定长江流域水环境质量标准,对国家水环境质量标准中未作规定的项目可以补充规定;对国家水环境质量标准中已经规定的项目,可以作出更加严格的规定"。按照《水污染防治法》第十二条"国务院环境保护主管部门制定国家水环境质量标准"之规定,国家水环境质量标准应当由环境保护主管部门制定。《长江保护法》第四十四条规定,国务院生态环境主管部门可以专门制定"长江流域水环境质量标准",即长江流域水环境质量的专项标准,该标准可以是对国家水环境质量标准的"补充规定",也可以是"更加严格的规定",国家长江流域水环境质量标准专项化,有利于增强国家水环境质量标准的针对性。

(2) 优化国家长江流域水环境质量标准制定的程序

《水污染防治法》第十三条规定:"国务院环境保护主管部门会同国务院水行政主管部门和有关省、自治区、直辖市人民政府,可以根据国家确定的重要江河、湖泊流域水体的使用功能以及有关地区的经济、技术条件,确定该重要江河、湖泊流域的省界水体适用的水环境质量标准,报国务院批准后施行。"《长江保护法》第四十四条则规定:"制定长江流域水环境质量标准应当征求国务院有关部门和有关省级人民政府的意见。"《水污染防治法》第十三条规定的水环境质量标准制定主体是国务院环境保护主管部门、水行政主管部门以及有关省级人民政府,而《长江保护法》第四十四条规定的制定主体是国务院生态环境主管部门。这一方面统一了国家长江流域水环境质量标准制定的主体,另一方面优化了国家长江流域水环境质量标准制定的程序,有利于保证长江流域水环境质量标准制定的时效性,避免不同主体在标准制定上的冲突,以及由此可能引发的延宕。

(3) 保障长江流域水环境质量地方标准优先的可能性

《水污染防治法》第十二条第二款规定:"省、自治区、直辖市人民政府可以对国家水环境质量标准中未作规定的项目,制定地方标准,并报国务院环境保护主管部门备案。"因此,在《水污染防治法》中,水环境质量地方标准制定的制度空间是"国家水环境质量标准中未作规定的项目",对"国家水环境质量标准已有规定的项目",省级人民政府无权制定地方标准,当然也无权据此制定长江流域水环境质量的地方标准。但是《长江保护法》第四十四条规定:"长江流域省级人民政府可以制定严于长江流域水环境质量标准的地方水环境质量标准，报国务院生态环境主管部门备案。”因此，在《水污染防治法》和《长江保护法》并行实施的情况下，省级人民政府不但可以有“补充制定权”，还可以行使“更严标准制定权”，这赋予了省级人民政府更多的标准制定权，从立法目的解释层面，保障了长江流域水环境质量地方标准优先于国家标准的可能性。

6.3.2 创新水污染物排放标准的制定制度

(1) 特定地方水污染物排放标准制定的强制化

关于水污染物排放的地方标准制定，《水污染防治法》第十四条规定：“省、自治区、直辖市人民政府对国家水污染物排放标准中未作规定的项目，可以制定地方水污染物排放标准。”据此，省级人民政府对国家水污染物排放标准的补充性标准制定是“可以”的，自主权在省级人民政府。但是，《长江保护法》第四十五条第一款规定：“长江流域省级人民政府应当对没有国家水污染物排放标准的特色产业、特有污染物，或者国家有明确要求的特定水污染源或者水污染物，补充制定地方水污染物排放标准，报国务院生态环境主管部门备案。”在两法并行下，对于一般产业、一般污染物、一般污染源，省级人民政府依然可以自主决定是否制定水污染物排放地方标准，但是，在长江流域，《长江保护法》要求“对没有国家水污染物排放标准的特色产业、特有污染物，或者国家有明确要求的特定水污染源或者水污染物”，省级人民政府“应当”补充制定地方水污染物排放标准。这一要求意味着“对没有国家水污染物排放标准的特色产业、特有污染物，或者国家有明确要求的特定水污染源或者水污染物”，法律要求省级人民政府必须履行制定地方标准的职责。在此，立法者采取了强制化态度。遗憾的是，对于此强制性规定，立法者没有规定省级人民政府怠于履职的法律责任。

(2) 特定地方水污染物排放标准制定的严格化

对于制定较国家水污染物排放标准更为严格的地方标准制度，《水污染防治法》第十四条规定：“对国家水污染物排放标准中已作规定的项目，可以制定严于国家水污染物排放标准的地方水污染物排放标准。”因此，该法之下，省级人民政府有权制定严于国家水污染物排放标准的地方水污染物排放标准，但是该权力的行使缺乏强制性。《长江保护法》对此有了新的制度性改革。《长江保护法》第四十五条第二款规定：“有下列情形之一的，长江流域省级人民政府应当制定严于国家水污染物排放标准的地方水污染物排放标准，报国务院生态环境主管部门备案：(一)产业密集、水环境问题突出的；(二)现有水污染物排放标准不能满足所辖长江流域水环境质量要求的；(三)流域或者区域水环境形势复杂，无法适用统一的水污染物排放标准的。”在这三种法定情形之下，立法者不但授权省级人民政府制定地方水污染物排放标准，而且强制性地要求该地方水污染物排放标准必须严于国家水污染物排放标准。《长江保护法》的这一制度创新，一方面解决了长江流域水污染问题本身的特殊性问题，增加了水污染物排放标准的针对性；另一方面，由于长江流域水污染问题与地方经济、地方政绩等密切相关，与长江流域水环境系统治理也密不可分，因此，立法者要求省级人民政府必须制定较国家水污染物排放标准更为严格的地方标准。这既解决了地方标准制定的科学性问题，也解决了可能存在的地方政府短视行为和短期行为问题。

6.3.3 首创总磷总量控制法律制度

《长江保护法》第二十一条第二款规定：“国务院生态环境主管部门根据水环境质量改善目标和水污染防治要求，确定长江流域各省级行政区域重点污染物排放总量控制指标。长江流域水质超标的水功能区，应当实施更严格的污染物排放总量削减要求。企业事业单位应当按照要求，采取污染物排放总量控制措施。”该款一般性地规定了“污染物排放总量控制制度”。“污染物排放总量控制制度”在中央涉及国务院生态环境主管部门，在地方涉及长江流域各省级人民政府，最终关系到企业事业单位的污染物排放总量控制措施，就区域而言，又涉及“长江流域各省级行政区域”，更涉及“水功能区”，而且该款要求“长江流域水质超标的水功能区，应当实施更严格的污染物排放总量削减要求”。

关于“水功能区”，《水法》第三十二条已有规定[①]，水利部根据《水法》和《水

---

① 《水法》第三十二条：国务院水行政主管部门会同国务院环境保护行政主管部门、有关部门和有关省、自治区、直辖市人民政府，按照流域综合规划、水资源保护规划和经济社会发展要求，拟定国家确定的重要江河、湖泊的水功能区划，报国务院批准。跨省、自治区、直辖市的其他江河、湖泊的水功能区划，由有关流域管理机构会同江河、湖泊所在地的省、自治区、直辖市人民政府水行政主管部门、环境保护行政主管部门和其他有关部门拟定，分别经有关省、自治区、直辖市人民政府审查提出意见后，由国务院水行政主管部门会同国务院环境保护行政主管部门审核，报国务院或者其授权的部门批准。前款规定以外的其他江河、湖泊的水功能区划，由县级以上地方人民政府水行政主管部门会同同级人民政府环境保护行政主管部门和有关部门拟定，报同级人民政府或者其授权的部门批准，并报上一级水行政主管部门和环境保护行政主管部门备案。县级以上人民政府水行政主管部门或者流域管理机构应当按照水功能区对水质的要求和水体的自然净化能力，核定该水域的纳污能力，向环境保护行政主管部门提出该水域的限制排污总量意见。县级以上地方人民政府水行政主管部门和流域管理机构应当对水功能区的水质状况进行监测，发现重点污染物排放总量超过控制指标的，或者水功能区的水质未达到水域使用功能对水质的要求的，应当及时报告有关人民政府采取治理措施，并向环境保护行政主管部门通报。

污染防治法》也专门制定了《水功能区监督管理办法》[①]。《长江保护法》第四十六条规定的总磷总量控制制度即是"污染物排放总量控制制度"的子制度之一。

（1）总磷总量控制法律制度的立法缘由

长江流域依托磷矿资源，流域内布局了大量的"三磷"（磷矿、磷化工企业、磷石膏库），尤其是长江中上游磷化工企业众多，长江沿岸涉磷企业的无序发展、废水排放、事故污染排放，以及磷矿开采产生的工业废水、磷石膏不当堆存造成的渗滤液渗漏污染地下水等一系列问题带来的水环境污染问题已不容忽视[②]。《立法法》第七条规定："立法应当从实际出发，适应经济社会发展和全面深化改革的要求，科学合理地规定公民、法人和其他组织的权利与义务、国家机关的权力与责任。法律规范应当明确、具体，具有针对性和可执行性。"科学立法要求"科学立法的逻辑标准包括：法律词项之明晰性；法律命题之恰当性；法律体系之一致性、完备性和可判定性"[③]。《长江保护法》首创总磷总量控制法律制度，就是立法者就长江流域水环境磷污染严重问题的针对性立法，体现了法律规范命题的"恰当性"和"适宜性"。

（2）总磷总量控制法律制度内涵

《长江保护法》第四十六条首创的总磷总量控制法律制度，实际上是对《长江保护法》第四十七条规范的进一步深化，其所针对的就是第四十五条第二款所规定的三种法定情形的综合问题。总磷总量控制法律制度的实施主体是长江流域省级人民政府，实施路径是制定并组织落实总磷污染控制方案，尤其是针对磷矿、磷肥生产集中的长江干支流，目的在于有效控制总磷排放总量。而具体的实施措施则有：一是排污许可[④]；二是总磷监测；三是公开总磷监测信息。磷矿开采加工、磷肥和含磷农药制造等企业，应当按照排污许可要求，采取有效措施控制总磷排放浓度和排放总量；对排污口和周边环境进行总磷监测，依法公开监测信息。当然，这些措施得以有效实施的重要保障便是《长江保护法》第八十九条所规定的在长江流域磷矿开采加工、磷肥和含磷农药制造等企业超过排放标准或者总量控制指标排放含磷水污染物时，对企业直接负

---

① 《水功能区监督管理办法》（水资源〔2017〕101号），本办法自2017年4月1日起施行。《水功能区管理办法》（水资源〔2003〕233号）同时废止。

② 熊文，李志军，黄羽，等. 中华人民共和国长江保护法要点解读[M]. 武汉：长江出版社，2021：160-161.

③ 熊明辉，杜文静. 科学立法的逻辑[J]. 法学论坛，2017，32(1)：80-89.

④ 《排污许可管理条例》（2020年12月9日经国务院第117次常务会议通过，2021年1月24日中华人民共和国国务院令第736号公布，自2021年3月1日起施行）。

责的主管人员和其他直接责任人员的各种资格罚、行为罚和财产罚①。

需要注意的是：总磷总量控制法律制度的重要内容之一便是总磷总量的确定。结合《长江保护法》第二十一条第二款和第四十六条第一款来看，总磷总量控制指标的确定权在国务院生态环境主管部门，而实现总磷总量控制指标这一结果性目标的总磷污染控制方案的制定职责在长江流域省级人民政府。这种职责划分既保证了长江流域水污染防治的系统性，也避免了长江流域水污染防治的“地方化”，能够发挥更大的制度效能。

6.3.4 创制长江流域危险货物运输船舶污染风险分担机制

长江是中国第一大河，是横贯我国东西的水运大动脉，素有“黄金水道”之称。推动长江流域交通运输全面绿色转型，提升长江黄金水道功能，既是保护长江，也是绿色发展。长江流域危险货物运输船舶污染风险不可避免，因此，必须面对的是如何分担船舶污染后的修复责任。环境污染责任保险是服务于美丽中国建设的一项重要的环境风险管理工具②。财务担保是由潜在的环境侵权责任人（主要是污染性危险企业）提供一定的资金专门用于对受害人进行及时、有效的救助，此外还包括由政府或金融机构等第三人提供财务上的保证或担保③。《危险化学品安全管理条例》第五十七条第二款规定：“通过内河运输危险化学品的船舶，其所有人或者经营人应当取得船舶污染损害责任保险证书或者财务担保证明。”《中华人民共和国内河交通安全管理条例》（以下简称《内河交通安全管理条例》）第十二条也规定：“按照国家规定必须取得船舶污染损害责任、沉船打捞责任的保险文书或者财务保证书的船舶，其所有人或者经营人必须取得相应的保险文书或者财务担保证明，并随船携带其副本。”域外立法案例中，德国成立了专门的环境污染责任保险承保机构，通过将环境污染责任保险与企业组织的财务担保制度相结合来实施强制性保险④。

---

① 《长江保护法》第八十九条：长江流域磷矿开采加工、磷肥和含磷农药制造等企业违反本法规定，超过排放标准或者总量控制指标排放含磷水污染物的，由县级以上人民政府生态环境主管部门责令停止违法行为，并处二十万元以上二百万元以下罚款，对直接负责的主管人员和其他直接责任人员处五万元以上十万元以下罚款；情节严重的，责令停产整顿，或者报经有批准权的人民政府批准，责令关闭。

② 潘晓滨，黄昱菲. 我国环境污染责任保险制度的进路探析[J]. 华北电力大学学报（社会科学版），2021(6)：16-23.

③ 李桢. 论法哲学思想对海洋环境保护立法的影响[J]. 东北师大学报（哲学社会科学版），2013(5)：224-226.

④ 周景坤，黎雅婷. 国外雾霾防治金融政策举措及启示[J]. 经济纵横，2016(6)：115-119.

《长江保护法》第五十一条第一款规定:“国家建立长江流域危险货物运输船舶污染责任保险与财务担保相结合机制。”根据该款规定,为化解长江流域危险货物运输船舶污染责任风险,要求运输者要么购买“危险货物运输船舶污染责任保险”,要么提供“财务担保”。这为我国建立“半强制性”的保险与财务担保相结合的污染责任分担机制提供了法律依据。司法保障是长江流域危险货物运输船舶污染风险分担机制有效运行的重要措施。《最高人民法院关于贯彻〈中华人民共和国长江保护法〉的实施意见》(法发〔2021〕8 号)也要求“妥善审理因绿色信贷、绿色债券、绿色保险等金融服务引发的绿色金融案件,依法保障节能环保、清洁能源、绿色交通等绿色产业领域的投融资需求”,其目标在于以司法方式保障“危险货物运输船舶污染责任保险”“财务担保”对长江大保护的金融服务功能。

6.4 生态保护补偿法律制度的创新

6.4.1 建立生态保护综合补偿制度

生态保护补偿制度是指通过政府财政转移支付或者市场交易等多种方式,对生态保护相关主体因履行生态环境保护责任而增加的支出和成本予以合理补偿的激励性制度安排。生态保护补偿制度作为生态文明制度的重要组成部分,是落实生态保护权责、调动各方参与生态保护积极性、推进生态文明建设的重要手段。我国《长江保护法》第七十六条第一款明确规定:“国家建立长江流域生态保护补偿制度。”首次针对长江流域生态保护补偿制度提出总体要求,解决了长江流域生态保护补偿制度立法滞后的问题。这一制度建构是《长江保护法》立足流域生态保护新阶段,贯彻生态文明新理念,构建生态环境保护新格局,践行绿水青山就是金山银山理念,完善生态文明领域统筹协调机制的充分体现。同时,长江流域生态保护补偿制度的建立也是解决长江流域生态环境保护当前和潜在问题的重要举措。

《长江保护法》明确建立纵向补偿和横向补偿相结合的综合补偿制度。新的生态保护补偿制度建构坚持生态保护补偿力度与财政能力相匹配、与推进基本公共服务均等化相衔接,按照生态空间功能,实施纵横结合的综合补偿制度,促进生态受益地区与保护地区利益共享。综合补偿制度将推动全社会形成尊重和保护长江流域生态环境的思想共识及行动自觉,促进长江流域经济社会发展全面绿色转型，建设人与自然和谐共生的现代化，同时为维护整体国家生态安全、奠定中华民族永续发展的生态环境基础提供坚实有力的制度保障。

在建立纵向生态保护补偿机制方面，立法规定国家应当加大财政转移支付力度，对长江干流及重要支流源头和上游的水源涵养地等生态功能重要区域予以补偿。同时，立法还授权国务院财政部门会同国务院有关部门制定纵向生态保护补偿的具体办法，为财政转移支付和有效补偿提供法治保障。长江流域生态保护补偿机制作为我国生态保护补偿机制改革的重要组成部分，国家在纵向补偿方面结合中央财力状况逐步增加重点生态功能区转移支付规模。中央预算内投资对重点生态功能区基础设施和基本公共服务设施建设予以倾斜。继续对生态脆弱脱贫地区给予生态保护补偿，同时保持对原深度贫困地区支持力度不减。此外，长江流域各省级政府也加大生态保护补偿资金投入力度，因地制宜出台生态保护补偿引导性政策和激励约束措施，调动省级以下地方政府积极性，加强生态保护，促进绿色发展。①

在建立横向生态保护补偿机制方面，长江流域生态保护横向补偿制度改革遵循“保护责任共担、流域环境共治、生态效益共享”的原则，巩固长江经济带现有流域横向生态保护补偿机制建设成果，推动建立长江全流域横向生态保护补偿机制，实现流域高水平生态保护和高质量发展。②《长江保护法》规定，国家鼓励长江流域上下游、左右岸、干支流地方人民政府之间开展横向生态保护补偿。长江流域内多省市已经开展了跨区域生态保护补偿试点探索，积累了一定的跨区域生态保护补偿经验：如作为全国首个跨省流域生态保护补偿机制的新安江流域上下游横向生态保护补偿，由安徽省和浙江省推动建立；湖南、湖北、江西、安徽四省之间共同建立生态保护补偿长效机制；四川、云南、贵州三省推进赤水河流域横向生态保护补偿；湖南、重庆两省（市）推进西水河流域省际横向生态保护补偿。各个省市的生态保护补偿对当地的生态建设起着重要作用。为贯彻落实《长江保护法》规定，进一步推动横向补偿，中央财政支持引导长江流域涉及的19省、自治区、直辖市建立健全流域横向生态保护补偿机制，鼓励相关地方政府统筹考虑水环境、水生态、水资源、水安全、水文化和岸线等多要素，推进长江上中下游、江河湖库、左右岸、干支流协同治理。按照完善长江流域横向生态保护补偿机制的规划，2022年长江干流初步建立流域横向生态保护补偿机制；2024年主要一级支流初步建立流域横向生态保护补偿机

① 参见《关于深化生态保护补偿制度改革的意见》。

② 参见《支持长江全流域建立横向生态保护补偿机制的实施方案》。

制;2025 年长江全流域建立起流域横向生态保护补偿机制体系。同时,补偿的内容更加丰富,方式更加多样,标准更加完善,机制更加成熟。流域横向生态保护补偿更符合全流域治理的理念,有利于提高生态环境治理效率。①

6.4.2 健全生态保护分类补偿制度

流域生态保护补偿制度的科学建立和有效实施还必须在考量跨区域特点的同时,重视流域内生态环境保护的复杂性。生态保护补偿机制需要健全以生态环境要素为实施对象的分类补偿制度,通过综合考虑生态保护地区经济社会发展状况和生态保护成效等因素确定补偿方式和补偿标准,实现对不同要素的生态保护成本予以不同程度的适当补偿。《长江保护法》在对流域生态保护补偿所作的宏观规定中特别强调了根据长江干流及重要支流源头和上游的水源涵养地等不同生态环境制定具体补偿机制。我国有关生态保护分类补偿的规定在各类法律、行政法规、政策性文件中都有体现。《关于开展生态补偿试点工作的指导意见》提出分类补偿的思路,即分别建立包括自然保护区、重要生态功能区、矿产资源开发、流域水环境保护在内的四种生态保护补偿机制并规定相应的具体措施。《水土保持法》第三十一条规定:"国家加强江河源头区、饮用水水源保护区和水源涵养区水土流失的预防和治理工作,多渠道筹集资金,将水土保持生态效益补偿纳入国家建立的生态效益补偿制度。"《水污染防治法》第八条在有关国家财政转移支付的纵向补偿制度规定中提出,建立健全对位于饮用水水源保护区区域和江河、湖泊、水库上游地区的水环境生态保护补偿机制。《湿地保护管理规定》第二十五条是针对湿地保护补偿的规定,因保护湿地给湿地所有者或经营者合法权益造成损失的,应当按照规定予以补偿。

《长江保护法》对长江流域生态环境的分类补偿制度的建立,将突出生态保护重点,针对流域内江河源头、重要水源地、水土流失重点防治区、蓄滞洪区、重要湿地、受损河湖等重点区域逐步制定生态补偿条例,明确生态受益者和生态保护者权利义务关系,分类设立合理的补偿方式和补偿标准,并同步出台生态补偿的指导性案例。通过完善生态保护补偿分类体系,综合考量生态系统的整体性、系统性及其内在规律和不同生态环境要素保护成本,对重要生态环境要素的补偿资金进一步突出区域差异性。流域生态保护因生态类型、地理位置、地域特征的不同导致不同地区生态保护成本差距大,单一的补偿机

① 贾若祥,高国力.地区间建立横向生态补偿制度研究[J].宏观经济研究,2015(3):13-23.

制容易导致补偿结果不够精准。通过加强水生生物资源养护和补偿机制，可以确保长江流域重点水域十年禁渔的效果。分类补偿制度鼓励流域内地方政府因地制宜地制定出台生态保护补偿相关法规规章或规范性文件，根据保护地的实际情况实施差异化补偿。结合《关于深化生态保护补偿制度改革的意见》，探索统筹保护模式，流域内生态保护区域所在地政府依法保障对生态环境要素相关权利人的分类补偿落实到位，同时根据保护优先性，结合生态空间中并存的多元生态环境要素系统谋划，依法稳步推进不同渠道生态保护补偿资金统筹使用，以灵活有效的方式一体化推进生态保护补偿工作，提高生态保护整体效益。这既充分体现了补偿标准以生态保护成本为依据的科学性，又充分考虑了当地经济社会发展水平，确保生态保护者得到合理补偿。此外，分类补偿制度的实施效果与科学严谨的评估工作密不可分。因此，有关部门应加强生态保护分类补偿制度运行的动态监测，开展生态保护补偿实施效果评估，分析生态保护补偿存在的突出问题，及时调整和改进分类补偿的具体办法。

6.4.3 发展生态保护多元化补偿方式

在我国生态补偿立法与实践中，过去主要是由地方政府部门主导，由政府财政提供资金，同时利用行政手段推动在生态保护区与受益区域间进行生态补偿工作。然而政府主导的单一补偿方式存在补偿标准偏低、保护区权益不能得到有效保障以及生态保护区参与积极性低等问题。除政府主导之外，引入个人、社会组织以及非政府机构等参与主体，能够确保生态补偿资金充足，调动生态保护区内利益相关方的积极性。

《长江保护法》在生态补偿方面的总体规定中，除了明确纵向和横向相结合的综合补偿制度之外，还将多元化的补偿方式纳入立法。《长江保护法》规定国家鼓励社会资金建立市场化运作的长江流域生态保护补偿基金，鼓励相关主体之间采取自愿协商等方式开展生态保护补偿。作为多元化的补偿方式之一的生态补偿基金，除政府投入之外，还可以由个人、社会组织、非政府机构以及国际团体进行捐赠。通过充分调动社会资本广泛参与，探索纳入更多利益相关方的多元化生态补偿模式，如优惠贷款、生态服务、生态债券和彩票等方法，充分调动社会各类主体和资金投入生态环保领域，提高生态补偿的效率，优化补偿效果。《长江保护法》对于多元化补偿方式还规定了相关主体之间可以采取自愿协商方式，即生态补偿市场化方式。明确除了设立生态补偿基金之外，还可以通过建立健全生态补偿交易市场，充分利用和发挥好市场主体在流域生态补偿资源配置中的决定作用，赋予生态保护区相关主体对等的市场主体地位，遵循“谁受益、谁补偿，谁保护、谁受偿”的原则，明确流域生态补偿标准和补偿方式等内容；订立补偿协议和协议纠纷解决机制，实现生态补偿交易规则规范化。

长江流域生态补偿建立起政府主导、各方参与的多元化补偿方式。一方面，政府充分发挥生态保护补偿的引导作用，积极探索和引导多元主体参与，推进多元化和市场化的生态补偿工作发展。另一方面，加快推进多元化生态补偿的法治建设，运用法律逐步规范社会有序参与和市场有效调节的生态保护补偿体制机制运行；促进以受益者付费原则为基础的市场化、多元化补偿格局，全社会参与生态保护的积极性显著增强，生态保护者和受益者良性互动的局面形成；改变过去政府单方面主导，社会资本投入有限，补偿资金不足的局面，实现了纵向补偿与横向补偿的协调推进，推动了有效市场和有为政府的充分结合。

07

第七章

对违法行为处罚制度的创新

法律的功能之一在于对违法行为的处罚，尤其是当前长江流域沿线违法捕鱼、盗采砂石等现象十分普遍。依据法律对长江流域违法行为进行严厉处罚有助于提升《长江保护法》的实施效果，还能有效遏制破坏环境与生态的行为。

7.1 处罚的积极效应

流域环境问题不仅是单纯的经济、社会和技术层面的问题，还反映了社会关系冲突。从宏观层面来看，流域环境资源保护与利用关涉人类生存和发展的基础，环境资源的不合理利用必然会造成人们生活的不可持续发展。从微观层面来看，流域环境资源问题会直接影响人类身体健康，甚至导致财产损失。由此，加重法律责任成为一种解决冲突的法律思路。所谓法律责任是指法律规定的因损害法律上的权利义务关系而导致的强制性不利后果，其本质就在于"处罚""惩罚"或"强制性不利后果"①。目前，我国环保立法经过完善，已基本形成了以《环境保护法》为基础，涵盖污染防治、生态环境保护及专门事项的法律制度体系②。其中，行政责任追究成为主要的责任追究方式，包括按日计罚、扩大责任主体范围、适用较高罚款标准等，这些处罚手段都具有一定制裁性，通过提高行为人的违法成本来规范其行为，对各种环境污染和资源利用的行为起到一定的规制作用。刚实施不久的《民法典》对环境污染和生态破坏的责任规定，也明确了环境领域中惩罚性赔偿制度的适用条款。例如，2021年1月4日江西省浮梁县人民检察院诉浙江某化工集团有限公司环境污染民事公益诉讼案公开开庭审理并当庭宣判，浮梁县人民法院判令该公司承担环境污染"惩罚性赔偿金"171 406.35元③，可见，环境民事责任的作用范围正不断扩大。不仅如此，环境犯罪的罪名和规则通过《中华人民共和国刑法修正案》和相关司法解释也在不断完善，对环境污染和生态破坏方面的刑事责任追究范围也在逐步扩大且执行得更加严格。例如，2020年12月26日通过的《中华人民共和国刑法修正案（十一）》将污染环境罪的最高刑从七年有期徒刑提升到七年以上有期徒刑，体现了对环境违法行为刑事处罚的重罚化理念。可

---

① 刘长兴.超越惩罚：环境法律责任的体系重整[J].现代法学，2021，43(1)：186-198.

② 吕忠梅，吴一冉.中国环境法治七十年：从历史走向未来[J].中国法律评论，2019(5)：102-123.

③ 参见江西省浮梁县人民法院(2020)赣0222民初796号民事判决书。

以说，我国通过对环境法律责任制度的强调推动了环境保护的进程，取得了一定的环境保护实践效果。

由此可见，环境法律责任的作用十分突出，表现为：一是提升违法者的违法成本。惩罚是法律责任的首要功能，例如，行政处罚既有经济制裁，也有资格剥夺，能够大幅度提升违法者的逐利成本，加大处罚力度，从而促使利益追求者在经济发展与环境保护之间寻求平衡。二是有助于通过直接的惩罚措施起到一定的警示和宣示作用，威慑潜在违法行为，达到预防和制止可能产生的环境侵害的效果。

7.2 《长江保护法》对处罚力度的加大

严格的法律责任是保障行为人履行法律义务的重要条件。《长江保护法》以保护生态安全这一基础价值为基调，坚持生态优先原则，重点规定了行政责任，在民事责任与刑事责任方面与相关法律融合衔接，形成了严密且严格的法律责任体系[①]。

首先，严厉打击破坏或污染长江流域水生态和水环境的行为。《长江保护法》第八十三条至第九十二条针对长江流域突出的生态环境问题，设置了一系列的行政责任，其中有涉及政府及直接责任人不作为或违法作为的行政责任，还有针对违法行为的处罚措施，与实践中突出的生态环境问题紧密结合。例如，第八十七条涉及非法侵占河湖水域岸线问题，第九十一条涉及非法采砂问题。不仅如此，《长江保护法》在已有立法基础上填补了行政处罚的空白，增设了长江流域非法航行、非法使用岸电、超标排放含磷水污染物等违法行为的法律责任，更是采取加大处罚力度的方式使违法者承担高额违法成本，如《长江保护法》第八十八条关于违反岸线准入距离与生态环境准入清单，对一般违法行为没收违法所得，并处五十万元以上五百万元以下罚款，并同时设置了“双罚制”对直接负责的主管人员和其他直接责任人员处五万元以上十万元以下罚款。

其次，积极回应《民法典》中的民事责任规定。《长江保护法》第九十三条不仅明确规定了污染环境和破坏生态致他人损害的侵权责任，还规定了承担生

① 罗文君. 融合与创新：《长江保护法》的保障、监督与法律责任体系[J]. 环境保护，2021，49(Z1)：48-53.

态环境损害责任的形式，即造成长江流域生态环境损害的，国家规定的机关或法律规定的组织有权请求侵权人承担修复责任、赔偿损失和有关费用。这一规定进一步拓展了长江流域环境违法行为的范围，还将对他人的损害和对环境本身的损害都纳入法律救济范畴，使得长江流域环境保护有了更为直接的法律依据，与《民法典》中的生态环境损害救济条款相呼应。

最后，从重处罚长江经济带环境污染犯罪行为。环境污染犯罪依据我国《刑法》第三百三十八条之规定，而《长江保护法》的立法思路则主要以现行法之规定为依据，实现了与现行法的融合。且早在 2019 年，由最高人民法院、最高人民检察院、公安部、司法部、生态环境部颁布的《关于办理环境污染刑事案件有关问题座谈会纪要》中就特别强调了要从重处罚发生在长江经济带的环境污染犯罪行为，严厉打击通过污染环境、破坏资源等方式谋取利益的行为，主要包括跨省（直辖市）排放、倾倒、处置危险废物等情形。

可见，虽然《长江保护法》整体上有关法律责任的条款规定不算多，但却对环境违法行为采取了“重点打击”“严厉打击”“精准打击”的思路，充分体现了国家对保护长江流域环境的决心。

08

第八章

长江流域协调机制法律制度的完善

以国家长江流域协调机制为代表的统筹协调是《长江保护法》在流域管理体制上的重大创新，应在避免与现行流域管理体制产生冲突的情况下，更好地呈现流域治理的整体性特征，有效实现制度创新与传统管理体制的衔接。

8.1 长江流域协调机制面临的难题

长江流域协调机制从法律层面得以确立，一方面表明“共抓大保护、不搞大开发”不能仅停留在理念层面，还需要依赖于制度化、规范化、体制化的流域协调机制实际落实；另一方面，《长江保护法》中的流域协调机制仍然表现出原则性和框架性，关键在于如何落实流域协调机制。

这就涉及三个层面的问题：第一，长江流域协调机制的定位不清晰。从《长江保护法》的具体内容来看，长江流域协调机制的目标是降低跨部门跨区域的协调成本，减少碎片化治理的内耗现象，同时解决治理责任的归属问题。由此可见，长江流域协调机制是建立在原有流域管理体制的基础上，并未完全脱离现行流域管理的一种体制机制，这不同于流域管理机构，也不是行政法上的行政主体，无法承担相应的责任。那么，长江流域协调机制究竟应当如何定位？这主要涉及国家层面的流域协调机制运行规则，地方层面的流域协调机制的组织形式，以及长江流域协调机制与现行体制、现有机构的关系如何处理等问题。第二，长江流域协调机制的方式不具体。长江流域协调机制是通过协调消除条块盲点的过程，同时需要对相应配套机制加以落实。事实上，除《长江保护法》以外，早先就有相关的政策在推动流域协调机制的实施。2016年12月，中共中央办公厅、国务院办公厅印发的《关于全面推行河长制的意见》，要求协调各方力量促进水资源保护等工作。2019年5月，长江水利委员会联合有关单位发起“长江治理与保护科技创新联盟”，推动成员间共建创新平台、共担科技项目、共促成果转化、共享科技资源。2020年12月，长江水利委员会和长江流域生态环境监督管理局签署《长江流域跨省河流突发水污染事件联防联控协作机制》，旨在通过跨省河流突发水污染事件联防联控工作协作联系制度实现信息共享。不仅如此，自2020年开始，长江水利委员会就不断推进澜湄水资源合作信息共享平台建设，从而支撑其协调机制的运行。另外，地方层面同样有着协调机制的探索。例如，2018年太湖流域管理局与江苏、浙江建立太湖湖长协商协作机制。2019年，上海与江苏、浙江建立《太湖淀山湖湖长协作机制规则》，统筹推进河湖流域综合治理。这些从国家到地方层面的探索都为长江流域协调机制工作的开展提供了实践经验。因此，在落实国家和地方层面的长江流域协调机制时，协调方式和协调程序等问题同样有待进一步细化。第三，长江流域协调机制的运行后果不明确。长江流域协调机制是我国在法律上首次建立的流域性管理机制，除了协调机制的职能定位、运行方式亟须明确以外，还需要建立相应的责任机制加以保障。具体而言，影响到协调机制运行的关键在于各主体之间的利益冲突。从纵向来看，国家长江流域协调机制需要统筹部际关系、省际关系和部省关系，通常涉及的是全流域层面的重大事项，因此确保各协调对象顺利开展协调和沟通是统筹关系的必要条件。从横向来看，地方长江流域协调机制需要同级行政区域间和非同级行政区域间的协作，其中，如何激发各主体合作协调的意愿，并促使其积极参与整体协同治理过程是该机制实现的关键。

8.2 完善长江流域协调机制的具体建议

为推动长江流域协调机制工作的有效开展，需要从以下三个方面进一步完善：

(1) 细化长江流域协调机制的职能权限

为应对流域空间的整体利益与地方政府的局部利益之间的冲突，长江流域协调机制应以其相对超脱的法律地位发挥聚集作用，以保障流域整体利益的最大化。

第一，明确长江流域协调机制的定位。结合长江流域协调机制的统筹事项和监督范围来看，其基本定位应当是介于宏观管理和中观协调的类型，这类协调机制的具体权限应当有所区别，即以水资源为核心的流域多要素综合管理，但其应与流域管理机构之间进行必要的事权划分，避免大包大揽。

第二，推动协调机制精准落地。在《长江保护法》实施后，应尽快完善配套立法，确立长江流域协调机制的组织形式、启动方式、协调方式、协调程序，以细化长江流域协调机制的具体职能权限。其中，应针对流域空间的特殊情况赋予其相应的管理权限，对跨部门、跨区域的流域性事务依法进行必要的干预和管理，若是仅作为相对虚置的机制将难以落实长江保护重大事项，协调效果也将大打折扣。

第三，加强政府部门之间的协作。协调机制的对象仍然是政府部门间的协作关系，通过协调机制的运行促使这种协作关系规范发展。就政府不同部门间的协作关系而言，相互征求意见、报送备案、共同行政行为、相对集中行政处罚权等协作机制均有相对成熟的操作模式①，重点是将这种协作机制与河长制进行有效对接，通过河长的组织、协调或引导，促使协作常态化和制度化发展；就不同区域政府间的相同部门而言，实践中主要通过合作协议、补偿协议等方式实现协作关系的调整，长江流域协调机制应在此基础上进一步推动这种协作方式的规范化，通过相对科学、规范的行政协助制度加以调整，包括行政协助关系主体、请求、承诺、方式及收费等规则。

第四，参与地方政府流域管理的目标考核评价。为保证长江流域协调机制真正落地，需要让长江流域协调机制有明确的主体依托，并在一定程度上对地方政府产生监督。因而，应当赋予长江流域协调机制主体在地方政府流域管理是否符合流域整体利益这一问题上相应的发言权，从而提升政府部门对流域协调机制的重视程度。

总而言之，长江流域协调机制的迫切任务就是尽快通过配套立法细化具体设计，让协调机制顺畅运行，解决以往“九龙治水”的突出矛盾，确定多元共治、协同落实的具体实现路径，切实发挥权威高效的国家统筹协调机制效能。

（2）促进长江流域协调机制的共建共治

信息资源集中和共享，是打破区域间治理信息壁垒的重要途径，而联合执法则是将这种信息转化为治理实效的重要方式。《长江保护法》通过一系列制度和机制安排为长江流域协调机制提供支撑，包括监测网络体系和监测信息共享机制、流域突发生态环境事件应急联动工作机制、长江流域科学技术咨询、长江流域信息共享系统等，同时也确立了联合执法制度，通过对长江流域跨行政区域、生态敏感区域和生态环境违法案件高发区域以及重大违法案件加强执法，实现流域内跨界合作与集体行动。

为促进长江流域协调机制的共建共治，有必要从信息机制和执法制度两个层面入手进一步完善。一方面，要充分利用现有科学技术手段。以建立跨界河流联防联控协作框架协议和会议制度为纽带，促进流域治理信息从纵向整合到横向集成②。具体而言，结合流域环境治理需求，利用遥感、地理信息系统等技术，搜集府际的数据信息，并通过“大数据＋智能化”实现数据信息的整合，促使不同区域间的监测、管理或执法信息得以共享。此外，在科学技术专

① 王清军，胡开杰.我国流域环境管理的法治路径：挑战与应对[J].南京工业大学学报（社会科学版），2020，19(5)：10-23＋115.

② 丘水林，靳乐山.整体性治理：流域生态环境善治的新旨向——以河长制改革为视角[J].经济体制改革，2020(3)：18-23.

家咨询委员会提供专家咨询或技术意见的同时，还需引入社会主体的参与，积极听取社会公众的意见和建议，确保相关利益主体的需求得到重视。另一方面，强化部门间的联合执法效果。联合执法的前提条件是明确各级、各类政府相关部门的基本权力划分，包括水利、生态环境、自然资源、农(渔)业、林草等部门在流域管理中的权力内容。在联合执法过程中，明确"牵头"部门组织开展联合执法活动，各部门依据自身的职权范围参与到流域事务的具体执法活动中，此时可以依据法律或共同的上级部门授予"牵头"部门执法权限，包括联合检查、联合取证、行政处罚等。但实践中的联合执法活动具有运动式特征，通常是集中在某一时间段进行短期整治。为构建长效化的联合执法机制，需要规范联合执法队伍的建立程序，即通过流域协调机制将这种联合执法活动形式固定下来，形成稳定的执法队伍，并由流域协调机构负责相应的督察工作。例如，长三角区域的生态环境部华东督察局的定位是中央垂直监管机构，负责监督地方执法、开展环保督察及承担跨省或流域重大环境纠纷的协调处理工作等。

前端的信息共享机制构建，使得流域协调机制能够有着充分的技术支撑，而末端的联合执法制度能够增强流域协调机制的统筹协调功能，两者共同推动着我国长江流域协调机制有效运行。

(3) 强化长江流域协调机制的法律责任

长江流域协调机制是长江流域实现整体性、系统性治理的重大创新和关键环节。若要充分发挥协调机制的协同功能，仍然要以可视化的责任为依托，让协调主体具备充足动力参与其中。长江流域协调机制的协调对象是国务院有关部门和长江流域省级人民政府，促使其按照职责分工执行国家长江流域协调机制的决策，确保协调机制落实到位，监督各主体在协调过程中的履职情况，对不服从或怠于协调或协调不当的后果加以明确，而责任仍要从政府责任入手。

具体而言，主要包括：第一，明确长江流域生态环境保护责任制和考核评价制度。《长江保护法》第七十八条规定了地方政府的环境保护责任制和考核评价制度，能够保障行政机关顺利开展流域环境保护工作。考评制度的效果往往取决于环保目标的选择，基于长江流域的整体空间，在落实考评制度过程中应当避免仅关注特定行政区域的单项环境质量状况，致使长江流域的整体环境被人为分割，引发严重的负外部性效应。第二，行政约谈制度。行政约谈是针对地方政府环保责任落实不到位所采取的一种监督行政手段，能够在短时间内扭转地方政府不作为等情形。《长江保护法》第八十一条确立了行政约谈制度，授权国务院有关部门和长江流域省级人民政府对长江保护工作不力、问题突出、群众反映集中的县级以上地方人民政府及其有关部门主要负责人进行约谈和监督。这里应当将不服从协调、怠于协调或协调不当的情形纳入行政约谈范畴，让流域协调机制具备可操作性。第三，人大监督制度。《长江保护法》第八十二条进一步完善人大监督制度，拓宽人大监督范围，从对各级地方政府的监督上升到对国务院的监督；增加人大监督内容，增加对长江流域生态环境保护和修复工作的监督。这里需要注意的是：在监督区域内长江流域生态环境保护和修复状况时，同样应当关注区域间政府对协调机制所确立的政策、规划等跨区域重大事项的落实情况，将长江流域协调机制实施主体对地方政府及相关部门落实情况监督的结果纳入人大报告中。

除此之外，通过严格的法律责任体系为长江流域协调机制提供最后一道保障，即在后续配套立法过程中，对长江流域协调机制运行过程中的阻碍、困难加以总结和提炼，从而对不服从、怠于执行长江流域协调机制的主体给予责任约束。

09

第九章

长江绿色发展法律制度的实施

9.1　长江绿色发展措施中存在的问题

9.1.1　在法律衔接层面的漏洞

《长江保护法》是中国乃至世界流域法治的一次重大创新，也彰显着中国生态文明法治建设的理论与制度自信。《长江保护法》把绿色发展理念转化为法律，倡行绿色发展法，用以纠正传统发展法之偏，推动绿色发展。此意义上，长江流域的绿色发展、绿色治理等经验足以给其他国家大河流域的发展治理提供借鉴。但是，我们也必须清醒地认识到《长江保护法》的颁布与实施不仅是长江流域"生态优先、绿色发展"的法治保障，更是打造"生态更优美、交通更顺畅、经济更协调、市场更统一、机制更科学的黄金经济带"的法治引领。作为有针对性、问题导向性的流域保护法律，《长江保护法》在解释适用上面临着一系列未竟的命题。

(1) 如何与既有的环境资源立法相衔接，加快推进相关立法、修法工作，确保法律制度规范严密、衔接有序、协调统一？作为环境保护的基本法，《环境保护法》对于绿色发展的规范主要见于第四条和第七条。《环境保护法》第四条第二款规定"国家采取有利于节约和循环利用资源、保护和改善环境、促进人与自然和谐的经济、技术政策和措施，使经济社会发展与环境保护相协调"，指出环境保护需要相应的经济、技术政策和措施，实现经济社会发展与环境保护的一致性。《环境保护法》第七条规定："国家支持环境保护科学技术研究、开发和应用，鼓励环境保护产业发展，促进环境保护信息化建设，提高环境保护科学技术水平。"该条与《长江保护法》第七十五条第三款相对应，致力于提高科学技术研究开发和推广水平。但《环境保护法》在绿色发展方面的规定比较趋于概括性，未提供详细的具有可操作性的规范和建议。《长江保护法》针对绿色发展的11条规定能够弥补《环境保护法》的不足，但是缺少相应的法律细则作为衔接。

(2) 如何促成创新性制度的落地？例如，"三线一单"是生态环境部门大力推进的一项探索性工作，对于提高环境空间治理能力具有很大作用，但其应用实施也存在突出问题，主要集中在法律基础薄弱、技术方法不完善、制度衔接性不强等方面，还需进一步明确细化环境质量底线、资源利用上线以及环境准入负面清单，与主体功能区定位相衔接，与正在制定的《中华人民共和国国土空间规划法》相衔接，以实现国土空间可持续发展和高质量发展。又如，开发区绿色发展评估机制颇有新意，但是该制度的法律性质和效力、评估等级尚未明确。如果评估结果是“非绿色发展”或者“反绿色发展”，尚未明确相关政府需要采取哪些法定措施进行优化调整。可见，开发区绿色发展评估机制还缺乏具体的可操作的评估标准和评估整改措施。

(3) 如何将具有普遍性的成熟经验推广到黄河流域等流域保护立法中？《长江保护法》实施后，“保护法”+“开发法”的共生相融、规划与管控的合力、正面清单与负面清单的协力、环境规制措施与经济激励措施的并举等有可能成为《长江保护法》重要的立法经验，真正实现绿水青山产生生态效益、经济效益、社会效益。从经济效益上看，长江流域的经济总量显然高于黄河流域、淮河流域等其他流域的经济带，《长江保护法》的颁布与适用除了直接影响长江流域的生态保护和绿色发展的实施效果之外，还对其他流域的生态保护和绿色发展具有一定的影响和借鉴意义。因此《长江保护法》在实施过程中，需要注意总结具有普适性的经验和规则，为其他流域的生态保护和绿色发展提供参考。

9.1.2 缺少推进绿色转型的激励机制

推进产业转型升级，不仅会增加社会规制成本，也会增加企业转型成本。对于管理部门和市场主体来说，推进各产业实现绿色化的进程既是一次机遇，同样也是一次挑战。

(1) 推进产业转型升级，实现绿色发展的新型产业需要相关的配套制度，这无疑会增加规则制定和产业矫正的成本。这就对党和国家机关制定相关的法规政策和实施细则提出更高的要求。2020 年发布的《江苏省人民政府关于推进绿色产业发展的意见》(苏政发〔2020〕28 号)指出全省重化型产业结构、煤炭型能源结构、开发密集型空间结构尚未根本改变，绿色技术创新能力亟待提升，绿色产业体系尚未完全形成，促进绿色产业发展的体制机制还有待健全等问题依然存在。长江经济带是我国经济发展的重要组成部分，绿色产业的发展需要制定相应的配套制度，这就需要各地方政府予以重视，并在立法、执法、司法方面提供充足的人力和时间成本作为保障。这可能会在一定程度上增加各地方政府及其工作人员的工作量，增加相应的制度成本。在没有政绩考核要求和激励机制的前提下，各地方政府及其工作人员缺乏参与绿色发展规则制定、执行的主动性。

(2) 现行法律制度中缺少推动市场主体绿色转型的激励机制。企业是市场主体，是以利益最大化、成本最小化为目标的“理性经济人”。环境规制的加强可能导致企业成本的增加，弱化该地区企业的竞争力。高耗能企业尤其是经营煤炭型能源企业、重化型企业，主观上并不愿意增加经营成本进行绿色转型。究其根本原因是企业进行绿色转型的成本和风险由其自行承担。如果没有相应的配套政策（如税收减免、绿色补贴），企业缺乏主动进行绿色转型或者环保技术研发的动力。长江经济带的产业绿色化转型无疑会增加企业的运营成本，且短期内难以看到收益体现。从经济可持续发展的角度上来看，企业的发展离不开运营成本的合理化配置，因此政策的制定需要考虑和给予企业充足的生存空间。《长江保护法》中绿色发展的贯彻实施需要充分认识到企业进行绿色转型所面临的困境和阻力，制定具有激励性的细则以激发企业进行绿色转型的动力，激励企业在主动进行绿色转型的同时获得持续性经济效益。

9.1.3 不同地区之间的跨区域协作匮乏

长江绿色发展，关乎长江沿岸地区的发展。坚持长江流域生态文明建设，需要实现跨区域协作，但受到行政区域限制和地方利益约束的分散型绿色发展制度体系难以形成长江流域高质量发展的合力。

（1）各地区对长江流域的绿色发展重视程度不同，各自为政。这种尚未打破以自身利益为导向的行政区划地域限制的无序竞争和零和博弈是当前制约绿色发展的重要原因[①]。从《长江保护法》第六章的规定来看，长江流域绿色发展的职能部门为各地方县级以上人民政府。对于绿色发展的政策和法规，由县级以上人民政府制定，这样能够最大限度地因地制宜，根据本地实际情况制定符合本地经济绿色发展的法规政策。但长江流域自身横跨多个省份地区，不同地区对于绿色发展战略有不同的理解，对绿色发展的重视程度不同，难以协调统一发展。全国涉及长江绿色发展的地方性法规数量为 116 部，总体数量较多。从表 9-1 来看，长江流域[②]的省、自治区、直辖市关于长江绿色发展的地

① 李奇伟. 从科层管理到共同体治理：长江经济带流域综合管理的模式转换与法制保障[J]. 吉首大学学报（社会科学版），2018，39(6)：60-68.

② 需要说明的是《长江保护法》规定的"长江流域"范围（19 个省、自治区、直辖市）与《长江经济带发展规划纲要》界定的"长江经济带"范围（11 个省、直辖市）不同。《长江经济带发展规划纲要》中，长江经济带覆盖上海、江苏、浙江、安徽、江西、湖北、湖南、重庆、四川、贵州、云南等 11 个省（市）。《长江保护法》中规定的长江流域是指长江干流、支流和湖泊形成的集水区域所涉及的青海省、四川省、西藏自治区、云南省、重庆市、湖北省、湖南省、江西省、安徽省、江苏省、上海市，以及甘肃省、陕西省、河南省、贵州省、广西壮族自治区、广东省、浙江省、福建省的相关县级行政区域。长江流域的范围除包括长江经济带涵盖的省（直辖市）之外，还包括青海、西藏、甘肃、山西、河南、广西、广东以及福建等省（自治区）的相关县级区域。

方性法规数量总计为108部，占全国总量的93.1%，内容涉及绿色信贷、绿色生态一体化、渔业、交通业、矿业以及产业平台整合等。但长江经济带沿岸各省、自治区、直辖市关于长江流域绿色发展的法规文件数量差距较大，其中湖北省、江苏省、四川省位列前三，西藏自治区最少。由此可见，各省、自治区、直辖市对于长江流域绿色发展的重视程度存在差异。

表9-1　长江流域绿色发展法律法规文件数量统计表①

	总计	地方性法规	地方政府规章	地方规范性文件	地方司法文件	地方工作文件
上海	219	11	1	29	3	175
江苏	1 148	15	1	202	5	925
浙江	431	4	0	88	1	338
安徽	713	3	1	124	0	585
江西	488	6	0	74	0	408
湖北	1 225	10	2	172	2	1 039
湖南	327	7	1	57	5	257
重庆	445	6	0	66	3	370
四川	809	18	1	123	1	666
贵州	330	6	0	56	1	267
云南	467	9	0	64	0	394
青海	120	1	0	19	0	100
西藏	9	1	0	0	0	8
甘肃	106	2	0	28	0	76
陕西	120	4	0	20	0	96
河南	242	5	0	32	0	205
广西	265	0	0	19	3	243
广东	137	0	0	13	0	124
福建	101	0	0	13	0	88

(2) 长江流域各地区的产业方向不同，所形成的产业发展政策可能存在冲突。为了进行绿色发展转型，各地方会对本地部分高能耗、高污染企业进行环保化处理，但相关产品的减少不仅会使企业利润减少，还会对其上下游产业链

① 数据来源：北大法宝。检索方法：以“长江”和“绿色发展”为检索词，以“全文”为检索范围，检索时间截止到2024年7月28日，数据统计以北大法宝检索结果为参考，可能存在不周延之处。

产生连锁影响，影响其相应的经济效益。

(3) 跨流域的综合管理部门权威性不够，难以实现长江经济带绿色发展的统筹协调。长江水利委员会只是水利部的派出机构，在长江经济带高质量发展的综合性管理职权上存在权威性不够的问题，难以破解“集体行动的困境”①，使得长江经济带绿色发展的协调机制未能充分发挥作用。《长江保护法》第四条指出“国家建立长江流域协调机制，统一指导、统筹协调长江保护工作”，第五条继续指出“国务院有关部门和长江流域省级人民政府负责落实国家长江流域协调机制的决策，按照职责分工负责长江保护相关工作”。可见，根据《长江保护法》第四条和第五条的规定，由国务院建立长江流域协调机制，由国家有关部门和长江流域省级人民政府落实相关决策。但长江流域协调机制为临时性议事协调机构，而非议事常设机构，该机制的运行方式、参会成员、决策方式等尚难以确定。

长江流域处于一个生态环境下，涉及绿色渔业、绿色交通等需要跨区域、多合作的制度体系和标准统一的规范标准。目前来看，长江流域能够形成区域性协调机制的区域主要有长三角(上海、浙江、江苏)地区②和川渝地区(四川、重庆)③，其他区域未能形成比较紧密有效的跨地区协调机制。实现绿色发展必然需要不同地区政府、企业之间沟通协作，仅仅依靠地方各自为政的规范体系无法有效实现。

9.1.4 长江绿色发展缺少相应的法律责任

长江流域绿色发展的法律规范缺乏对应的法律责任。《长江保护法》中第八章专门规定了12条法律责任，其中涉及违反绿色发展承担法律责任的条文仅有1条，即《长江保护法》第八十四条规定：“违反本法规定，有下列行为之一的，由有关主管部门按照职责分工，责令停止违法行为，给予警告，并处一万元以上十万元以下罚款；情节严重的，并处十万元以上五十万元以下罚款……(四)具备岸电使用条件的船舶未按照国家有关规定使用岸电的。”该条作为违反绿色发展法律规定所需要承担的法律责任，其所对应的法律条文是《长江保

① 赵小姣. 长江经济带绿色发展的法治化思考[J]. 兰州学刊, 2021(2): 131-146.

② 上海市人民政府、江苏省人民政府、浙江省人民政府印发《关于支持长三角生态绿色一体化发展示范区高质量发展的若干政策措施》的通知。

③ 《重庆市人民政府办公厅 四川省人民政府办公厅关于印发川渝毗邻地区合作共建区域发展功能平台推进方案的通知》(渝府办发〔2020〕97号)；重庆市发展和改革委员会、四川省发展和改革委员会关于印发《川渝高竹新区总体方案》的通知。

护法》第七十二条的“具备岸电使用条件的船舶靠港应当按照国家有关规定使用岸电,但使用清洁能源的除外”。

除该条法规以外,《长江保护法》第六章绿色发展部分的法律条文均没有相应的法律责任。这些条文分为两种,一种为倡导性的,这种为任意性法律规范,如果法律主体不实施相应的法律行为,那么也不会承担法律责任,故可以不设定相应的法律责任。如第六十八条第一款:“国家鼓励和支持在长江流域实施重点行业和重点用水单位节水技术改造,提高水资源利用效率。”另一种为强制性规范,法律主体应该按照法律所规定的内容为或不为一定行为,不具有自主选择性,违反强制性规范应面临法律责任。《长江保护法》绿色发展章节多为县级以上地方人民政府设定义务的强制性法律规范,如《长江保护法》第六十六条:“长江流域县级以上地方人民政府应当推动钢铁、石油、化工、有色金属、建材、船舶等产业升级改造,提升技术装备水平。”第六十七条:“长江流域县级以上地方人民政府应当根据评估结果对开发区产业产品、节能减排措施等进行优化调整。”如果县级以上地方人民政府没有按照《长江保护法》的强制性规范进行作为或者不作为,除了承担《长江保护法》第八十三条统领性的法律责任之外,未能明确其具体的法律责任。

9.2 完善长江绿色发展的具体建议

(1) 充分发挥协调机制的统筹作用

长江流域的绿色发展需要深刻认识到新时代的新任务、新要求。几十年来,我国建设发展的战略布局几经调整,在这个调整过程中最显著的变化是把生态文明工作放在党和国家事业大局的层面来设计。2014 年中央经济工作会议上,长江经济带作为三大战略之一被正式提出。2016 年和 2018 年,习近平总书记先后在重庆、武汉召开推动长江经济带发展座谈会。2018 年 4 月,习近平总书记在宜昌考察时明确提出长江经济带要“共抓大保护、不搞大开发”。为深入贯彻习近平生态文明思想,全面贯彻落实习近平总书记在深入推动长江经济带发展座谈会上的重要讲话精神,2020 年 12 月《长江保护法》的颁布,正式以法律的形式确立了生态优先、绿色发展的方向。《长江保护法》是在党中央正确领导下的实践产物。长江流域资源最为丰富,对国民经济和社会发展全局的战略支持地位和作用不可替代。《长江保护法》使长江经济带绿色发展的各项方针政策和经济技术措施通过立法转化为制度、规范、程序,为长江流域绿色发展提供法律支撑。贯彻和落实《长江保护法》既是以习近平同志为核心的党中央精神的直接体现，也是长江流域可持续发展的重要保障。

长江流域横跨我国东、中、西三大区域，流域内人口众多，产业规模巨大，城镇建设密集，各区域间经济社会发展水平差异巨大，不同程度的文明形态并存①。《长江保护法》作为首部“流域法”，面临长江流域比较突出的特殊性，需要在国家层面上注重各地区之间产业政策、发展政策和生态政策的协调和沟通。这就需要：其一，强化顶层设计，实现长江流域绿色发展的统筹管理。《长江保护法》作为首部“流域法”，能够缓解现有的分散立法模式，对长江流域的开发、利用、发展等问题具有统筹作用。长江流域绿色发展的协调统一需要科学合理地确定长江流域协调机制的定位、职能、启动和决策的程序等，实现长江流域的统筹。其二，缩小地区之间绿色发展力度的差距。长江上中下游的绿色发展力度不平衡，区域协调机制不畅通，长江流域绿色发展需要打破长江流域沿岸行政区划的限制，实现长江上中下游地区之间的协调沟通，落实各地区绿色发展法规政策制定和激励机制构建，共同提高各地区政府及企业绿色发展转型的主动性。其三，严格落实“党政同责”的环境损害事件问责机制，对违反《长江保护法》规定，违背科学发展要求，造成生态环境和资源严重破坏的，进行严格追责②。

(2) 在地方立法中凸显绿色发展理念

长江流域绿色发展需要上中下游各地区的法治保障。长江流域各地方关于绿色发展的法规政策数量存在较大差异，上游、中游和下游之间的产业政策未能协调统一。可见，长江流域各地方对于绿色发展的重视程度和立法动力存在差异。十八大以来，以习近平同志为核心的党中央，把握绿色发展的时代潮流，结合中国经济社会发展面临的资源环境约束瓶颈，对中国经济社会发展的绿色化进行了深入思考，强调绿色是中国经济发展的底色，也是永续发展的必要条件。随着《长江保护法》的出台，长江保护与绿色发展也应当逐步成为地方立法的重要理念之一。地方立法应牢牢树立习近平总书记关于“绿水青山就是金山银山”的绿色发展理念。这就要求各地方不仅仅局限于制定地方性政策，还应将其上升为地方性法规。在长江流域不同地区形成具有地方特色的绿色发展立法，并能实现有效的跨区域协作，为长江经济带的经济社会可

---

① 吕忠梅. 关于制定《长江保护法》的法理思考[J]. 东方法学，2020(2)：79-90.

② 曲超，王东. 关于推动长江经济带绿色发展的若干思考[J]. 环境保护，2018，46(18)：52-55.

持续发展、绿色发展提供有力的法治保障。

长江流域各地方应按照“生态优先、绿色发展”的要求，统筹优化行业布局与发展规划。《中国制造 2025》是我国实施制造强国战略第一个十年的行动纲领，要求制造业针对自主创新能力、资源利用效率、产业结构水平、信息化程度、治理效益等方面的差距，进行转型升级，形成新的生产方式、产业形态、商业模式和经济增长点。长江流域在对现有的生态环境资源进行有效保护的前提下，应针对相关产业逐步进行绿色升级改造。长江流域各地区应根据《长江保护法》制定相关的细则或政策，引导各产业合理布局与有效转移，着力优化沿江高能耗、高污染企业，鼓励与倒逼企业升级转型；着重衔接各省、各地区现有的规划，并落实政府主体责任，强化企业责任，提高绿色发展的社会影响力。长江流域的地方建设应以绿色发展为基础导向，逐步引用新型化、绿色化的产业构建政策。一方面，应以绿色发展为基础导向，使生产效率低下、能源耗用较高、缺乏节能创新精神的中小企业在竞争中淘汰；另一方面，发挥政府在地方产业集聚区域的协调功能，对于创新产出更高、生产效率高的产业给予财政补贴和税收减免等优惠政策，以提高绿色创新效率，把绿色发展与生态文明理念全面融入长江经济带城市群建设①，全力打造长江流域绿色发展新态势。

(3) 充分发挥长三角生态示范区的试点效应

2019 年 11 月 1 日，长三角生态示范区正式挂牌，并搭建了“理事会＋执委会＋发展公司”的三层次架构，且其有明确发展目标：到 2025 年，一批生态环保、基础设施、科技创新、公共服务等重大项目建成运行，先行启动区在生态环境保护和建设、生态友好型产业创新发展、人与自然和谐宜居等方面水平明显提升。一体化示范区主要功能框架基本形成，生态质量明显提升，一体化制度创新形成一批可复制可推广经验，重大改革系统集成释放红利，示范引领长三角更高质量一体化发展的作用初步发挥。到 2035 年，形成更加成熟、更加有效的绿色一体化发展制度体系，全面建设成为示范引领长三角更高质量一体化发展的标杆。

2019 年 11 月 19 日，国家发展和改革委员会印发的《长三角生态绿色一体化发展示范区总体方案》指出，建设长三角生态绿色一体化发展示范区是实施长三角一体化发展战略的先手棋和突破口，示范区范围包括上海市青浦区、江苏省苏州市吴江区、浙江省嘉兴市嘉善县(简称“两区一县”)。随后，为了促进

---

① 谢果，赵晓琴，王悠悠，等. 政府竞争、产业集聚与地方绿色发展[J]. 华东经济管理，2021(3)：74-85.

和保障示范区建设,实现共商、共建、共管、共享、共赢,把示范区全面建设成为示范引领长三角更高质量一体化发展的标杆,上海市人民代表大会常务委员会会同江苏省、浙江省人民代表大会常务委员会共同研究,通过了《上海市人民代表大会常务委员会关于促进和保障长三角生态绿色一体化发展示范区建设若干问题的决定》《江苏省人民代表大会常务委员会关于促进和保障长三角生态绿色一体化发展示范区建设若干问题的决定》《浙江省人民代表大会常务委员会关于促进和保障长三角生态绿色一体化发展示范区建设若干问题的决定》。三份文件指出,上海市会同江苏省、浙江省(以下简称两省一市)联合成立的示范区理事会,作为示范区建设重要事项的决策平台,负责研究确定示范区建设的发展规划、改革事项和支持政策,协调推进重大项目。两省一市共同设立的示范区执行委员会(以下简称示范区执委会),作为示范区开发建设管理机构,负责示范区发展规划、制度创新、改革事项、重大项目和支持政策的研究拟订和推进实施,重点推动先行启动区相关功能建设。这是长三角区域绿色一体化发展示范区的一次尝试。

按照党中央的指示完成长三角生态区的建设,不仅对推进长三角一体化发展国家战略实施,而且对中国区域经济一体化发展都将起到示范作用,对全国各个区域的经济社会一体化发展也将起到实质性的示范推动作用。且通过试点长三角示范区的建设,可以逐步推广到珠三角等其他地区,从而实现全国范围内的产业逐步推动绿色发展,完成生态环境与经济发展的“双赢”。

(4) 科技助力长江流域绿色发展

长江流域绿色发展需要科学技术提升和产业结构科学化调整。长江流域生态环境保护和修复离不开强有力的科技支撑。《长江保护法》第七十五条第三款规定:“国家鼓励和支持长江流域生态环境保护和修复等方面的科学技术研究开发和推广应用。”在科学研究和推广的层面,《环境保护法》和《水污染防治法》对于科学技术研究已有规定。《环境保护法》第七条规定:“国家支持环境保护科学技术研究、开发和应用,鼓励环境保护产业发展,促进环境保护信息化建设,提高环境保护科学技术水平。”这是对全部领域环境保护的科学技术研究、开发和应用的支持。与之不同的是,《长江保护法》鼓励和支持对长江流域生态环境保护及修复的科学技术研究开发与推广应用,明确将范围限定在长江流域,更具有针对性。《长江保护法》突出了对长江流域生态环境保护和修复的科学技术研究开发和推广在全国范围内的重要性。《水污染防治法》第七条规定:“国家鼓励、支持水污染防治的科学技术研究和先进适用技术的推广应用,加强水环境保护的宣传教育。”而《长江保护法》除了关注水污染防治的科学技术研究之外，还关注长江流域的资源保护、生态环境修复、绿色发展等方面，对于推动长江流域生态环境保护与绿色发展的科学技术创新和提升更有帮助。

《长江保护法》的规定有利于长江流域各级政府在长江流域生态环境保护和修复过程中，充分运用大数据、云计算、人工智能等现代科技手段，全面建设“智慧长江”；有利于推进长江流域建设的数据化、网络化、智能化；有利于优化整合长江流域各地区生态环境监测、执法、司法等各类信息、数据和网络平台，推进长江流域生态环境保护与修复信息共享制度建设。该条规定虽然未能进一步作出具有可操作性的措施，但长江沿岸各地方可以以此作为长江流域生态环境保护和绿色发展的科技指引。科学技术的研究开发与推广应用对于长江流域生态环境保护和修复工作具有重要的指导意义，也是实现流域污染治理、生态恢复和绿色发展的重要保障。

长江流域绿色发展需要充分利用科学技术，形成科学技术支撑长江生态环境保护和经济高质量发展相互促进、共同进步的局面。一方面依靠科学技术实现资源优化配置，促进生产、流通、消费过程中的节能减排和优化利用。另一方面需要利用科学技术改善生态环境，提升居民生活生产的环境治理效果，形成生态系统的良性循环。这就需要：一是引进高水平的研究机构、企业技术研发中心、新型研发组织等，推进科技创新资源开发共享，推动产学研深度协同联动。二是建立长江经济带数据共享机制，实现长江经济带环境污染防治和绿色发展的执法联动。对于长江经济带出现的损害环境、危及生态的行为，该地区应及时上传数据至共享平台，通知相关下游地区提前做好防范措施。对于先进的绿色发展技术和措施，可相互沟通和借鉴。三是鼓励社会资本兴办各类技术开发创新支撑平台，营造良好的绿色发展科技创新环境①。

① 谭志雄. 绿色发展：长江上游流域治理研究[M]. 北京：中国社会科学出版社，2021：168.

10

第十章

生态环境修复法律制度的实施

10.1 生态环境修复法律制度实施中存在的问题

近年，我国全面加强生物多样性保护工作，积极实施陆生珍稀、濒危物种的拯救行动，有效保护了85%的陆生重点保护野生动物种群，但仍存在一些亟待解决的问题。

10.1.1 资源保护法律制度实施中存在的问题

(1) 对于水生生物种群的保护行动仍停滞于法律文本层面

《长江保护法》第四十二条规定，我国农业农村部与长江流域县级以上地方政府应当制定长江流域珍贵、濒危水生野生动植物保护计划，并对其进行重点保护。因此，保护计划是对特定鱼类实行重点保护的直接依据。鱼类保护早已迫在眉睫，而如何制定“明事理、合法理、通情理”的保护计划，法律并未给出答案。

(2)《长江保护法》与其他资源保护法之间缺乏协调性

《长江保护法》与《水法》《森林法》《草原法》等资源类法律拥有平级法律效力，但因各自调整对象存在差异性，导致在具体适用过程中存在冲突和衔接的问题。以《水法》为例，二者区别在于《长江保护法》主要针对的是长江流域生态环境保护、修复，以及各类开发建设活动，旨在对流域内生态提供系统性、整体性保护，法律规制触及的对象不但是水资源，还有与水资源密切相关的岸线、森林、草原、湿地、野生动植物、河砂、矿藏资源等，而《水法》的调整对象是水资源开发、利用、节约、保护和防治水害，目标主要是水资源。因此，两法存在目标交叉①，在交叉领域就存在法律规范冲突。若放任立法协调性不足问题持续存在，必将极大影响《长江保护法》与其他资源立法的实施效果。

《长江保护法》与《水法》存在冲突的重要体现还在于二者对水资源使用目的的位序安排上。长江水质、水量既是维持长江流域生态环境的要素，也是维持流域内居民基本生活和社会经济发展的重要物质基础，这决定了在长江水资源上既存在生态性的水权，也存在为满足民众基本生活需要的生存性水权

---

① 陈金木，谢浩然，汪贻飞.《长江保护法》实施后联动修订《水法》的思考和建议[J].水利发展研究，2021,21(3):11-15.

和基于经济发展而产生的经济性水权[1]。《长江保护法》第二十九条规定"保障基本生态用水",并在立法语言表达中将其位置放于农业工业用水之前,立法者意在强调生态用水的重要性。水权使用目的的优先位序规则至关重要,它是解决水权取得纠纷的规范依据。我国水权取得纠纷的主要法律争议焦点之一是当事人之间的用水目的[2]。根据《水法》第二十一条[3]及《取水许可和水资源费征收管理条例》第五条第一款[4]的规定,在转让人就同一取水权与多个受让人订立水权转让合同并均未办理过户登记从而引发纠纷时,受让人用水目的不同的,按照生活用水、农业用水、工业用水、生态用水、航运用水的顺序,确定用水目的在先顺序的受让人取得取水权[5]。《水法》为解决水权取得纠纷所提供的指导性规则颇受诟病,"兼顾""充分考虑"等简单、笼统的原则性规定在司法实践中几乎没有作用[6],而使用目的的排序位置发挥了实际作用。《长江保护法》在立法语言上发生变化——"保障"基本生态用水,"统筹"农业、工业以及航运用水需求,且生态用水在先。但这样的措辞方式似乎依旧不能解决"生态为先,保护为先"的背景下《水法》在用水位序上规定不明确的问题[7]。

(3)《长江保护法》有关水源地保护区划定主体方面的规定也与《水污染防治法》有所冲突

《水污染防治法》第六十三条以及《饮用水水源保护区污染防治管理规定》第二十一条在水源保护区划定主体方面均规定为市、县级政府提出划定方案,报省级政府批准,跨市、县的饮用水保护区由相关市、县政府协商划定,报省级政府批准,跨省的水源地保护区由相关省级政府协商划定,协商不成的,由国务院环保和水利部门划定。《长江保护法》第三十四条第二款规定由"省级人民政府组织划定饮用水水源保护区",显然与上述法律规范在划定主体上有分歧。另外,根据《城市供水条例》第十三条规定"县级以上地方人民政府环境保

---

① 黄萍.大保护背景下的长江水权问题探讨[J].南京工业大学学报(社会科学版),2019,18(6):1-10+111.

② 单平基.我国水权取得之优先位序规则的立法建构[J].清华法学,2016,10(1):142-159.

③ 《水法》第二十一条规定:"开发、利用水资源,应当首先满足城乡居民生活用水,并兼顾农业、工业、生态环境用水以及航运等需要。在干旱和半干旱地区开发、利用水资源,应当充分考虑生态环境用水需要。"

④ 《取水许可和水资源费征收管理条例》第五条第一款规定:"取水许可应当首先满足城乡居民生活用水,并兼顾农业、工业、生态与环境用水以及航运等需要。"

⑤ 刘欢欢,赵海燕.对取水权转让合同的思考[J].湖南警察学院学报,2015(2):70-76.

⑥ 单平基.我国水权取得之优先位序规则的立法建构[J].清华法学,2016,10(1):142-159.

⑦ 黄萍.大保护背景下的长江水权问题探讨[J].南京工业大学学报(社会科学版),2019,18(6):1-10+111.

护部门应当会同城市供水行政主管部门、水行政主管部门和卫生行政主管部门等共同划定饮用水水源保护区，经本级人民政府批准后公布；划定跨省、市、县的饮用水水源保护区，应当由有关人民政府共同商定并经其共同的上级人民政府批准后公布”。也就是说，根据该条例，县级以上区域内的饮用水水源保护区由县级以上地方政府划定并批准，跨县、市、省的水源保护区由本级政府商定，由上级政府批准公布。该条例对于水源保护区划定主体的规定又与《水污染防治法》以及《长江保护法》的规定大有区别。因此，《长江保护法》在饮用水水源地保护区的划定方面，尤其是统一跨界饮用水水源保护区划分标准制度，包括有权机关和划定程序，还有待进一步明确。

10.1.2 污染防治措施法律制度实施中存在的问题

《长江保护法》在水污染防治方面存在水污染防治主管机关的缺位与错位，长江流域“水环境质量标准”“污染物排放标准”的国家标准和地方标准之间的效力层级尚未确定，污染物排放总量削减要求制定权主体和实施区域范围不明等问题。在《排污许可管理条例》背景下，“有关省级人民政府制定的更加严格的总磷排放管控要求”的排污许可根据问题、超过排放标准或者总量控制指标排放含磷水污染物的“责令关闭”责任批准权问题、农业农村面源污染防治约束不足问题、船舶污染责任保险与财务担保相结合机制效力障碍问题等，都需要进一步完善，以便促进《长江保护法》充分有效实施。水污染防治中存在的问题主要有：

第一，水污染防治主管机关的缺位与错位。《长江保护法》第四十三条规定：“国务院生态环境主管部门和长江流域地方各级人民政府应当采取有效措施，加大对长江流域的水污染防治、监管力度，预防、控制和减少水环境污染。”据此，《长江保护法》之下“水污染防治”的主管机关在中央为国务院生态环境主管部门，在地方为长江流域地方各级人民政府。

在中央国家机关职责定位上，《水污染防治法》规定：“县级以上人民政府水行政、国土资源、卫生、建设、农业、渔业等部门以及重要江河、湖泊的流域水资源保护机构，在各自的职责范围内，对有关水污染防治实施监督管理。”《长江保护法》第四十三条的规定与《水污染防治法》所确立的“分工负责、协同监管”的职责配置不符，也与水污染防治工作在现实的客观需求不符。虽然，《长江保护法》第一章“总则”第五条第一款已规定“国务院有关部门和长江流域省级人民政府负责落实国家长江流域协调机制的决策，按照职责分工负责长江保护相关工作”，但是《长江保护法》第四章“水污染防治”在“分则”中再一次规定，如果从体系解释而言，第四十三条无疑是第五条的特别规定[①]，按照“特别法优于一般法”原则，《长江保护法》在“水污染防治”上显然因立法技术性的失误造成了法律漏洞，将除国务院生态环境主管部门之外的中央国家机关排除在外，造成该类中央国家机关在长江水污染防治上的制度性缺位。

在地方国家机关职责定位上，《长江保护法》的规定可能存在错位。理由是：水污染防治工作，无论是区域还是流域，其主要执法机关为生态环境主管部门[②]，《长江保护法》第四十三条却将长江水污染防治的地方国家机关规定为“长江流域地方各级人民政府”[③]。虽然按照《中华人民共和国地方各级人民代表大会和地方各级人民政府组织法》的规定，“人民政府的各工作部门受人民政府统一领导”，但是《长江保护法》第四十三条表面上提升了长江水污染防治的地方国家机关的级别管辖（流域地方人民政府），实质上是将本应由流域地方人民政府所辖的生态环境主管部门等执法机关“架空”。这一立法表达的后果是：一方面，在非长江流域的水污染防治的执法机关（系地方政府工作部门）和长江流域的水污染防治的执法机关（系地方政府）的错位；另一方面，在长江流域的水污染防治上，地方政府工作部门的相应执法缺少法律依据，从而缺乏履行长江水污染防治的主动性，而不得不仅遵循本级人民政府的行政行为单向被动推动，不利于水污染防治工作的依法展开。

第二，长江流域“水环境质量标准”“污染物排放标准”的国家标准和地方标准之间的效力层级尚未确定。《长江保护法》第四十四条、四十五条所规定的长江流域“水环境质量标准”和“污染物排放标准”，无疑均包括了国家标准和地方标准，但是，该等国家标准和地方标准的效力等级及其适用存在可商榷之处。一方面，无论是《水污染防治法》，还是《长江保护法》，都没有明确长江流域“水环境质量标准”和“污染物排放标准”的国家标准和地方标准的效力等

---

① 当然，体系解释只是其中一种解释方法，对第四十三条的解释，还可以是强调国务院生态环境主管部门和长江流域地方各级人民政府的职责，但是若仅是“强调”功能，则该条失去了立法的意义，或是对立法资源的浪费。

② 《水污染防治法》第九条：县级以上人民政府环境保护主管部门对水污染防治实施统一监督管理。交通主管部门的海事管理机构对船舶污染水域的防治实施监督管理。县级以上人民政府水行政、国土资源、卫生、建设、农业、渔业等部门以及重要江河、湖泊的流域水资源保护机构，在各自的职责范围内，对有关水污染防治实施监督管理。

③ 《中华人民共和国地方各级人民代表大会和地方各级人民政府组织法》第八十三条：省、自治区、直辖市的人民政府的各工作部门受人民政府统一领导，并且依照法律或者行政法规的规定受国务院主管部门的业务指导或者领导。自治州、县、自治县、市、市辖区的人民政府的各工作部门受人民政府统一领导，并且依照法律或者行政法规的规定受上级人民政府主管部门的业务指导或者领导。

级;另一方面,该“水环境质量标准”和“污染物排放标准”的国家标准和地方标准,除非就该等技术标准由国务院生态环境主管部门制定部门规章、长江流域省级人民政府制定地方政府规章,否则其应当属于《中华人民共和国标准化法》(以下简称《标准化法》)规定的“标准”。

但《标准化法》第二条第二和第三款规定:“标准包括国家标准、行业标准、地方标准和团体标准、企业标准。国家标准分为强制性标准、推荐性标准,行业标准、地方标准是推荐性标准。强制性标准必须执行。国家鼓励采用推荐性标准。”也就是说,按照《标准化法》,长江流域“水环境质量标准”和“污染物排放标准”中的国家标准是强制性标准,而地方标准是推荐性标准。关于地方标准是否具有强制性,《中华人民共和国标准化法实施条例》(以下简称《标准化法实施条例》)第十八条第五款另有规定:“省、自治区、直辖市人民政府标准化行政主管部门制定的工业产品的安全、卫生要求的地方标准,在本行政区域内是强制性标准。”①也就是说,有些地方标准在本行政区域内也是强制性标准。遗憾的是,此处显然并不包括“水环境质量标准”和“污染物排放标准”②。

在长江流域“水环境质量标准”和“污染物排放标准”的国家标准和地方标准属于《标准化法》所调整的“标准”,且仅国家标准是强制标准,而地方标准是推荐标准的效力等级下,如何保障长江流域“水环境质量标准”和“污染物排放标准”地方标准的适用性是需要进一步解决的问题。虽然《长江保护法》规定地方标准可以“严标”,但是标准的严格性要求和标准的效力等级分属于规范领域不同的问题,不可混同。

第三,污染物排放总量削减要求制定权主体和实施区域范围不明。《长江保护法》第二十一条第二款规定:“长江流域水质超标的水功能区,应当实施更严格的污染物排放总量削减要求。”但是,问题在于:其一,该“更严格的污染物排放总量削减要求”应当由谁制定?从法条来看,其制定者既可能是国务院生态环境主管部门,也可能是长江流域省级人民政府。然而,如将该制定权赋予长江流域省级人民政府,且出于眼前利益考虑,长江流域省级人民政府有可能作出无视水功能区的水质超标的短期行为。其二,立法者将“实施更严格的污染物排放总量削减要求”限定于“长江流域水质超标的水功能区”似乎是忽视了基于江水流体力学和江沙向下游沉淀等因素引发的总磷时空变化特征。事

① 实际上《标准化法实施条例》第十八条第五款涉嫌违反《标准化法》,是在法律没有授权且与法律明文规定明显抵触的情况下制定的例外规定。

② 鉴于《标准化法实施条例》第十八条第二款第四项规定“环境保护的污染物排放标准和环境质量标准”,第十八条第五款中的“卫生”也不能扩大解释为“保护环境”。

实表明，特定水功能区的水质超标，并非完全是因为本区域污染物排放超量，上游的排污行为对下游水质影响甚巨。因此，将“实施更严格的污染物排放总量削减要求”限定于“长江流域水质超标的水功能区”，或者目标达成程度有限，或者因难以限制上游的排污行为而徒劳无功。

第四，在《排污许可管理条例》背景下“有关省级人民政府制定的更加严格的总磷排放管控要求”能否作为排污许可的根据存在疑问。自 2021 年 3 月 1 日起施行的《排污许可管理条例》规定“按照污染物排放口、主要生产设施或者车间、厂界申请的污染物排放种类、排放浓度和排放量，执行的污染物排放标准和重点污染物排放总量控制指标”以及“污染防治设施、污染物排放口位置和数量，污染物排放方式、排放去向、自行监测方案等信息”①，是取得排污许可证的关键根据之一。《长江保护法》第四十六条第二款前半句规定“磷矿开采加工、磷肥和含磷农药制造等企业，应当按照排污许可要求，采取有效措施控制总磷排放浓度和排放总量”。因此，根据《排污许可管理条例》和《长江保护法》的规定，总磷排放控制措施既是取得行政许可的根据，也是排污单位取得行政许可后的实施要求。但是，一方面，《长江保护法》第四十六条第一款要求“对磷矿、磷肥生产集中的长江干支流，有关省级人民政府应当制定更加严格的总磷排放管控要求，有效控制总磷排放总量”；另一方面，根据《中华人民共和国行政许可法》(以下简称《行政许可法》)，在已有行政法规创设行政许可的情况下，地方性法规、地方政府规章不能再设定排污行政许可。因此，“有关省级人民政府制定的更加严格的总磷排放管控要求”显然不应作为实施行政的依据。如此，“有关省级人民政府应当制定更加严格的总磷排放管控要求”在《行政许可法》和《排污许可管理条例》上就没有了适用的空间，从而无法发挥其应有功能。

第五，超过排放标准或者总量控制指标排放含磷水污染物的“责令关闭”责任的批准权困境。《长江保护法》第八十九条规定：“长江流域磷矿开采加工、磷肥和含磷农药制造等企业违反本法规定，超过排放标准或者总量控制指标排放含磷水污染物的，由县级以上人民政府生态环境主管部门责令停止违法行为，并处二十万元以上二百万元以下罚款，对直接负责的主管人员和其他直接责任人员处五万元以上十万元以下罚款；情节严重的，责令停产整顿，或者报经有批准权的人民政府批准，责令关闭。”有疑问的是“责令关闭”应当如何适用？根据该条规定，情节严重的，县级以上人民政府生态环境主管部门可报经有批准权的人民政府批准，作出责令关闭的行政处罚。《中华人民共和国行

① 参见《排污许可管理条例》第七条。

政处罚法》(以下简称《行政处罚法》)第二十三条规定:“行政处罚由县级以上地方人民政府具有行政处罚权的行政机关管辖。法律、行政法规另有规定的,从其规定。”《行政处罚法》一般性地赋予了县级以上地方人民政府行政机关相对独立的行政处罚权。但是,《长江保护法》第八十九条规定实际上是以设定人民政府批准权的程序要求,否定了县级以上人民政府生态环境主管部门行政处罚权的相对独立性,而且对于该批准权的行使,法律没有规定实体上的要求,这无疑又为生态环境主管部门非独立的行政处罚权的实施以法律名义增添了更多不确定性。其他专门法律也有此类“批准权”的规定,如《环境保护法》第六十条[①]。对此,需要在“批准权”体制上进一步理顺。

第六,农业农村面源污染防治约束不足。面源污染有广义和狭义的两种理解,广义指各种没有固定排污口的环境污染,狭义通常限定于水环境的非点源污染[②]。广义的农业面源污染,是指由农业生产活动和农村生活活动造成的有别于点源污染的系列污染问题,包括水污染、空气污染、土壤污染、生物性污染等问题[③]。《长江保护法》第四十八条确定规范属性是理解和适用本条的重要前提。首先,“国家加强长江流域农业面源污染防治”,是《中华人民共和国宪法》(以下简称《宪法》)第二十六条第一款“国家保护和改善生活环境和生态环境,防治污染和其他公害”在《长江保护法》上的进一步落实,也是从部门法上进一步确立了长江流域农业面源污染防治的国家责任。但是该条第一款并未明确承担该项国家责任的具体主管机关,尚不足以作为具体国家机关依法行政的法律依据。其次,“长江流域农业生产应当科学使用农业投入品,减少化肥、农药施用,推广有机肥使用,科学处置农用薄膜、农作物秸秆等农业废弃物”,对该条规范的实施,义务主体在行政主体层面涉及国家发展和改革委员会、农业农村部、生态环境部等多个部门,而行政相对人层面涉及农药生产企业、农业废弃物处理企业、农业生产者等多个主体。但是,该条规定为倡导性规范,并未设定具体的权利、义务,所以实际上并不具有可操作性。最后,本条

---

① 《环境保护法》第六十条:企业事业单位和其他生产经营者超过污染物排放标准或者超过重点污染物排放总量控制指标排放污染物的,县级以上人民政府环境保护主管部门可以责令其采取限制生产、停产整治等措施;情节严重的,报经有批准权的人民政府批准,责令停业、关闭。

② 周志波,张卫国.环境税规制农业面源污染研究综述[J].重庆大学学报(社会科学版),2017,23(4):37-45.

③ NOVOTNY V,OLEM H. Water quality: prevention,identification and management of diffuse pollution[M]. New York: Van Nostrand Reinhold,1994.

仅针对农田污染提出了法律约束，未涉及养殖污染治理和农村人居环境治理①，这应是立法上的一个疏漏，存在法律漏洞。

第七，船舶污染责任保险与财务担保相结合机制存在效力障碍。《长江保护法》第五十一条第一款规定："国家建立长江流域危险货物运输船舶污染责任保险与财务担保相结合机制。具体办法由国务院交通运输主管部门会同国务院有关部门制定。"其目的在于三个方面：一是赔得起，二是可获偿，三是可负担。该机制是否具有强制性，难以从文意获得确定的解答，但至少在文意描述的范围内强制性或者非强制性都有存在空间，其本意也未能从《关于〈中华人民共和国长江保护法（草案）〉的说明》中获得支持。若立法者旨在建立强制性的责任保险、财务担保或相结合的机制，则该条授权国务院交通运输主管部门会同国务院有关部门制定相应规范性文件，无论是《立法法》意义上的部门规章，还是非法律性质的规范性文件，该所谓"责任保险与财务担保相结合机制"都存在法律效力上的障碍。理由是：一方面，强制性地要求采取责任保险或财务担保，实质上是变相的强制保险（或半强制）；另一方面，《中华人民共和国保险法》（以下简称《保险法》）第一百八十四条第二款"强制保险，法律、行政法规另有规定的，适用其规定"。要实施"长江流域危险货物运输船舶污染责任保险与财务担保相结合机制"应当至少在行政法规层面予以确立。因此，优选办法是由国务院制定行政法规，以保障其合法性。

10.1.3 生态环境修复实施中存在的问题

生态环境修复立法的实施机制是制约《长江保护法》治理长江生态环境修复问题有效性的重要因素。近年来，各级生态环境部门坚决贯彻落实习近平总书记关于长江保护的系列重要讲话精神，落实党中央国务院的部署，始终把长江的保护修复攻坚战作为污染防治攻坚战的重中之重，会同国务院有关部门和沿江的地方政府抓实抓好，经过不懈的努力，长江经济带的生态环境已经发生了转折性的变化。然而，长江流域面临的生态环境问题依然严峻复杂②。在长江流域生态环境修复方面，各地区各部门之间如果缺乏具体协调机制，长江保护相关法律法规和制度要求难以有效落实，立法设定的各项治理工程无法推动，将严

---

① 熊文，李志军，黄羽，等. 中华人民共和国长江保护法要点解读[M]. 武汉：长江出版社，2021：169.

② 国务院关于长江流域生态环境保护工作情况的报告——2021 年 6 月 7 日在第十三届全国人民代表大会常务委员会第二十九次会议上[R/OL].（2021-06-07）[2021-06-09]. http://www.npc.gov.cn/npc/c30834/202106/459bf9e588354a669c9742fec4b29057.shtml.

重影响到长江流域生态环境修复成效①。具体而言，生态环境修复立法的实施机制在以下三个方面有待完善。

(1) 生态环境修复立法协调性不足

《长江保护法》作为我国流域专门立法，综合性特点突出，规范对象包括长江流域生态环境保护和修复、各类生产生活和开发建设活动。《长江保护法》是对我国生态环境保护法律体系的重要补充，同时在全新生态环境治理理念的指导下，为流域生态环境保护和修复提供了符合时代发展和治理目标的法治保障。然而，在我国当前的法律体系当中，规范生态环境保护和修复方面的法律法规、部门规章以及各类规范性文件数量庞杂。仅仅是涉水治理的法律就有《水法》《防洪法》《水土保持法》以及《水污染防治法》，而国务院制定的涉水行政法规和条例有《中华人民共和国河道管理条例》《中华人民共和国水文条例》等，各省市地方政府出台的涉水规章和各类规范则更多。首先，这些法律虽然都有其侧重调整的对象，但不可避免地存在交叉重叠之处。其次，由于现有各类法律规范的制定主体不同，制定时间与背景不同，立法质量良莠不齐，各类规定在使用法律概念上不统一、不规范，存在重复性规定，甚至出现内容互相矛盾和上下位阶法律相互抵触的问题。最后，上述立法属于具有普遍适用性的涉水法律，而《长江保护法》则是一部适用于长江流域治理的特别立法。在普遍性法律与特别立法之间也容易出现矛盾，而且不宜用特别法优于普通法的原则加以简单解决。例如《长江保护法》第二十七条规定"严格限制在长江流域生态保护红线、自然保护地、水生生物重要栖息地水域实施航道整治工程……"该规定认为生态保护红线、自然保护地与水生生物重要栖息地属于并列关系。但是，原环境保护部及国家发展和改革委员会于 2017 年 5 月颁布的《生态保护红线划定指南》则将许多类型的自然保护地、生物栖息地纳入生态保护红线的范畴。诸如此类问题构成《长江保护法》进一步贯彻实施的现实障碍，使得相关责任主体在具体执行法律规定的过程中无所适从，不利于有效开展长江流域生态环境保护和修复活动，影响流域生态环境治理的最终效果。

(2) 缺乏具体的生态环境修复体制机制

《长江保护法》由总则、规划与管控、资源保护、水污染防治、生态环境修复、绿色发展、保障与监督、法律责任和附则等九大章节组成，全方位涵盖了长江流域生态环境保护与修复的法治保障。但从立法目的和立法内容来看，作为

---

① 江必新. 关于制定长江保护法的几点思考——以司法审判及法律责任为视角[J]. 中国人大，2019(20)：17-20.

流域立法和特别立法，《长江保护法》的制定是从统筹规划长江流域生态环境治理层面出发，主要着眼于长江流域生态环境的突出问题和重点问题，进行了制度设计和措施规定。因此，《长江保护法》对生态环境修复的规定与其他章节一样较为宏观，涉及流域生态修复相关的各个方面，既包括生态系统治理的总体原则，同时又分别规定了重点水域捕捞管理制度，河湖水系连通修复，河湖岸线修复，库区消落区生态环境修复，森林、草原、湿地修复，重点湖泊生态环境修复，野生动植物和受到严重破坏的栖息地、天然集中分布区、破碎化的典型生态系统修复，水生生物重要栖息地修复，河口生态环境修复，水土流失修复，矿山生态环境修复以及生态脆弱区修复等。虽然这些规定都明确了长江流域生态环境修复的重点，但是如何有效实施生态环境修复的具体体制机制还缺乏规定。首先，《长江保护法》的大部分规范主要是委任性的规定，如在有关严格捕捞管理制度的条款中，对于禁止和限制捕捞，"具体办法由国务院农业农村主管部门会同国务院有关部门制定"，但对于责任主体应当如何制定相关办法并未有更具体的指导和规范。其次，流域生态修复存在跨行政区划与跨职能部门的特点，立法对于不同地方政府与职能部门之间如何协调配合缺乏细化的体制机制规定。最后，立法对于地方承担的生态环境修复责任规定较为模糊，地方政府和相关部门自主操作空间较大。而且对于不履行修复责任或履行不到位的法律后果缺乏规定，立法缺乏刚性约束。在贯彻落实立法的过程中，难以确保生态环境修复的法律规定在治理中充分发挥作用。因此，在今后长江生态环境保护和修复的过程中，既要重视巩固"攻坚战"成果，也要坚持新的保护和修复理念，通过具体机制设置，完善落实《长江保护法》中生态环境修复的法律规定和制度设计。有必要运用法治思维和法治方式，制定专门法律，统筹兼顾、整体施策、多措并举，形成对长江生态环境保护的硬性约束机制。

(3) 现有生态环境司法协同机制尚不成熟

司法制度是长江生态环境保护与修复法治保障的重要一环，在生态文明建设与绿色发展中发挥着重要作用。流域的系统性、复杂关联性以及动态性等特点，决定了流域环境司法保护应当体现系统整体性、有机协同性以及动态适应性的要求①。近年来，最高人民法院和地方各级人民法院在有关长江流域生态环境保护修复方面相继出台了《关于为长江经济带发展提供司法服务和保障的意见》《关于全面加强长江流域生态文明建设与绿色发展司法保障的意

---

① 秦天宝. 我国流域环境司法保护的转型与重构[J]. 东方法学，2021(2)：158-167.

见》《人民法院环境资源审判保障长江经济带高质量发展典型案例目录》等规范性文件。长江经济带 11+1 省市及青海省高级人民法院共同签署《长江经济带 11+1 省市高级人民法院环境资源审判协作框架协议》。与此同时，各地方法院在环境资源案件司法实践中从审判组织、管辖模式、工作机制、制度保障等方面进行了多元和有益的探索，包括成立专门的环境审判庭和环境资源法庭，建立跨行政区划的环境案件管辖制度，建立区域执法司法协同机制以及建立生态环境修复示范基地等。在流域司法方面，江苏省高级人民法院启动的以生态功能区设立环境资源法庭的“9+1”审判机制改革效果突出。司法实务为生态环境修复司法机制的建设提供了充分的经验。一方面，作为流域特别立法，《长江保护法》尚未在宏观层面建立跨地区、跨部门的流域司法协同机制，不能确保流域内不同行政区域、不同职能部门在生态修复司法中实现信息共享，并进行有效的司法协助；另一方面，法律规定中关于司法机制的规定较为宏观，虽然强调司法保障建设和犯罪线索移送，但并未完全充分体现司法有益经验，尚未将实践做法上升为法律规定予以规范。此外，流域生态环境保护修复中行政执法与司法之间的衔接也是司法协同机制的重要内容，针对立法所规定的有关部门对长江流域跨行政区域、生态敏感区域和生态环境违法案件高发区域以及重大违法案件，依法开展联合执法，应当一并纳入协同机制范围，制定完善流域生态环境问题行政规制与司法处理衔接的具体机制。

10.2 完善生态环境修复法律制度实施的具体建议

10.2.1 资源保护法律制度实施的建议

(1) 针对长江流域鱼类保护问题

针对该问题，可以以莱茵鲑鱼回归计划的成功经验为参考，分步骤、分阶段设立并完成目标，杜绝一蹴而就或“一刀切”的恣意行政。

自罗马时代，莱茵河就以富产鲑鱼著称，鲑鱼为沿河两岸的欧洲人民提供了稳定的食物来源。然而，工业废物排放导致莱茵河自 20 世纪 50 年代起再无鲑鱼。恶劣的水质和 1986 年巴塞尔化工污染事件的爆发促使莱茵河流经国共同组建了“保护莱茵河国际委员会”(ICPR)。ICPR 自创建之日起，就将“再见鲑鱼”作为河流总体生态治理的目标。鲑鱼回归，不仅标志着生态环境治理意义上生物多样性指标的完成，更象征着莱茵大河文化的复兴，抚慰着两岸民众对河流生机的渴望。为此，ICPR 制定和落实了两期莱茵鲑鱼保护计划——即“鲑鱼 2000”(1987—2000)和“鲑鱼 2020”(2001—2020)。

在一期计划中，ICPR 成功地延长了莱茵河支流鲑鱼栖息河道，在三角洲地区增加三条鲑鱼洄游通道，改建或放低了为数众多的支流堰坝。最终，在 2000 年，人工投放的野生鱼苗终以成鱼的形态回来了！这证明了“鲑鱼 2000”目标成功实现。如果说一期计划只是让鲑鱼在人工干预的情况下回到莱茵河，那么作为二期计划，“鲑鱼 2020”更加野心勃勃，其通过重建鲑鱼栖息地和实现生态开放性，让鲑鱼在不借助任何人工辅助措施的情况下，自然繁殖并维持相当规模的种群数量。在手段上，二期计划主要借助以下四种力量实现目标：第一，引进外来野生鲑鱼品种并进行人工抚育。ICPR 从其他野生鲑鱼产区捕获鱼卵并将其养殖于鱼苗孵化基地，待幼鱼长成后投放回适当的幼鱼栖息地，任其从下游入海，待成鱼从海洋洄游入莱茵河段甚至自然繁殖之后，部分鱼卵将被人工捕获，幼鱼再次被抚育。ICPR 以此方式帮助外来的鲑鱼种群逐渐适应当地水域条件，并在莱茵河生存和繁殖。最终摆脱人工干预，是“鲑鱼 2020”计划的主要目标。第二，坚持生态开放理念，构建鱼群洄游阶梯。鱼群洄游阶梯能够帮助鲑鱼越过较高的过堰水域，最终抵达莱茵上游产卵区。ICPR 多年来坚持生态开放(ecological patency)理念，通过各种手段，包括构建莱茵河干支流旁通河道与辅助性鱼群廊道、拆除部分不再使用的人工堰坝等，打通鲑鱼洄游通道。第三，泛欧法律框架发挥重要作用。欧盟水框架指令为鲑鱼回归准备了良好的河流生态，对于那些已经严重污染的水域又最大限度地发挥其环境潜能，一定程度上为扩张鲑鱼洄游廊道提供了生态保障。其他泛欧规则，如动植物栖息地指令也有助于形成最接近天然的水生态系统。第四，ICPR 监测与社会监督相结合。在计划执行过程中，社会组织的志愿行动和自然保护联盟对鲑鱼的监测发挥着重要作用。双方通过拟定鱼群产卵地清单、通过电气捕鱼和张网捕鱼方式测算鱼群数量，完成对鱼群洄游全过程的监督。目前，对于洄游鱼类，ICPR 还设置有六个永久性基站点，ICPR 还建议在每一条大型支流河口相近处构建监测站。在计划的尾声，更多的成鱼已回归，部分外来引进的野生鲑鱼也在支流完成了自然繁殖，并有新的洄游廊道形成，更多的堤堰被拆除。这标志着二期计划的成功落幕。

域外经验的成果值得关注，但是存在的问题也不容忽视，甚至正是这些问题才对我国法律制度的完善更加具有意义。莱茵河流域水利设施的兴建导致物种栖息地破碎，鱼类洄游廊道遍布风险。莱茵支流河道上众多的水利工程设施以及堤堰切断了鲑鱼生境斑块的彼此连通。此外,水利工程中的涡轮装置还会伤害穿行其间的鲑鱼,导致鱼群在向下游行进时遭受重伤。鲑鱼在上游产卵地和幼鱼栖息地繁殖空间不足,而下游洄游通道又遍布险情,因此其数量的增加依旧较为缓慢。

持续了三十多年的莱茵鲑鱼回归计划对于我国主管部门制定和落实鱼类保护计划具有一定启发意义。首先,鱼类保护计划制定主体应为农业农村部。从保护计划制定主体上来看,《长江保护法》第四十二条规定包括县级以上地方政府。然而,长江流经我国 19 省(区、市),鱼类活动空间与行政区划在大多数情况下并不一致。因此,交由县级以上政府制定保护计划,势必会人为地将鱼类活动区域割裂,并让地方政府之间的磋商成本加大,这既不经济也不可能有效。建议将保护计划的制定权交由农业农村部,由其统一制定计划,并将计划目标、监测站点构建等分解下达给省级政府,由省级政府具体落实。我国鱼类保护迫在眉睫,更需要采取高度统一的行动,方可及时止损。

(2) 保护计划需要全社会的参与

莱茵河鲑鱼保护计划的直接目标是使鲑鱼回归,而鲑鱼回归对于莱茵河流域生态治理的成功具有重要意义。习近平总书记提出构建人与自然生命共同体,这一生态理论中的重要要素就是"生命"。长江无鱼,必是死水一潭。因此,在保护计划的制定过程中,可锁定一种具有长江文化代表性的鱼类进行保护,并在计划当中设置教育、科研、法律论证以及宣传环节,计划名称不宜采用"禁止""限期"字样,更新以往的禁令式行动计划,力争让保护行动家喻户晓、深入人心,召唤绝大多数的公众参与到长江特有鱼类保护和监督的行动当中,并从事理、法理、情理三方面着手,唤醒公众对河流生态和鱼群保护的共情。

(3) 保护计划的内容要结合"生态环境+种群恢复"两大目标

莱茵鲑鱼回归计划目标的成功实现离不开欧盟成员国对水框架指令的遵守。我国生态环境保护工作正如火如荼地进行,司法保障机制日益完善,生态修复责任正式进入《民法典》。可以说,立法、行政、司法三方面的生态保护机制在过去五年间都发生了剧变。然而,人与自然的矛盾仍旧存在。污染可控之后,水利工程设施的生物影响评价亟待完善,岸线清理和拓宽,漫滩与湿地恢复都对鱼类栖息具有重要作用。因此,在保护计划制定过程中,应注重两条线,即生态环境线和种群恢复线齐头并进。

针对《长江保护法》与其他资源类法律不兼容的问题,应严格坚持生态保护的优先地位。《长江保护法》的正式施行标志着长江大保护的法律"命令"已经建立，也意味着对《长江保护法》的研究重心将从立法推动转向适用解释[①]。针对前述的《长江保护法》与其他生态环境资源立法协调性不足的问题，《长江保护法》应坚持生态保护的优先地位，通过机制调整寻求《长江保护法》在生态环境资源管理中特有的地位。长江流域的所有建设项目都要以不破坏生态环境为前提，在项目审批上要把资源环境承载力、资源禀赋和环境容量作为决策的依据，具体而言，可以通过政策调整，实现从发展方式上解决根本问题，包括规划布局和优化能源、交通、产业、农业、建筑、消费等结构问题[②]。

在立法层面，当务之急是处理好《长江保护法》与其他单行资源保护法的关系。资源保护单行法大多是以资源要素为规制对象，然而流域立法是横向的，二者会有冲突和重叠，但是《长江保护法》不应该超越或者替代其他单行法，而是应该对于其他单行法没有解决或解决不利的问题起到一个“松紧阀”的作用。例如，有关涉水资源管理的法律包括《水污染防治法》《环境保护法》《水法》《防洪法》《水土保持法》等，根据《立法法》第一百零三条规定“同一机关制定的法律、行政法规、地方性法规、自治条例和单行条例、规章，特别规定与一般规定不一致的，适用特别规定；新的规定与旧的规定不一致的，适用新的规定”，《长江保护法》因是流域立法，对于同一事项的规定应属于特殊法[③]，根据生效时间，应属于后法。在具体案件中一旦发生规则冲突情况，应坚持特别法优于一般法，后法优于前法的法律适用原则。

在司法层面，应加强长江流域司法保障建设，发挥环境司法预防性和恢复性的价值功能。这既是《长江保护法》本身的规则要求（《长江保护法》第七十七条），也是我国环境司法十余年的经验总结。从案件涉及的具体问题来看，长江流域资源破坏主要集中于渔业资源破坏，其次是非法采砂采矿带来的生态环境破坏问题。对此，最高人民法院于 2021 年 2 月 24 日颁布了《关于贯彻〈中华人民共和国长江保护法〉的实施意见》（法发〔2021〕8 号），其中，第 8—9 条提出为确保流域用水安全和生态安全，将严厉打击长江非法采砂和妥善审理其他资源利用案件，主要包括水资源合理分配纠纷、流域生态用水分配纠纷，以及流域内河流、湖泊、矿产、渔业等自然资源权属争议和合同纠纷。总体来说，对于长江流域资源保护，司法审判活动是以生态环境不受破坏作为自然资源

① 吕忠梅.《长江保护法》适用的基础性问题[J]. 环境保护，2021，49(Z1)：23-29.

② 胡保林.《长江保护法》立法定位和保护范围[J]. 北京航空航天大学学报（社会科学版），2019，32(6)：1-3.

③ 姚魏.《长江保护法》是特别法[J]. 北京航空航天大学学报（社会科学版），2019，32(6)：9-10.

开发利用的前提。当前应鼓励司法实践在符合诉讼理论和客观需要的前提下实现创新发展。在滥伐公益林所引发的环境民事公益诉讼中①,审判机关应适应气候和节气的变化,科学掌握林地品种特性,在审判程序中适用先予执行,降低错过生态修复最佳期的风险。在法律责任的承担方式上,各地法院坚持预防性与恢复性司法模式,鼓励探索新型责任承担方式,将补植复绿、护林服务、以鱼养鱼、增殖放流、劳务活动等行为处罚融入生态环境修复责任当中,实现惩罚犯罪人与实际修复损害的双重目标。

10.2.2 水污染防治中存在问题的策略建议

(1) 解决水污染防治主管机关缺位与错位的可行之策

造成水污染防治主管机关缺位与错位的原因是《长江保护法》总则一般性规定和第四章"水污染防治"一般性规定在立法技术上的失误,这一结果也并非立法者的本意。通常而言,解决这一问题的建议办法有二:一是由《长江保护法》的立法者进行立法解释或法律修正;二是根据《长江保护法》第四条和第五条所确立的"长江流域协调机制",将第四十三条造成的长江流域水污染防治中央国家机关的缺位予以补位和正位,即通过"长江流域协调机制"及其决策,一方面,重新将除国务院生态环境主管部门之外的水污染防治工作相关部门纳入进来,保障水污染防治工作既有生态环境部门的主导性又有其他相关部门的协同性;另一方面,将长江水污染防治地方主管机关"从地方政府向地方政府工作部门的自下而上的单向推动",改为"地方政府统一领导下地方政府和地方政府工作部门之间的上下联动"。

(2) 解决长江流域"水环境质量标准""污染物排放标准"的国家标准和地方标准之间的效力层级问题之策

解决长江流域"水环境质量标准""污染物排放标准"的国家标准和地方标准之间的效力层级问题的可行办法有二:一是通过立法解决。比如采取行政法规《标准化法实施条例》第十八条第五款的规定模式,即将长江流域"水环境质量标准""污染物排放标准"纳入"在本行政区域内是强制性标准"。当然,由"法律"解决此问题更能保障其效力,但是这一办法可能违背《行政许可法》第五条所规定"设定和实施行政许可,应当遵循公开、公平、公正、非歧视的原则"。二是通过市场方式解决。不能通过立法方式解决,自然也不能通过行政强制的方式解决,由此,市场方式是现行法律体系下可取而且各地可以灵活因应的优选方

① 参见(2020)浙11民初35号。

式。目前,《排污权出让收入管理暂行办法》(财政部、国家发展改革委、环境保护部以财税〔2015〕61 号印发)、《碳排放权交易管理办法(试行)》(生态环境部令第 19 号)均是有益尝试,可以借鉴。

(3) 解决污染物排放总量削减要求制定权主体和实施区域范围不明问题之策

解决该问题的办法是根据全流域的水质监测和排污监测结果,有针对性地采取污染物排放总量削减措施。但是,水质监测和排污监测结果仅仅是发现污染源和水质超标的手段,要解决因上游的排污行为导致的下游水功能区水质超标,则需要上下游省级行政区域间的沟通协调机制。具体可以采取如下方式:一是避免长江流域省级人民政府的短期行为。建议通过立法解释或者制定行政法规等方式,将该制定权明确赋予国务院生态环境主管部门,从而避免采取短期行为的可能。二是对由江水流体力学和江沙向下游沉淀等因素引发的总磷时空变化特征给予法律制度上的回应。对此,《长江保护法》第四条所规定的"国家建立长江流域协调机制"可以发挥作用。在"国家建立长江流域协调机制"的基础上,《长江保护法》第七十六条所建立的"长江流域生态保护补偿制度"也许是能更加有效平衡地区间发展需要和水功能区保护的经济杠杆,尤其是第七十六条第三款"国家鼓励长江流域上下游、左右岸、干支流地方人民政府之间开展横向生态保护补偿"之规定,所确立的区域间生态补偿机制。

(4) 解决"有关省级人民政府制定的更加严格的总磷排放管控要求"作为排污许可根据之策

在现行法律没有明确"有关省级人民政府制定的更加严格的总磷排放管控要求"可以作为排污许可的情况下,为增强"有关省级人民政府制定的更加严格的总磷排放管控要求"的针对性和适用性,应当遵循行政许可法定原则,尊重长江本身的流域性、区域性自然特征,以法律或行政法规形式赋予行政许可实施的个性化依据,才能贯彻落实"针对长江特定区域、特定问题采取特别制度措施,保护修复长江流域生态环境,保障自然资源高效合理利用,防范和纠正各种影响长江流域生态环境的行为,支撑和推动长江经济带绿色发展、高质量发展"的指导思想①。

---

① 高虎城. 关于《中华人民共和国长江保护法(草案)》的说明——2019 年 12 月 23 日在第十三届全国人民代表大会常务委员会第十五次会议上[EB/OL]. (2020-12-28)[2021-08-28]. http://www.npc.gov.cn/npc/c30834/202012/69f3184c1a764d4abaad794a5c0d9a96.shtml.

(5) 解决“责令关闭”责任的批准权困境之策

“责令关闭”对作为行政相对人的企业而言是最为严重的行政处罚，可能将导致该企业主体资格上的撤消。《行政处罚法》一般性地赋予了县级以上地方人民政府行政机关相对独立的行政处罚权。然而，《长江保护法》将“报经有批准权的人民政府批准”作为“责令关闭”的前置性要求，一方面，由人民政府行使批准权缺乏必要性；另一方面，该批准权行使的实质要求并不明确，导致该批准权主体的裁量权缺乏法律依据。如此，权力寻租、为本地经济发展而产生的短期行为风险难以避免。理顺“责令关闭”责任批准权的可选择方法有：一是取消该批准权，将该行政处罚权交由相应生态环境主管部门依法行使；二是明确需要政府行使该批准权的范围；三是明确批准权的形式要件和实质要件。

(6) 解决农业农村面源污染防治约束不足之策

如上所述，《长江保护法》第四十八条存在三个问题。《长江保护法》是首部流域法，更是长江流域问题的综合法，这一特征在体现整体性和系统性的同时必然造成宏观有余而微观不足，第一个和第二个问题，就是由此产生的。在现行法律体系下，解决的办法唯有在《长江保护法》基础上进一步出台专门法律或者行政法规，以弥补其可执行性不足的问题。对于第三个，《中华人民共和国国民经济和社会发展第十四个五年规划和 2035 年远景目标纲要》提出：“开展农村人居环境整治提升行动，稳步解决‘垃圾围村’和乡村黑臭水体等突出环境问题。推进农村生活垃圾就地分类和资源化利用，以乡镇政府驻地和中心村为重点梯次推进农村生活污水治理。支持因地制宜推进农村厕所革命。推进农村水系综合整治。”因此，应当从整体上考虑长江流域农业农村环境资源保护问题，即实施“农村面源污染”而非单纯的“农业面源污染”。但是，面源污染实际上是社会结构、代谢断裂、需求压力、文化制度技术等多种机制共同作用的结果，应当从技术处理、制度应对、社会治理三个角度来反思中国农村面源污染发展的问题①。这是今后立法需要进一步解决的问题。

(7) 解决船舶污染责任保险与财务担保相结合机制效力障碍之策

如要实现国家建立长江流域危险货物运输船舶污染责任保险与财务担保相结合机制赔得起、可获偿、可负担的目的，前提是要解决该机制的合法性问题。在《长江保护法》现有规范之下，半强制性的责任保险与财务担保，与《保险法》强制保险的法律(行政法规)保留本意不符。交通运输部印发的《关于贯彻实施〈中华人民共和国长江保护法〉的意见》(交水发〔2021〕54 号)称“会同有关

① 马国栋. 农村面源污染的社会机制及治理研究[J]. 学习与探索，2018(7)：34-38.

部门制定实施船舶内河污染损害民事责任保险实施办法，建立长江流域危险货物运输船舶污染责任保险与财务担保相结合机制”，但这不是有效的解决办法。交通运输部也认为，根据《保险法》规定“除法律、行政法规规定必须保险的外，保险合同自愿订立”，强制保险制度须由法律法规确立。目前，除《危险化学品安全管理条例》对内河运输危险化学品的船舶提出船舶污染损害责任保险相关要求外，尚无法律法规对内河船舶污染责任强制保险作出明确规定[①]。鉴于《保险法》第一百八十四条第二款“强制保险，法律、行政法规另有规定的，适用其规定”之规定，在《长江保护法》基础上，建议由国务院制定行政法规，以保障其合法性。同时，为保障“船舶污染责任保险与财务担保相结合机制”的有效实施，应当借鉴《中华人民共和国内河交通安全管理条例》，该条例第六十七条规定：“违反本条例的规定，按照国家规定必须取得船舶污染损害责任、沉船打捞责任的保险文书或者财务保证书的船舶的所有人或者经营人，未取得船舶污染损害责任、沉船打捞责任保险文书或者财务担保证明的，由海事管理机构责令限期改正；逾期不改正的，责令停航，并处 1 万元以上 10 万元以下的罚款。”有观点认为，《长江保护法》第五十一条对长江流域航行的危险货物运输船舶提出强制责任保险制度以及要求其提供财务担保，两项机制合二为一，并驾齐驱，缺一不可，是对前述法规在管理危险货物运输船舶层面上严格把控的升级，同时提高了内河危险货物船舶运输准入要求，并且为今后发生危险货物运输船舶污染事故处置经费解决了来源不明的难题。此次责任保险与财务担保制度涉及的具体办法制定，责任主体为国务院交通运输主管部门会同国务院有关部门[②]。该观点似乎认为“长江流域危险货物运输船舶污染责任保险与财务担保相结合机制”要求同一危险货物运输船舶必须同时购买责任保险并提供财务担保，这无疑增加了船东的财务负担，对于化解危险货物运输船舶污染责任风险、救济船舶污染也属于过度保护。

10.2.3 生态环境修复实施问题的策略建议

(1) 健全生态环境修复的法治保障

第一，国务院统一部署各地区各部门完成涉及长江流域保护法规、规章、规范性文件制定和清理工作。《长江保护法》从流域生态环境修复治理的宏观

---

① 参见《关于十三届全国人大二次会议第 2845 号建议的答复函》(交海建字〔2019〕47 号) https://xxgk.mot.gov.cn/jigou/haishi/201907/t20190711_3223737.html.

② 熊文，李志军，黄羽，等. 中华人民共和国长江保护法要点解读[M]. 武汉：长江出版社，2021：177.

层面，规定了修复相关的制度规范、具体管理办法的制定。因此，该法的具体落实还需要确保具体法规规章和规范性文件的制定和实施，对需要制定修订的抓紧推动落实。此外，《长江保护法》出台后，有必要对之前已经存在的各类规范性文件开展立、改、废的清理工作。由各类法规规章和其他规范性文件制定主体分别负责清理本级人民政府、本部门制定的规范性文件。将主要内容与法律、行政法规相抵触的，或者已被新的法律、行政法规、规章所代替的，要明令废止。适用期已过或者调整对象已消失，实际上已经失效的，要宣布失效。个别条款与法律、行政法规不一致的，要予以修改。部门规章与地方政府规章对同一事项的规定不一致的，要将处理建议送国务院法制办研究处理。通过及时的清理工作，保障生态环境修复立法的体系性以及执法标准的统一。

第二，生态环境保护与修复、资源保护、水污染防治以及绿色发展同属于长江保护的重要环节。生态环境修复的有效治理离不开其他方面的法治保障程度。因此，在细化生态环境修复规定的同时，需要进一步加快推进涉及长江生态环境、水资源开发利用保护、区域协同治理、知识产权、产业发展等一揽子重要法律法规的制定出台和实施。各类各层级重要法律法规等规范性文件要形成体系，为长江经济带高质量绿色发展提供最严格制度和最严密法治。

第三，各地积极宣传贯彻《长江保护法》，做好法律的宣传释义、分析解读工作，推动有关方面将《长江保护法》作为业务培训的重要内容，准确理解把握法律相关规定，提升基层工作人员学法、知法、用法的能力。相关职能部门应当把《长江保护法》学习宣传和贯彻实施工作纳入重要议事日程，切实加强组织、协调、指导和检查，确保《长江保护法》宣传和贯彻工作顺利开展。各部门各单位要按照职责分工，统筹推进《长江保护法》宣传贯彻工作。强化协同协作，注重经验总结和典型培植。开展组织学习、新闻报道以及自媒体推送等形式多样的学习宣传活动，提高新法在社会公众中的知晓度。通过法条解读、案例讲解和法律咨询等多种方式，以期达到知法、懂法、守法的目的。

第四，推进相关部门和地方配套立法，探索开展流域保护协同立法机制。流域生态环境的特点决定了立法的整体性和系统性，而后者则是影响生态修复法治保障实效性的重要因素。长江流域生态环境治理涉及长江干流和支流流经的广大区域，横跨东部、中部和西部三大经济区的19个省、自治区、直辖市行政区域；涉及国务院生态环境、自然资源、水行政、农业农村和标准化等有关主管部门以及长江流域地方各级人民政府。因此，在部门和地方立法中，建立协同立法机制，由长江流域地方立法机关对立法工作进行研讨和相互沟通，深化合作、凝聚共识，确立法律示范文本的起草机制，各省份可以结合实际，修改形成各自文本。最终，通过立法协同机制，提高立法的科学性。

(2) 依法完善生态环境修复的体制机制

第一，强化流域生态保护修复的顶层设计，构建多元治理主体协同机制。在具体制度机制构建上，依法建立规划体系，制定生态环境修复体系专项规划。统筹水环境、水生态、水资源要素，强化山水林田湖草沙生态要素的协同治理，力争在“有河有水、有鱼有草、人水和谐”上实现突破，持续提升长江生态系统质量和稳定性①。在多元治理主体协同机制方面，仍然存在流域治理分段化、碎片化问题。全面落实法律规定的生态环境修复责任，实行“党政同责”“一岗双责”，完善共抓大保护体制机制，推动政府、部门、企业等各类主体落实法律责任。

第二，科学合理创新生态环境修复具体机制。坚持问题导向、目标导向，围绕制约长江生态环境修复的重难点问题和关键环节，深入探索有效解决当前问题症结的修复措施。针对湿地、湖泊面积萎缩，水生态系统功能失衡，重点湖泊的蓝藻、水华居高不下等突出问题，通过创新修复机制，在水生态保护修复等关键环节形成突破，取得新进展。

第三，巩固深化长江保护修复攻坚战行动。由生态环境部统一部署，“绿盾”自然保护区监督检查专项行动、长江“三磷”专项排查整治行动等整治专项行动有力支撑了各项任务顺利攻坚，取得了很大成效。在落实立法中，可以进一步利用专项整治行动，巩固和深化攻坚战，确保修复目的的实现。

第四，提升流域综合治理能力，提高生态环境修复水平。在推进长江生态环境修复治理的过程中，加强技术、经济、法律手段的综合运用。完善社会主体鼓励参与制度，解决企业环境治理主体责任落实不到位，参与污染治理的内生动力不足的问题。激活公众对生态环境的知情权、参与权、表达权和监督权。结合绿色发展中金融机构加大绿色信贷支持力度的规定，积极发展绿色债券市场，支持沿线城市开展绿色金融改革的经验，进一步以市场化方式动员公共和私人部门资金参与长江生态环境保护修复。

第五，加快制度配套措施的落实。推进完善流域生态保护补偿机制，完善长江经济带生态保护修复奖励资金。研究制定支持长江全流域建立横向生态保护补偿机制实施方案。积极推进流域生态环境统一监测和调查评估工作，分类编制生态环境调查监测技术指南，推动建立流域内跨部门跨区域生态环

① 侯黎强. 长江经济带生态环境保护发生转折性变化[EB/OL]. (2021-01-05)[2021-06-09]. http://cn.chinadaily.com.cn/a/202101/05/WS5ff44d4ca3101e7ce97393a9.html.

境监测体系，共享流域监测信息。建立完善分析预警、调度通报、独立调查、跟踪督办相结合的问题发现和推动解决工作机制，定期分析研判生态环境形势，优先修复突出问题。在严格捕捞管理制度规定的落实方面，提升执法队伍的执法能力，更新执法装备，优化执法手段，拓展流域联合执法机制。

(3) 推进生态环境修复司法协同机制改革

第一，落实生态环境司法中修复性司法理念。长江流域生态环境修复的紧迫性要求在涉及长江生态环境治理措施中充分发挥修复性司法理念的优势。全面贯彻“绿水青山就是金山银山”基本理念，坚持“山水林田湖草是一个生命共同体”治理方略，探索生态保护与修复统筹推进思路。落实以生态环境修复为中心的损害救济制度，通过统筹适用刑事、民事、行政责任，设立生态环境修复基金，完善生态环境损害赔偿制度，建立专门的执行机构，设立专门环境资源法院等来完善法律制度设计，最大限度修复生态环境。

第二，持续推进长江经济带司法协作机制，各地逐步设立环境资源审判庭等专门审判机构。在制度体系上，以解决“流域性问题”为导向，设计既遵循生态环境保护规律，又满足复杂社会关系调整需要的流域法律制度体系。从人民法院的审判工作情况看，制约长江流域环境资源司法保护的因素存在多个方面，例如裁判尺度不统一、违法行为发现机制不健全、生态环境修复基金制度不完善等。长江流域司法保护工作面临多部门、多主体管辖和地方保护主义的困境。为此，要紧紧与我国社会主义政治体制保持整体上的协调性与统一性，从国家司法体制改革整体布局的宏观角度入手，打造具有总领性的环境资源审判机制和体制。

第三，围绕生态环境修复研究出台相关司法解释，发布典型司法案例，为司法裁判提供统一标准。在生态环境案件的司法实践中，各级法院不断探索创新恢复性司法模式。然而，当前生态环境修复的依据多为政策性文件，不仅缺乏法律效力，而且没有统一的裁量标准，造成恢复性司法理念的执行面临难题。因此，在长江流域生态环境修复司法中，有必要从适用案件的范围、修复生态的责任形式、量刑情节的标准以及司法程序等方面制定司法解释，为司法裁判提供法律依据。此外，还可以借鉴环境司法典型案例机制，定时发布生态环境修复相关的司法裁判案例，为类似案件的审判提供裁判思路和参考。

第四，建立健全长江生态环境行政执法与刑事司法衔接机制、跨区域集中管辖制度、跨区域司法协作机制。流域环境司法保护要充分体现协同性理念，单一部门、单一种类的司法手段无法满足流域生态环境保护修复的要求。因此，流域环境司法相关各种措施、运行机制乃至行政措施需要相互协调配合，共同作用于保护流域环境的目标[①]。综合运用刑事、行政、民事三种责任方式推进长江流域生态环境修复。持续开展生态修复，衔接渔政、海事、工商、公安等部门，开展非法捕捞专项整治行动。开展采砂联合检查和清江行动，严厉打击非法采砂，干流规模性非法采砂基本得到控制。深入推进非法采砂入刑实践，坚决防止非法采砂反弹等。扩大司法生态修复基地在长江流域治理中的应用，结合山水林田湖草沙一体化保护和修复，在防护林修复，石漠化综合治理和退耕还林还草，湿地生态系统和滨海湿地保护修复，水生动植物资源修复方面发挥生态修复责任的功效。

① 秦天宝.我国流域环境司法保护的转型与重构[J].东方法学，2021(2)：158-167.

11

第十一章

实施的保障与监督
法律制度完善

11.1 多元保障体系助力《长江保护法》充分实施

2014 年 10 月 23 日，习近平总书记在党的十八届四中全会第二次全体会议上作重要讲话，总书记指出："天下之事，不难于立法，而难于法之必行。"良好的法律制度需要有全面的保障体系和严密的监督体系来保证法律制度的执行。《长江保护法》设"保障与监督"专章，从资金保障、司法保障、执法保障等多维度构建多元保障体系，同时，从政府监督、人大监督、社会监督等方面规定了多元监督体系，为《长江保护法》充分实施密织监督之网。为保障长江流域真正实现高质量发展，实现立法目的，需要在现有法律规定基础上进一步加强保障与监督。

(1) 拓宽资金渠道

首先，《长江保护法》第七十五条规定明确国务院和长江流域县级以上地方人民政府加大长江流域生态环境保护和修复的财政投入，在法律层面上鼓励地方政府加大绿色款项支出，同时明确该款项是用于长江流域生态环境保护和修复。但是该规定在实践中的可操作性不强，具体还需国务院有关部门进一步作明确规定以细化绿色财政投入的比例。

其次，《长江保护法》第七十五条第二款规定长江流域生态环境保护资金为专款，专门用于长江流域生态环境保护和修复。质言之，该规定在第七十五条第一款的基础上进一步强调了前款绿色财政款项的用途，在实践中有助于防范专款挪用的情况发生。

再次，《长江保护法》强化了科技创新在长江流域生态环境保护和修复方面的地位，要求加大长江流域生态环境保护和修复等方面的科学技术研究开发和推广应用力度。将科技创新成果应用于长江治理，有助于科技成果转化，强化科技创新在新时代高质量发展中的突出地位，助力建设科技强国。但是规定中并没有相应的激励机制，还需要构建与经济发展规律相适应的人才培养、评价、激励制度，切实突破科技成果转化瓶颈，统筹推进人才培养、科技创新、社会服务、法律制度相协调的创新机制。同时，该款规定也没有缓解人才需要和学科培养之间的矛盾，建议加快在长江流域各省市高校建立长江流域生态保护和修复特色专业，推进学校教育和社会需要实时更新。

最后，《长江保护法》为吸引社会共同参与资金筹措，引入了绿色金融。绿色金融是一个实践导向的领域，其概念最早出现在 20 世纪末，但在 20 世纪 70

年代相关实践中便已经开始萌芽。这些早期实践的核心目标在于为全球及地区的经济、社会和环境的可持续发展提供融资，构成了绿色金融的雏形。质言之，绿色金融指的是为绿色发展提供融资的途径和方法。《长江保护法》引入绿色金融，体现了“两手发力”的中国智慧，在政府发挥主导作用的同时，倡导社会主体参与治理，有助于提高社会主体对公共事务的参与度。绿色金融纳入法律，实践操作中还需要多主体共同发力以盘活绿色金融，使其真正助力长江流域生态环境保护与修复。

（2）强化司法保障

《长江保护法》第七十七条规定国家加强长江流域司法保障建设，鼓励有关单位为长江流域生态环境保护提供法律服务，打破了立法与司法在立法层面泾渭分明的界限。司法是社会公平正义的最后一道防线，是立法目的得以实现的最终渠道。立法和司法相对独立，既往的环境法及相关法规鲜少体现司法保障条款，而《长江保护法》作为一部综合法，其天然属性决定司法保障条款是其不可分割的一部分，同时这也是为推动长江经济带高质量发展而作出的现实抉择。

为了发挥司法在长江流域生态保护和修复、长江经济带协调发展中的保障作用，最高人民法院先后发布了《最高人民法院关于为长江经济带发展提供司法服务和保障的意见》（法发〔2016〕8 号）、《最高人民法院关于全面加强长江流域生态文明建设与绿色发展司法保障的意见》（法发〔2017〕30 号），然而长江流域的环境司法案件审判具有其特殊性。首先，违法行为可能跨越多个行政区划。长江流域所涉城市众多，在长江经济带实施的破坏水生态环境的违法活动极容易跨市甚至跨省，这为侦查机关、检察机关等司法机关在案件审判中解决地域管辖问题加大难度。其次，案件审判专业性较强。由于长江流域环境司法案件具有涉水性，存在难以打破的知识壁垒，对案件审判人员专业知识要求较高。再次，长江流域环境纠纷呈现系统性。自然资源往往牵一发而动全身，自然资源的整体性决定了长江流域环境纠纷的复杂性和多要素性。故此，单纯的司法保障制度还远远不够，长江流域各省市人民法院亟待推进“绿色审判”司法改革，建立环境案件审判专门机构，在长江流域各省市法院设置相对应的环境法庭，提高审判人员专业知识素养。积极探索符合长江流域环境纠纷的司法审判规律，提高审判工作效率，切实维护社会公众环境资源权益，严厉打击长江流域环境资源犯罪行为，维护社会公平正义。

（3）加大执法保障

在《长江保护法》出台前，长江流域生态环境保护执法存在“多头执法”的状况，水利、环保、林业、农业与交通等部门在长江流域生态环境保护和修复上存在职责交叉、职能模糊的问题，并没有统一的协调机制来缓解这一矛盾。传统的“条块管理”导致长江流域环境执法工作惯守“地域管辖”，各地区相关部门只管辖自己所涉行政区划内的案件，对于跨流域案件或者案发地点地域界限模糊的案件互相推诿，各自为政，难以将长江流域生态保护工作落到实处。《长江保护法》第八十条规定了重点区域联合执法制度，要求国务院有关部门和长江流域地方各级人民政府及其有关部门对长江流域跨行政区域、生态敏感区域和生态环境违法案件高发区域以及重大违法案件，依法开展联合执法。这一规定顺应了中共中央《深化党和国家机构改革方案》第五十一条[①]的要求，有助于协调各执法部门的关系，推动执法部门依法履行职权和职责，为解决长江流域跨流域环境纠纷案件和重点区域案件提供了有力的执法保障。

但是《长江保护法》第八十条规定的执法保障目前还属于笼统的规定，在该法施行成熟后可以尝试建立跨行政区划的环境合作执法机制。首先，建立该机制的客观原因在于长江流域横跨 19 个省级行政区，各个行政区之间在环境执法原则、政策、力度等方面尚不协调，在《长江保护法》建立联合执法机制的基础上建立各省市之间的环境合作机制尚有空间[②]，该机制有利于形成长江流域各省市合力，共同打击长江流域环境违法案件，最大限度保障社会公平正义。其次，时机成熟之时可以探索在国务院内部成立不同于长江水利委员会的专门性部级委员会，该委员会可由国务院直接领导，其他部门协助该部门工作，致力于整合现有的长江流域环境保护资源，共同应对长江流域环境保护重大议题，推动长江流域环境保护工作有序开展。最后，还应当鼓励社会公众、新闻媒体、企事业单位共同参与长江治理。突破传统的人为隔膜，发挥社会资源在推动长江流域环境保护中的作用，将长江流域生态系统视为整体单元，统筹推进多元治理机制的构建。

(4) 切实提高社会公众生态文明理念

法律实施包括执法、司法和守法三个方面，但是在总体上法律主要还是靠人们自觉遵守。法律要真正具有良好的社会效果，就必须得到社会的普遍遵行。《长江保护法》的充分实施离不开人们的普遍遵守，故在大力宣传《长江保

---

① 《深化党和国家机构改革方案》第五十一条：整合组建生态环境保护综合执法队伍。整合环境保护和国土、农业、水利、海洋等部门相关污染防治和生态保护执法职责、队伍，统一实行生态环境保护执法。由生态环境部指导。

② 彭中遥，李爱年，王彬. 长江流域一体化保护的法治策略[J]. 环境保护，2018，46(9)：27-31.

护法》之余也要提高社会公众生态文明理念。只有实际提高社会公众的生态文明理念，在思想认识上普及生态知识、建立生态伦理，方能使《长江保护法》真正落地生根。在全社会尤其是长江流域要重点提高人们的生态道德和生态文化，倡导形成勤俭节约、绿色低碳、文明健康的生活方式和消费模式，提高全社会生态文明意识，倡导人们自觉做绿色法治的忠实崇尚者、自觉遵守者、坚定捍卫者。

11.2　密织监督之网为《长江保护法》实施保驾护航

（1）加强人大监督，发挥社会主义制度优势

《环境保护法》在环境保护中引入人大监督制度，其第二十七条规定县级以上人民政府应当每年向本级人民代表大会或者人民代表大会常务委员会报告环境状况和环境保护目标完成情况，对发生的重大环境事件应当及时向本级人民代表大会常务委员会报告，依法接受监督。而作为保护水生态环境基础法律的《水法》中却没有规定人大监督制度。《长江保护法》第八十二条在借鉴以往环境立法经验基础上，进一步发展了人大监督制度，规定国务院应当定期向全国人民代表大会常务委员会报告长江流域生态环境状况及保护和修复工作等情况。长江流域县级以上地方人民政府应当定期向本级人民代表大会或者其常务委员会报告本级人民政府长江流域生态环境保护和修复工作等情况。

相较之下，《长江保护法》关于人大监督制度的规定全面升级。首先，受监督的行政机关范围扩大，增加了国务院应当定期向全国人民代表大会常务委员会报告长江流域生态环境状况及保护和修复工作等情况。其次，监督事项更加精确，从原先的环境状况和环境保护目标完成情况变为长江流域生态环境状况及保护和修复工作等情况，有利于全国人民代表大会常务委员会、同级人民代表大会或者其常务委员会将监督权落实到位。当前人大工作中更加重视立法，注重加强对立法工作的领导。虽然早已有人大监督法律实施的规定，但在推动落实法律实施检查监督方面所做的工作缺少制度性安排来推进。有关法律监督的规定过于原则化，缺乏具体化的法律依据和程序指导，导致实践中具体监督工作无章可循，难以操作；法律实施监督工作的人为因素较多，法律实施监督工作软性化。因此，要想真正达到立法目的，还需要对人大监督的具体细则作出制度性安排，以真正落实该项规定。

（2）强化政府监督，保证行政机关依法履行职权和职责

第一，加强对行政主体的监督。《长江保护法》为行政机关设定了众多职责，其中行政机关包括一般性主体，即国务院、国务院有关部门、长江流域县级以上地方人民政府等，也包括特殊主体，即丹江口库区及其上游、长江中下游地区、长江河口所在地的县级以上地方人民政府。《长江保护法》为上述行政机关明确设定职责，旨在督促行政机关依法履职，切实将长江流域生态环境保护和修复工作落到实处。《长江保护法》在已有环保法律、政策基础上对监督制度进行创新和发展，形成了具有长江流域生态环境保护特色的监督制度。首先，明确环境保护责任制和考核评价制度。《长江保护法》第七十八条规定：“国家实行长江流域生态环境保护责任制和考核评价制度。上级人民政府应当对下级人民政府生态环境保护和修复目标完成情况等进行考核。”我国在环境保护工作中引入环境保护责任制和考核评价制由来已久，《环境保护法》和其他有关环境保护的单行性立法中都体现了环境保护责任制和考核评价制度。该制度的优势在于通过确定目标责任和考核压力来倒逼行政机关将环境保护工作落到实处。《长江保护法》将长江流域生态环境保护和修复作为上级行政机关对下级行政机关的考核内容，有助于督促下级行政机关贯彻执行《长江保护法》规定，推动长江生态环境保护和修复工作不断迈上新的台阶。但是考核评价制度缺少激励机制，行政机关可能出现动力不足的情况。行政机关“自扫门前雪”的情况难以杜绝，跨行政区的负外部效应难以避免，在出现跨流域案件时，容易出现行政机关不作为的现象，“事不关己高高挂起”成为长江流域生态环境破坏案件执法中的一大痛点。因此，为解决这一难题，可以进一步完善行政机关激励机制，鼓励行政机关对行政区划模糊、跨流域案件进行主动管理，将其重点纳入考核评价制度，广泛调动行政机关执法积极性和主动性。其次，规定行政约谈制度。《长江保护法》第八十一条规定：“国务院有关部门和长江流域省级人民政府对长江保护工作不力、问题突出、群众反映集中的地区，可以约谈所在地区县级以上地方人民政府及其有关部门主要负责人，要求其采取措施及时整改。”行政约谈是一种行政机关内部监督制度，鲜少出现在正式的环保法律当中，普遍出现在环保政策中。在环保领域，行政约谈指的是下级行政机关在不履行环境保护职责、不执行环境保护法律时，由上级行政机关主动进行约谈的一种行政机关内部监督制度。相较于其他监督方式，行政约谈制度的优势在于能够以最快速度纠正下级行政机关的行为。对于环保制度而言，行政约谈是一种必不可少的监督制度。《长江保护法》规定约谈主体是国务院有关部门和长江流域省级人民政府，而现有环保政策主要将行政约

谈主体界定为生态环境主管部门。一方面，扩大约谈主体范围有助于严格监督行政机关，快速解决生态环境保护工作中的问题；另一方面，规定由非上级主管部门的主体进行约谈，那么如何保障上级行政主体的专业性是一个值得注意的问题，有必要对约谈规则进一步细化，促进国务院有关部门和长江流域省级人民政府合法、科学地行使监督权。

第二，加强对行政相对人的监督。从我国的实践经验来看，是否开展有效监督，对法律执行的具体效果具有较大的影响。《长江保护法》第七十九条第一款规定："国务院有关部门和长江流域县级以上地方人民政府有关部门应当依照本法规定和职责分工，对长江流域各类保护、开发、建设活动进行监督检查，依法查处破坏长江流域自然资源、污染长江流域环境、损害长江流域生态系统等违法行为。"行政相对人对长江流域的开发、建设直接影响长江流域生态环境保护和修复，因此强化对行政相对人的监督在长江流域生态环境保护和修复中的重要性不言而喻。《长江保护法》将各类对长江流域生态环境保护、开发和建设行为全部纳入监督范围，有助于预防行政相对人实施违法行为，贯彻"保护为主、预防优先"的理念。

(3) 扩大社会监督，保障社会公众的知情权、参与权和监督权

长江流域健康的生态环境是人民群众的利益所系、幸福所系。宪法和法律都明确授权社会群众参与长江流域生态环境保护和修复。保障社会公众的知情权、参与权和监督权是《中共中央关于坚持和完善中国特色社会主义制度推进国家治理体系和治理能力现代化若干重大问题的决定》加强对法律实施的监督要求的体现。《长江保护法》第七十九条第二款和第三款规定了详细的社会监督制度，公民、法人和非法人组织有权依法获取长江流域生态环境保护相关信息，举报和控告破坏长江流域自然资源、污染长江流域环境、损害长江流域生态系统等违法行为。国务院有关部门和长江流域地方各级人民政府及其有关部门应当依法公开长江流域生态环境保护相关信息，完善公众参与程序，为公民、法人和非法人组织参与和监督长江流域生态环境保护提供便利。与此同时，《长江保护法》第十四条还规定了新闻媒体的舆论监督权，国家鼓励新闻媒体采取多种形式开展长江流域生态环境保护和绿色发展的宣传教育，并依法对违法行为进行舆论监督。全方位、立体式的社会监督制度必将使长江流域生态环境破坏行为无处藏身。

11.3 完善配套措施

11.3.1 加强《长江保护法》的宣传

我国目前尚没有颁布新闻法，但是有80个新闻条款分布在全国人大或全国人大常委会所制定的54部法律中，这54部法律在名称上以"防""护"为主题词，多涉及特定领域的公共利益保护，其中就包括《长江保护法》①。该法第十四条规定："国务院有关部门和长江流域县级以上地方人民政府及其有关部门应当加强长江流域生态环境保护和绿色发展的宣传教育。新闻媒体应当采取多种形式开展长江流域生态环境保护和绿色发展的宣传教育，并依法对违法行为进行舆论监督。"对于各级政府而言，此规定要求其发挥宣传教育职能，而对于媒体而言，该规定除要求其发挥宣传教育功能之外，还要发挥舆论监督功能，这是为了保障公民从事特定民事行为或寻求权利救济时能够有更为广泛的渠道，媒体的作用可以弥补因政府监管的缺失或限制导致不及时发现违法行为而产生的损害结果蔓延。

作为流域保护立法，《长江保护法》的效力范围涉及19个省、自治区、直辖市，影响中国最为重要的经济发展地区。过去几十年粗放式的发展使长江付出了沉重的环境代价，长江流域濒危鱼类物种达到92种，濒危物种接近300种，一些珍稀、濒危野生动植物种群数量急剧下降，栖息地和生物群落遭到破坏②。只有加强《长江保护法》的常规性宣传，才能将生态保护与绿色发展理念传播得深入人心，促进人们自觉守法，形成政府、公众、媒体的多元法律监督模式。法治建设的成功开展依赖民众的法律信仰和法律意识，法治建设彰显法律信仰，法律信仰又反作用于法治建设，二者相辅相成，推动我国的法治进程③。而提高全民的法律意识，必须依赖大众传播媒介的参与，当前，我们拥有先进的传播工具，可以将法律宣传的效果最大限度地释放④。

---

① 苗勇. 全国人大与其常委会的立法模式分析——以新闻条款为对象[J]. 人大研究，2021(6):38-43.

② 李静云.《长江保护法》的八大亮点[EB/OL].(2021-03-05)[2021-08-20]. http://hbt.jiangsu.gov.cn/art/2021/3/5/art_84026_10198437.html.

③ 张若愚，张佳琦. 乡村振兴战略下乡村法律信仰的培育[J]. 农村经济与科技，2021，32(6):247-248.

④ 周风婷. 大众传媒与法律宣传[J]. 探求，2005(3):28-30.

目前，长江流域各省已经对《长江保护法》做了形式多样的宣传。江苏各地法院通过开展涉长江保护集中审判、召开新闻发布会、制作纪录片、发放宣传手册、开展宣讲和研讨会等形式，聚集《长江保护法》重点元素，扩大环境司法宣传辐射面。江苏高院编写出版《以案释法·漫画生物多样性保护》，加强环境司法宣传，提升公众生物多样性保护意识。如皋法院审结李某非法捕捞致中华鲟死亡案，判处其有期徒刑1年4个月，中央电视台《现场》栏目全程直播，成为继《世界环境司法大会昆明宣言》后，首个产生重要影响的示范案例，宣示人民法院强化长江生物多样性的司法保护的决心。南京玄武法院、南通如皋法院分别走访企业，有针对性地开展《长江保护法》宣传，助力企业绿色发展。苏州姑苏法院与辖区公安、检察、环保等部门开展交流，通过法治培训、座谈会等形式，就长江保护执法中遇到的难题、热点及法律适用问题展开研讨。江阴法院与临港开发区利港街道启动窑港口修复基地“鸟岛”建设，打造长江大保护的展示窗口、科普宣传教育体验基地、长江湿地生态系统研究的交流平台。贵州省自然资源厅在2021年4月公布了《长江保护法》宣传提纲，简洁明了地介绍了该法的立法背景、立法亮点、法律涉及的职责规定。湖南省、安徽省设立了《长江保护法》宣传周，并以生动活泼的图示解释该法特色。除此以外，各地官方平台纷纷征集长江保护宣传标语，并以此开展公益广告活动，力求增强公众对于《长江保护法》的直观认识。同时，高校、科研机构、专业学会也为《长江保护法》的宣传作出贡献。河海大学每年为该法举办专场报告会，邀请各界专家从不同的专业领域角度解读《长江保护法》，为公众认识和理解该法提供了重要学习和交流平台。

11.3.2 提高执法人员素质

十三届全国人大常委会委员长栗战书明确提出：“制定长江保护法，保护好长江母亲河是我们这代人的历史责任，关系子孙后代、关系民族未来。”以《长江保护法》为核心的长江保护法律集群体系已经基本建立，目前的首要任务是保障《长江保护法》的实施。因此，应当以“建设法治中国”为总体要求，在长江流域深入推进严格执法、公正司法、全民守法，健全长江保护法治保障制度，织密法治之网，强化法治之力，其核心还在于“法治人才”。法治人才建设的重要内容便是“提高执法人员素质”。为此，我们应当以《长江保护法》实施的客观需要为导向，采取综合措施，加强人才培养。

第一，推动高校实施长江保护法治专业人才战略。人才培养的根本出发点还是要适应社会需求。没有社会需求对文科的挑战以及对法学的再造，就没有“新法学”。高校以往培养的法治人才，懂法学、法律，但可能不懂行业、实务。因此，要推动高校实施长江保护法治专业人才战略，改变以往传统培养模式，按照“新法学”要求，使法学与非法学学科、行业、部门、实务贯通融合，向社会输出能够发现、回答、解决长江保护实际问题的综合性、专业化的法治人才。

第二，实行长江保护法治人才基地常态化教育考核。学校教育是长江保护法治人才培养的重要途径。与此同时，要适应长江保护法治需求，就必须持续培养引领新领域、解决新问题的法治人才。因此，以高校或者生态环境、水利等主管部门建立的“长江保护法治人才基地”为基础，定期开展常态化教育考核，促进长江保护法治人才不断更新，是提高长江保护人才素质的另一重要途径。

第三，建立长江保护法治人才交流机制。长江保护法治实施涉及流域广、领域多、学科复杂、部门交叉，单一的学校教育和社会化培养已经难以完全适应实际需要。因此，应当建立长江保护法治人才交流机制，促进各专门领域人才在学术研究部门、执法实务部门之间，司法机关和执法机关之间的流动，确保长江保护法治人才能够相互沟通、相互促进、共同提升。

11.3.3 完善长江保护政绩考核体系

为了维护长江流域的生态环境和促进长江流域绿色发展，地方政府考核应吸收生态环境保护考核标准。《长江保护法》第七十八条规定：“国家实行长江流域生态环境保护责任制和考核评价制度。上级人民政府应当对下级人民政府生态环境保护和修复目标完成情况等进行考核。”该规定明确了长江流域生态环境保护责任制和考核评价制度。生态环境问题看似责任在企业，实则在制度。地方官员为晋升竞争而产生的政绩诉求依然是阻碍区域绿色发展的重要因素[①]。

首先，曾经有一段时间，部分地方政府出于地方保护主义和经济利益的考虑，未能采取积极主动的措施督促高能耗、高污染企业进行产业转型，甚至成为这类企业的“保护伞”。在GDP绩效考核的体制下，长江流域部分地方政府为了赢得更高的GDP政绩，忽略地方环境承载能力以及对下游地区的环境污染和生态破坏，盲目引进高能耗、高污染企业，并成为其污染长江流域环境和破坏长江流域生态的“帮凶”[②]。实践中一些污染企业和污染项目是通过政府

① 贺晓宇，韩保江．政绩诉求与长江经济带城市绿色发展的关联性[J]．南通大学学报（社会科学版），2018，34(4)：33-40.

② 易重华．中国地方政府转型[M]．北京：中国社会科学出版社，2008：61-63.

招商引进的，在地方政府的保护下，这些企业实施了大量损害环境的违法行为，给长江流域的生态环境造成巨大破坏。

其次，部分地方政府出于绩效的考虑，对于污染企业主要采取行政罚款的手段进行处罚，而非停产停业等减损经济效益的行政处罚手段。这种行政处罚方式对于环境违法行为的震慑力不够，难以从根本上消除长江流域的环境违法行为。

最后，在出现环境污染事件后，部分地方政府未能充分重视污染地区治理和生态修复的重要性，对受污染的环境持漠视态度。地方政府既不主动修复环境和生态，也不及时要求污染企业修复其所造成的环境损害，使长江流域的环境保护和生态修复存在滞后性，严重影响相邻区域或下游地区的生态环境。这种唯GDP绩效考核体制和有法不依、执法不严、违法不究的执法体制使高能耗、高污染企业放任自己的环境污染行为，失去产业转型升级的动力，以至于长江流域出现污染越治理越严重的怪象。个别地方政府唯政绩论使长江流域生态环境保护和绿色发展存在掣肘，究其原因，则是政府的绩效考核存在偏颇。《长江保护法》第七十八条明确了长江流域生态环境保护责任制和考核评价制度，为长江流域生态环境保护的唯政绩现象进行纠偏，值得肯定。

长江流域生态环境保护责任制的建立需要地方政府协调各部门的职能，明确分工和责任机制。责任制是具体规定企业内部各个部门、各类人员的工作范围、相应权力及应负责任的制度。长江流域生态环境保护涉及的部门众多，如水利、环保、林业、渔业、规划、市场监督等。各部门对于长江流域生态环境保护承担不同职责。首先，长江流域生态环境保护责任制的建立是以强化责任为导向，要求对于环境保护负主要责任的行政负责人充分重视生态环境保护的重要性，并对所负责领域中生态环境保护出现的问题承担责任。长江流域生态环境保护责任制的建立首先需要明确长江流域生态环境保护各部门的职权，弥补长江流域生态环境保护工作的漏洞，这就要求对于每一段长江流域、每一件生态环境保护事件都有对应的部门负责。其次，长江流域生态环境保护责任制要求所有执法的人员必须按照职权范围和规定程序进行严格执法，防止出现重复执法、权力交叉的现象。再次，长江流域生态环境保护责任制要求对辖区内的环境违法违规行为“违法必究”，杜绝环境违法违规行为的瞒报和权力寻租。最后，长江流域生态环境保护责任制要求对环境违法违规行为执法不力或怠于执法的行政机关承担相应责任。

长江流域生态环境保护考核评价制度要求国家针对长江流域各地区的政

绩考核增加生态环境保护的评估考核指标，重视绿色 GDP 核算[①]，建立绿色环境效益和经济效益双重考核体系。一直以来，地方政府缺乏生态环境保护和绿色发展的动力，这是因为没有通过制度建立生态环境保护和绿色发展的激励机制。合理的政绩考核指标设定便是地方政府生态环境保护和绿色发展的激励机制，能够从制度上促使地方政府之间向"良性竞争"方向发展[②]。地方政府之间存在竞争与互动。在长江流域生态环境保护考核评价制度获得肯定的地方政府能够获得比较具有竞争力的政绩，而未能在政绩考核指标中获得绿色指标的地方政府会向已经取得绿色政绩指标的政府学习和对其进行模仿。政绩考核制度的完善有利于真实衡量和评价经济增长活动的现实效果，克服片面追求经济增长速度的倾向，促进经济增长方式的转变，有效防止地方政府GDP 唯上的政绩观，增强政府部门的环境资源保护意识。长江流域生态环境保护考核评价制度具有明显的正外部性，能够充分调动政府及其工作人员进行生态环境保护和绿色发展的积极性。此外，长江流域生态环境保护考核评价制度还需要注意对进入生态修复领域的社会资金实施环境效益和经济效益双重考核，确保社会资金的投入，实现环境效益和经济效益的"双赢"。

11.3.4　加强公众参与

《长江保护法》在第七章保障与监督部分专门规定了公民、法人和非法人组织有权依法获取长江流域生态环境保护相关信息，举报和控告破坏长江流域自然资源、污染长江流域环境、损害长江流域生态系统等违法行为。为保障社会公众的程序参与，《长江保护法》又明确要求国务院有关部门和长江流域地方各级人民政府及其有关部门应当依法公开长江流域生态环境保护相关信息，完善公众参与程序，为公民、法人和非法人组织参与和监督长江流域生态环境保护提供便利。

为顺利实施《长江保护法》，确保公众的知情权、参与权、监督权是加强公众参与的重要内容。从现有立法看，除了《长江保护法》，《环境保护法》也专章规定了"信息公开和公众参与"的内容，《环境影响评价公众参与办法》等都为公众参与长江保护提供了法律支撑。同时，在《长江保护法》实施中应从以下几个方面加强公众参与：第一，公众参与的能力建设方面。一方面，加强社会公众的环保意识。当前社会公众参与的意识不强，参与愿望不高，认为流域水

---

① 绿色 GDP 是指从 GDP 中扣除自然资源耗减价值与环境污染损失价值后剩余的国内生产总值，又称可持续发展国内生产总值。

② 张彩云，苏丹妮，卢玲，等. 政绩考核与环境治理——基于地方政府间策略互动的视角[J]. 财经研究，2018(5)：4-22.

污染的治理责任主要在政府和企业，从而忽视了自身的环保责任，有必要充分发挥普法宣传等多元方式作用进一步提升社会公众的环保法律知识水平。另一方面，形成组织化的参与形式。通过环保组织或其他组织的专业知识辅助，营造出包容有序的监管环境氛围，从而推动社会公众参与到各类互动平台中，激发社会公众参与和监督的积极性。第二，公众参与河长制领域方面。2016年12月中共中央办公厅和国务院办公厅印发了《关于全面推行河长制的意见》，使河长制在全国范围内推行，其将河湖环境管理职责落实于作为党政领导的河长，从而解决河流治理中长期存在的难题。而实现社会公众实质性参与的突破口在于让公众全面、充分、有序地参与河长制运行。这就要求河长要以行政信息公开透明为基础，倾听公众意见，采纳合理建议，注重采取柔性、合作等方式，以达成具有合意性的行政决定①。第三，公众参与的技术支持方面。流域环境治理最大的壁垒在于水环境信息共享程度不高，使得社会公众不具备开展监督的前提要件。为加强公众参与长江保护，应当探索流域环境大数据平台，构建流域环境数据共享平台，具体可以通过建设分布式站点的方式实现流域环境信息共享，从而让社会公众能够及时获取我国长江保护的水环境治理信息，进而开展监督。第四，公众参与的途径方面。目前，较为常见的公众参与方式是征求公众意见，但这一方式较为被动，应将其进一步完善，提升其参与地位。在新时代背景下，任何对长江流域自然资源和生态环境可能造成影响的实践活动，都应当确保具有较为详细的公众意见采纳和反馈流程，激发公众参与的主动性。一方面，提升行政机关的主动性，在行政决策中尽可能充分重视社会公众的诉求表达，发挥基层组织力量以保障公众参与流畅。另一方面，强化企业的责任意识。除了在建设项目环评这类环节需要吸纳社会公众意见，大型企业也可以通过主动向社会公众开放参观，让他们能够实地了解建设项目的安全性和周密性，从而能够更好地沟通。

---

① 郑雅方. 论长江大保护中的河长制与公众参与融合[J]. 环境保护，2018，46(21)：41-45.

12

第十二章

非法捕捞水产品案例

12.1 刘某弟非法捕捞案

【基本案情】

2020 年 3 月 20 日晚 10 时许，刘某弟在马鞍山市立白公司旁边的慈湖河大埂采用电捕鱼方式非法捕捞水产品被江边派出所民警发现，现场查获电捕鱼器具及渔获物 3.955 千克，其中鲫鱼 7 尾，0.63 千克；三角鲂 3 尾，0.665 千克；银鳔 314 尾，2.66 千克。马鞍山市人民检察院委托安徽师范大学野生动植物种及其产品鉴定中心对其进行鉴定。经鉴定，渔获物参考价值为人民币 59.78 元。上述渔获物均为本地土著品种，是本地水生生物资源系统的重要组成部分。马鞍山市人民检察院认为刘某弟在通江支流采用电捕鱼的方式非法捕捞，严重破坏了长江流域的水生野生动物资源，损害了社会公共利益，遂提起环境民事公益诉讼。

【裁判结果】

依据《最高人民法院关于审理环境民事公益诉讼案件适用法律若干问题的解释》第十八条、《最高人民法院关于审理环境公益诉讼案件的工作规范（试行）》第三十三条、《中华人民共和国民事诉讼法》（以下简称《民事诉讼法》）第五十八条、《最高人民法院关于适用〈中华人民共和国民事诉讼法〉的解释》第二百八十四条（自 2015 年 2 月 4 日起施行的《最高人民法院关于适用〈中华人民共和国民事诉讼法〉的解释》第二百八十四条，经 2022 年 3 月 22 日修改通过后，调整为新《最高人民法院关于适用〈中华人民共和国民事诉讼法〉的解释》第二百八十二条）之规定，判决如下：

（1）被告刘某弟于本判决生效后至 2020 年 12 月 30 日，提供不低于 2 日的环境公益劳动，以抵补其应支付的环境损害修复费用，该项劳务执行由马鞍山市农业农村局农业综合行政执法支队渔业行政执法大队负责监督和管理。

（2）被告刘某弟于本判决生效后 7 日内向公益诉讼起诉人马鞍山市人民检察院支付损害评估费 500 元。

（3）被告刘某弟于本判决生效后 30 日内在马鞍山市市级以上新闻媒体向社会公开赔礼道歉。

如果未在本判决指定的期间履行给付金钱义务，应当按照《民事诉讼法》第二百五十三条之规定，加倍支付迟延履行期间的债务利息。

案件受理费 50 元，由被告刘某弟负担。

【法理分析】

长江是中华民族的母亲河，也是中华民族永续发展的重要支撑。对长江流域生态环境的司法保护是推进全面依法治国以及国家治理体系和治理能力现代化的重要表现之一。党的十八大以来，以习近平同志为核心的党中央总揽全局、科学谋划，部署实施长江经济带发展战略。习近平总书记先后两次主持召开推动长江经济带发展座谈会，强调要把修复长江生态环境摆在压倒性位置，共抓大保护、不搞大开发，为新时代推动长江经济带高质量发展指明了方向。最高人民法院党组按照党中央战略部署，坚持以习近平生态文明思想为指引，指导各级人民法院强化长江流域生态环境司法保护，依法公正高效审理各类环境资源案件，为长江流域生态文明建设与绿色发展提供了有力司法服务和保障。同时，长江是中华民族的战略水源地，水在整个流域生态系统里起着决定性作用。长江流域各级人民法院紧紧抓住“着力打好碧水保卫战”的有利契机，统筹适用法律责任，扎实推进水污染治理、水生态修复和水资源保护。

人与自然和谐相处是人类社会追求的重要目标，长江流域全面禁捕是保护水域生物多样性的重要举措，对维护长江生态系统完整性具有重要意义。本案中，被告刘某弟在慈湖河通江口，通过电网捕鱼的方式非法捕捞，破坏了渔业资源，损害了生态环境，侵害了社会公共利益。根据《民事诉讼法》第五十八条规定：“对污染环境、侵害众多消费者合法权益等损害社会公共利益的行为，法律规定的机关和有关组织可以向人民法院提起诉讼。人民检察院在履行职责中发现破坏生态环境和资源保护、食品药品安全领域侵害众多消费者合法权益等损害社会公共利益的行为，在没有前款规定的机关和组织或者前款规定的机关和组织不提起诉讼的情况下，可以向人民法院提起诉讼。”本案中，在法律规定的机关和有关组织针对刘某弟非法捕捞，破坏渔业资源，损害生态环境，侵害社会公共利益的行为没有提起诉讼的前提下，马鞍山市人民检察院可以作为适格的原告以公益诉讼起诉人的身份对其破坏长江流域水生野生动物资源，侵害社会公共利益的行为提起环境民事公益诉讼。环境民事公益诉讼制度与促进长江流域的绿色发展目标相契合，为了实现长江的绿色发展，长江流域各级人民法院积极探索创新符合流域生态环境特点和环境司法规律的审理、裁判和执行方式，遵循恢复性司法要求，不断完善责任方式和执行手段。其中的重要方式之一就是充分发挥环境公益诉讼和生态环境损害赔偿诉讼在维护国家利益、环境公共利益方面的特殊作用。不断健全完善诉讼规则，保障社会组织的环境公益诉权，注重发挥检察机关环境公益诉讼的督促履职作用，探索预防性公益诉讼，引入专家辅助人、专家陪审员制度，建立健全环境公益诉讼制度，确保生态环境得到及时有效的修复。

为了实现长江流域的绿色发展，长江流域各级人民法院立足发挥环境资源审判职能作用，贯彻落实最严格制度、最严密法治要求，正确把握流域以水为核心的生态特征，遵循流域的自然统一性和要素复合性，落实源头严防、过程严管、损害严惩、责任严究的损害救济制度，打好污染防治攻坚战，推进长江经济带生态优先、绿色发展。各级人民法院依法审理水生态保护案件，保障和修复水域生态功能。其中之一就是加大对长江水生生物及其栖息繁衍场所的保护力度。充分发挥司法审判的惩治和教育功能，依法审理非法捕捞水产品案件。按照流域禁捕、退捕工作要求，严厉打击使用炸鱼、毒鱼、电鱼等破坏渔业资源的方法和使用“绝户网”等小于最小网目尺寸的网具进行非法捕捞的行为，加强行政执法与刑事司法的衔接，斩断非法捕捞、运输、销售、餐饮等地下产业链和利益链，保障人民群众涉水产品合法权益，促进渔业资源的增殖和保护。对于刘某弟非法捕捞水生生物这一行为，在该案进行审理之前已经作出了相应的处罚决定：2020 年 3 月 20 日，马鞍山市公安局高新分局以非法捕捞水产品罪依法对刘某弟立案侦查，刘某弟电捕鱼地点为慈湖河的通江口，目前不属于禁捕区，2020 年 8 月 24 日公安机关以刘某弟犯罪情节显著轻微依法撤销案件。马鞍山市农业农村局于 2020 年 9 月 30 日作出《行政处罚决定书》（马农（渔政）罚〔2020〕04 号），因刘某弟用电捕鱼工具进行非法捕捞作业，对其处以罚没电捕鱼工具一套，并处罚款 2 000 元整。但由于刘某弟采用电捕鱼的方式进行非法捕捞的行为破坏了本地的水生生物资源系统，对自然水域的水生生物产生极大杀伤力，严重威胁了长江流域的生态资源和水环境，侵害了社会公众享有美好生态环境利益的权利，故马鞍山市人民检察院为了维护社会公共利益对刘某弟提起了环境民事公益诉讼。

《最高人民法院关于适用〈中华人民共和国民事诉讼法〉的解释》第二百八十二条规定：“环境保护法、消费者权益保护法等法律规定的机关和有关组织对污染环境、侵害众多消费者合法权益等损害社会公共利益的行为，根据《民事诉讼法》第五十八条规定提起公益诉讼，符合下列条件的，人民法院应当受理：（一）有明确的被告；（二）有具体的诉讼请求；（三）有社会公共利益受到损害的初步证据；（四）属于人民法院受理民事诉讼的范围和受诉人民法院管辖。”在本案中，首先，刘某弟为明确且适格的被告。其次，马鞍山市人民检察院向市中级人民法院提出了具体的诉讼请求：一是责令被告按 1∶10 比例增殖放流 39.55 千克本土鱼类幼苗或以劳务代偿等方式修复被破坏的渔业资源；二是责令被告支付本案鉴定费用500元；三是判令被告在市级媒体上公开道歉。再次，慈湖河是马鞍山市境内最长的河流，全长约26.13千米，流域面积126.64平方千米，发源于东南部丘陵区的老脉岘，蜿蜒曲折向西北流经向山、霍里、冯桥、慈湖等处，在与江苏分界处的和尚港注入长江。刘某弟在通江支流慈湖河采用电捕鱼的方式进行非法捕捞的行为破坏了本地的水生生物资源系统，对自然水域的水生生物产生了极大杀伤力，严重威胁了长江流域的生态资源和水环境，使社会公共利益受到了极大的损失，且由马鞍山市人民检察院委托安徽师范大学野生动植物种及其产品鉴定中心进行了鉴定，出具了评估报告书，证明了刘某弟的非法捕捞行为对生态系统造成影响。最后，该案系环境侵权民事公益诉讼，属于马鞍山市中级人民法院的受案范围且马鞍山市中级人民法院有权管辖。该公益案件的审理和裁判充分体现了人民法院用最严格制度、最严密法治保护长江生态环境的决心和态度。

长江流域各级人民法院落实源头严防、过程严管、损害严惩、责任严究的损害救济制度，坚决打好污染防治攻坚战，推进长江经济带生态优先、绿色发展。对于任何组织或个人破坏长江流域生态环境的行为都应当追究其相应的法律责任。《最高人民法院关于审理环境民事公益诉讼案件适用法律若干问题的解释》第十八条规定："对污染环境、破坏生态，已经损害社会公共利益或者具有损害社会公共利益重大风险的行为，原告可以请求被告承担停止侵害、排除妨碍、消除危险、恢复原状、赔偿损失、赔礼道歉等民事责任。"据此，马鞍山市人民检察院对刘某弟违法行为造成的后果提起环境损害赔偿民事公益诉讼，要求刘某弟承担侵权责任，马鞍山市中级人民法院予以支持。此外，刘某弟的行为还侵害了社会公众享有美好生态环境利益的权利，其应通过公开道歉方式取得社会公众谅解，对公益诉讼起诉人要求刘某弟在马鞍山市市级以上新闻媒体向社会公开赔礼道歉的诉讼请求，马鞍山市中级人民法院予以支持。

推动长江流域绿色发展，创新生态修复方式。长江流域各级人民法院立足不同生态环境要素的修复需求，探索适用补种复绿、增殖放流、护林护鸟、劳务代偿、技改抵扣、分期履行等形式多样的生态修复方式。《最高人民法院关于审理环境公益诉讼案件的工作规范（试行）》第三十三条规定："对于因污染大气、水等具有自净功能的环境介质导致生态环境损害，原地修复已无可能或者没有必要的，人民法院可以判决被告支付生态环境修复费用，采取区域环境治理、劳务代偿、从事环境宣传教育等替代性修复方式。"刘某弟的非法捕捞行为造成长江流域的水生野生动物资源损失，经专家鉴定渔获物价值为59.78

元,参考专家意见,可实行自然方式修复。同时,因刘某弟对其违法行为有悔过之意,诉讼中,刘某弟主动请求在经济赔偿能力不足的情况下,通过提供有益于环境资源保护的义务劳动弥补其对环境资源造成的损害。马鞍山市中级人民法院认为,鉴于刘某弟家庭经济困难的现状,通过劳务代偿方式,让侵害人身体力行地参与环境保护,实现"谁污染,谁治理,谁损害,谁赔偿"的目标,亦符合环境公益诉讼制度设计的初衷,故刘某弟主张以劳务代偿方式弥补造成的生态环境损害,市检察院表示同意,市中院予以采纳。在庭审中,马鞍山市农业农村局农业综合行政执法支队渔业行政执法大队同意刘某弟参加义务护渔工作。关于刘某弟提供环境保护劳务的工作量,应相当于其环境侵权赔偿的金额,按照 1∶10 的比例计算,为 597.8 元。参照 2019 年度马鞍山市职工平均日工资标准(2019 年度平均工资 80 348 元/250 工作日=321.39 元/日,597.8 元÷321.39 元/日≈2 日),计算其替代性修复的赔偿责任,核定其提供义务劳动应不少于 2 日。

长江流域的绿色发展关乎中华民族的长远利益、关乎我国国家发展全局、关乎国家可持续发展目标的实现。水生生物具有维持水生态系统平衡、实现水流自我净化的能力,因此需要加强对长江流域水生生物的司法保护,实现长江流域的绿色发展。本案系非法捕捞水产品引发的环境民事公益诉讼案件。长江十年禁捕是贯彻习近平总书记关于"共抓大保护、不搞大开发"的重要指示精神,保护长江母亲河和加强生态文明建设的重要举措,是为全局计、为子孙谋,功在当代、利在千秋的重要决策。本案中,案发地慈湖河是马鞍山市境内最长的河流,全长约 26.13 千米,流域面积 126.64 平方千米,发源于东南部丘陵区的老脉岘,蜿蜒曲折向西北流经向山、霍里、冯桥、慈湖等处,在与江苏分界处的和尚港注入长江。刘某弟在通江支流慈湖河采用电捕鱼的方式进行非法捕捞的行为破坏了本地的水生生物资源系统,对自然水域的水生生物产生了极大杀伤力,严重威胁了长江流域的生态资源和水环境,使社会公共利益受到了极大的损失,故人民法院依法判决刘某弟支付案件损害评估费与受理费。同时,刘某弟仍需承担以劳务代偿方式弥补其造成的生态环境损害的生态修复责任,确保长江流域生态环境得到及时有效修复。此外,2020 年 12 月,最高人民法院、最高人民检察院、公安部、农业农村部联合制定了《依法惩治长江流域非法捕捞等违法犯罪的意见》,明确对长江流域非法捕捞等危害水生生物资源的各类违法行为进行严厉打击,确保长江流域禁捕工作顺利实施。对该类环境民事公益诉讼案件的审理,既有利于促进长江流域各级人民法院落实源头严防、过程严管、损害严惩、责任严究的损害救济制度,打好污染防治攻坚战，推进长江经济带生态优先、绿色发展，又有利于注重发挥检察机关在环境公益诉讼方面的督促履职作用，提高民众自觉保护长江流域生态环境、促进长江流域绿色发展的意识。

12.2 姚某非法捕捞野生鱼案

【基本案情】

2019 年 6 月 6 日夜，姚某在禁渔期间至重庆市酉阳县酉酬镇溪口村一组小地名“王家坝河”的天然河流，操作禁止使用的捕捞工具电鱼机非法捕捞野生鱼，被当场查获。经清点，姚某非法捕捞野生渔获物共计 330 尾，总净重 5.1 千克。后当地农业农村委员会与姚某就其非法捕捞水产品造成的生态环境损害进行磋商，达成赔偿协议，并向人民法院申请司法确认。

【裁判结果】

重庆市黔江区人民法院受理申请后依法进行了审查，并对生态环境损害赔偿协议进行公告。公告期内，未收到异议。黔江区人民法院认为，申请人自行协商一致达成的生态环境损害赔偿协议，符合司法确认赔偿协议的法定条件，依法确认协议有效。当事人应当按照赔偿协议约定自觉履行赔偿涉案生态环境损害费用 7 242 元的义务，一方当事人拒绝履行或未全部履行的，对方当事人可以向人民法院申请强制执行。

【法理分析】

本案例来源于 2020 年《最高人民法院发布长江流域水生态司法保护典型案例》。最高人民法院认为此案的典型意义是：本案系在长江流域天然河流非法捕捞水产品引发的生态环境损害赔偿协议司法确认案件。本案中，赔偿义务人因其非法捕捞水产品行为造成生态环境损害，省级人民政府授权的机关与其进行磋商，达成生态环境损害赔偿协议，人民法院依法予以确认。赔偿义务人依据专家评估意见通过实施增殖放流的方式对破坏的生态环境进行修复，履行情况作为后续刑事案件酌定从轻的量刑情节。本案拓展了非法捕捞水产品行为人承担生态环境损害赔偿责任的司法路径，体现了生态优先、注重修复的环境司法理念。

本案姚某非法捕捞行为的事实清楚，但是，其使用电鱼机非法捕捞野生鱼类造成的生态损害，是赔偿义务人姚某赔偿责任范围的关键。纵观案情，赔偿义务人承担责任的主要依据是“专家评估意见”，法院对赔偿协议予以确认。

需要追问的是:第一,本案赔偿协议所约定的赔偿义务是否足以修复其造成的损害? 第二,对于生态环境损害,人民法院可否仅依据当事人经磋商达成的赔偿协议,予以司法确认? 第三,人民法院对生态环境损害赔偿协议进行司法确认的规范依据是否正当?

(1) 生态环境损害赔偿协议所涉及事实专门问题应通过司法鉴定

生态环境损害案件中所侵害的是社会公共利益。省级人民政府在本案中的法律地位应属于公共利益的当然“代表”,其与赔偿义务人进行磋商,旨在维护社会公共利益,即通过生态环境损害赔偿磋商,促使赔偿义务人承担赔偿责任,以恢复所损害的生态环境。然而,生态环境损害赔偿需要解决的首要问题是“损失范围”。生态损害及其修复是生态环境案件的专门性问题。对此,省级人民政府、省级人民政府授权的机关即当地农业农村委员会,既不具有对此专门问题进行技术认定的能力,也不具备技术认定的资格,应当借助具有专业资质的司法鉴定机构予以认定。本案仅依据“专家评估意见”,显然难以保证“损失范围”认定的正确性。虽然专家评估意见也能够辅助司法机关查明事实,但是,对于生态环境损害赔偿这一类型化的专门事实问题,应当通过类型化的法定鉴定机构予以鉴定,以保障事实认定的正确性,而非直接依据“专家评估意见”认定。

(2) 人民法院应对生态环境损害赔偿协议进行合法性审查和社会公共利益符合性审查

黔江区人民法院在受理司法确认的申请后,依法进行了赔偿协议公告和审查。该法院认为,申请人自行协商一致达成的生态环境损害赔偿协议,符合司法确认赔偿协议的法定条件,依法确认协议有效。对此,讨论的根本思路还应当从生态环境的社会公共利益本质出发。本案中,黔江区人民法院进行了审查,其审查的事项和方法不得而知,但是该法院认为“申请人自行协商一致达成的生态环境损害赔偿协议,符合司法确认赔偿协议的法定条件”,法院所采取的确认思路,与普通民事案件的司法确认无异,这显然忽视了生态环境的社会公共利益本质。实际上,《最高人民法院关于审理生态环境损害赔偿案件的若干规定(试行)》第二十条第二款既已规定“人民法院经审查认为协议的内容不违反法律法规强制性规定且不损害国家利益、社会公共利益的,裁定确认协议有效”。因此,人民法院审查生态环境司法赔偿协议,一是要审查是否违反法律法规强制性规定;二是要审查是否损害国家利益、社会公共利益。不应仅在完成公示程序后,径直认为生态环境损害赔偿协议系申请人自行协商一致达成,即予以确认。

（3）生态环境损害赔偿协议司法确认制度欠缺上位法依据

现行法上，规定民事司法确认制度的法律有《中华人民共和国人民调解法》（以下简称《人民调解法》）和《民事诉讼法》。《人民调解法》第三十三条所规定的司法确认制度是对“经人民调解委员会调解达成调解协议”进行确认。《民事诉讼法》第二百零五条、第二百零六条所规定的司法确认制度是对“经依法设立的调解组织调解达成调解协议”的确认。从立法本意来看，《人民调解法》和《民事诉讼法》关于调解协议的司法确认制度具有同一性，即均是对“人民调解协议”的司法确认。比较而言，《人民调解法》第二条规定：“本法所称人民调解，是指人民调解委员会通过说服、疏导等方法，促使当事人在平等协商基础上自愿达成调解协议，解决民间纠纷的活动。”一方面，“人民调解协议”司法确认制度所要解决的争议是民间纠纷，民间纠纷的本质是私益纠纷，而生态环境损害赔偿所涉及的争议是公共利益纠纷。另一方面，“人民调解协议”是经过法定的人民调解组织调解形成的协议，系经过人民调解委员会“过滤”和审查的结果，而生态环境损害赔偿协议系经双方当事人自行磋商形成的协议，未经任何第三方的介入。因此，虽然《最高人民法院关于审理生态环境损害赔偿案件的若干规定（试行）》认为“为正确审理生态环境损害赔偿案件，严格保护生态环境，依法追究损害生态环境责任者的赔偿责任，依据《中华人民共和国环境保护法》《中华人民共和国民事诉讼法》等法律的规定，结合审判工作实际，制定本规定”，但其生态环境损害赔偿协议司法确认制度实际上没有上位法的依据。从立法论视角而言，生态环境损害赔偿协议司法确认制度在效率上具有明显的优势，因此，应对生态环境损害赔偿协议司法确认制度进行改革，改革的终极目标在于及时有效维护社会公共利益。改革的具体策略可以有：一是司法鉴定作为必要程序；二是吸纳环境公益社会组织的参与；三是发挥专家辅助人制度的作用。

12.3　张某辉非法捕捞水产品案

【基本案情】

2020年9月24日，被告人张某辉伙同杨某在镇江市丹徒区高桥镇孟家港工地西侧400米处的长江水域，使用电瓶、网兜、逆变器等国家禁止的电鱼工具进行捕鱼，共捕得鳜鱼、餐条鱼等水产品合计0.19千克，二人被查获时逃跑。当日，被告人张某辉到公安机关投案。江苏省镇江市丹徒区人民检察院以被告人张某辉非法捕捞水产品罪提起公诉。因被告人张某辉有自首、自愿认罪认罚情节，公诉机关建议对其判处拘役一个月，适用缓刑。

【裁判结果】

江苏省江阴市人民法院对本案适用简易程序，审理认为被告人张某辉伙同他人，在禁渔区、禁渔期使用电捕鱼的方式捕捞水产品，属于我国《长江保护法》《渔业法》明确禁用的捕鱼方法，此方法会导致电流波及的水域内渔业资源与生态环境遭受影响和破坏，其行为确已构成非法捕捞水产品罪，并具有非法捕捞水产品情节严重情形，鉴于其犯罪后有自首情节，又能交纳生态修复费用，向长江增殖放流，以弥补非法捕捞行为对长江水产资源和生态环境造成的损害，另外考虑被告没有再犯危险，对所居住社区没有重大不良影响，最终判处拘役一个月，缓刑两个月。

【法理分析】

本案系在长江流域生态保护十年禁渔背景下，在充分考虑《长江保护法》有关禁渔规定的基础上适用简易程序作出的司法判决，对于在禁渔区、禁渔期采用电捕方式非法捕捞水产品行为作出了严格的司法选择，具有一定的代表性。

首先，根据《刑法》第三百四十条规定："违反保护水产资源法规，在禁渔区、禁渔期或者使用禁用的工具、方法捕捞水产品，情节严重的，处三年以下有期徒刑、拘役、管制或者罚金。"另据《长江保护法》第五十三条第二款规定："国务院农业农村主管部门会同国务院有关部门和长江流域省级人民政府加强长江流域禁捕执法工作，严厉查处电鱼、毒鱼、炸鱼等破坏渔业资源和生态环境的捕捞行为。"本案中，被告使用电瓶、网兜、逆变器等国家禁止的电鱼工具进行捕鱼，具有非法捕捞水产品罪的严重情节。由于电捕鱼是一种掠夺性捕捞方式，在电鱼过程中电极产生的扩散电流会导致所触及的各类水生动物死亡或受损，危害面广，对于多种水产资源和不同生长阶段的鱼类资源均会造成极其严重的损害。侥幸逃脱电击的鱼类也可能遭受难以预计的损伤，尤其可能破坏其繁殖活动，直接影响种群繁衍。同时电捕鱼对其他生物物种，包括浮游生物、无脊椎动物、软体动物等也会造成致命伤害，导致水生生态系统食物链破坏。此外，被电死的鱼及其他生物，除被捕捞的部分外，其余尸沉水底，腐败变质的过程也会影响河流水质。人民法院严惩电捕鱼犯罪行为，对保护长江流域水生生物多样性和水生态安全具有重要意义。

其次，案件审理中法官坚持依法审判，切实落实恢复性司法理念。人民法院一方面贯彻落实生态文明理念，依法追究本案二被告人的刑事责任，及时惩处非法捕捞、破坏长江流域生态环境的犯罪行为，有力保障了长江流域生态保护政策和法律的可持续性实施。另一方面，法院积极践行"认罪认罚＋修复保护"的恢复性司法理念，在案件审理过程中将案件当事人增殖放流的生态修复义务履行情况纳入量刑情节，提升当事人生态修复的积极性和主动性，并充分考虑被告主动投案自首和积极交纳生态修复费用的实际行为，以及其对社会不再具有继续犯罪的威胁等，作出缓刑决定，从而体现了柔性司法的关怀力度，为进一步强化公众环保意识和法治意识发挥示范功能。

最后，本案根据案情复杂程度适用简易程序，极大地节省了司法资源，取得良好的社会效果。习近平总书记强调："长江禁渔是为全局计、为子孙谋的重要决策。"为保护生态环境和生物多样性，国家实行了长江"十年禁捕"的重大战略部署。"十年禁捕"为长江留下休养生息的时间和空间，让长江生物多样性基因库得以恢复。但是，频繁更迭的立法内容，也使得部分群众无法及时跟进法律的要求，难以守法。法院在依法审判与柔性司法之间应作出适度平衡，以取得良好的社会示范效果。

13

第十三章

环境污染案例

13.1　某化工有限公司超标排放污染物案

【基本案情】

中化重庆某化工有限公司将生产过程中产生的磷石膏直接堆放在长江边长达 18 年，覆盖面积 700 多亩，最深处达 125 米，对当地生态环境造成严重损害，并对长江生态安全产生重大威胁。经媒体曝光后，中化重庆某化工有限公司立即制定环境问题整改处置方案，并报请重庆市环保监管部门批准。2017 年 1 月，中华环境保护基金会以某化工公司超标排放污染物等行为违法，给当地环境造成极大破坏为由提起环境民事公益诉讼，请求判令某化工公司立即停止环境侵害行为，赔偿相应的修复费用以及生态环境服务功能损失费用或采取替代性修复方式。重庆市人民检察院第三分院依法支持起诉。

【裁判结果】

重庆市第三中级人民法院一审审理中，中华环境保护基金会与某化工公司达成如下调解协议：一是某化工公司承诺严格贯彻落实重庆市及当地环保主管部门批复同意的环境问题整改处置方案，在 2019 年 12 月 31 日前完成封场、覆土、复绿等环境整治工作；二是某化工公司支付 803 700.80 元，用于本案或者本地区大气环境、水环境修复或替代性修复等公益用途。一审法院经审查认为，上述协议内容符合法律规定，不违反社会公共利益，予以确认。在一审法院监督下，某化工公司已完成调解书确定的各项义务。

【法理分析】

加强对长江流域生态环境的司法保护，实现长江流域的绿色发展是长江各流域人民法院审理长江保护司法案件的必然要求。长江流域各级人民法院坚持以习近平新时代中国特色社会主义思想为指导，深入贯彻落实习近平生态文明思想，充分发挥审判职能作用，加强生态环境司法保护，妥善审理各类环境资源案件，保护长江流域生态系统、维护长江流域生物多样性，推动长江流域绿色发展。依法严惩非法转移、倾倒、利用和处置危险废物、固体废物，导致土壤和地下水污染的环境违法行为，对破坏长江流域生态环境，损害社会公共利益的行为进行严厉打击，进一步彰显人民法院坚持最严格制度、最严密法治，依法打击固体废物污染长江流域生态环境的决心。本案中，中化重庆某化工有限公司将生产过程中产生的磷石膏直接堆放在长江边长达 18 年，覆盖面积 700 多亩，最深处达 125 米，磷石膏尾矿库通过渗滤液渗漏等方式污染土壤、地下水等，对当地生态环境造成严重损害，并对长江生态安全产生重大威胁，使社会公共利益受到极大损失。根据《民事诉讼法》第五十八条第一款规定："对污染环境、侵害众多消费者合法权益等损害社会公共利益的行为，法律规定的机关和有关组织可以向人民法院提起诉讼。"总磷是长江首要超标污染因子，中化重庆某化工有限公司将生产过程中产生的磷石膏直接堆放在长江边的行为使得磷石膏尾矿库通过渗滤液渗漏等方式严重污染了大气、土壤、地下水等，对长江构成巨大威胁，符合《民事诉讼法》第五十八条第一款有关"损害社会公共利益的行为"的规定。根据《环境保护法》第五十八条规定："对污染环境、破坏生态，损害社会公共利益的行为，符合下列条件的社会组织可以向人民法院提起诉讼：①依法在设区的市级以上人民政府民政部门登记；②专门从事环境保护公益活动连续五年以上且无违法记录。符合前款规定的社会组织向人民法院提起诉讼，人民法院应当依法受理。"本案中的中华环境保护基金会符合该条有关社会组织的规定，可以作为适格的主体向人民法院提起环境民事公益诉讼，要求中化重庆某化工有限公司承担相应的环境侵权责任。

在长江流域生态环境司法保护中，强调充分发挥环境公益诉讼和生态环境损害赔偿诉讼作用。各级人民法院依法审理国家规定的机关或者法律规定的组织提起的环境公益诉讼，维护流域生态环境社会公共利益。充分发挥生态环境损害赔偿诉讼功能，完善司法确认规则，维护生态环境国家利益。做好环境公益诉讼与生态环境损害赔偿诉讼的衔接，加强诉讼请求、事实认定、责任承担、判决执行等方面协调对接，促进生态环境得到及时有效的修复。根据《最高人民法院关于适用〈中华人民共和国民事诉讼法〉的解释》第二百八十二条规定："环境保护法、消费者权益保护法等法律规定的机关和有关组织对污染环境、侵害众多消费者合法权益等损害社会公共利益的行为，根据民事诉讼法第五十八条规定提起公益诉讼，符合下列条件的，人民法院应当受理：(一)有明确的被告；(二)有具体的诉讼请求；(三)有社会公共利益受到损害的初步证据；(四)属于人民法院受理民事诉讼的范围和受诉人民法院管辖。"首先，中化重庆某化工有限公司是本案中明确且具体的被告。其次，公益诉讼起诉人中华环境保护基金会提出了具体的诉讼请求，包括：一是请求人民法院依法判令被告立即停止环境侵害行为，停止违反环境保护法规的生产和排放行为；二是采取替代性修复方式或者赔偿从 2014 年 1 月至 2016 年 7 月 25 日期间，因超标排放污水、废气产生的环境替代性修复费用 10 万元(暂估，以环境损害评估意见为准)，赔偿被污染地区生态环境从受到损害至恢复原状期间的服务功能损失 10 万元(暂估，以环境损害评估意见为准)；三是在国家级媒体公开赔礼道歉。再次，中化重庆某化工有限公司将生产过程中产生的磷石膏直接堆放在长江边长达 18 年，覆盖面积 700 多亩，最深处达 125 米，该行为使得当地生态环境受到严重损害，并对长江生态安全产生重大威胁。最后，该环境民事公益诉讼案件属于重庆市第三中级人民法院管辖的范围。

在长江流域生态环境司法保护中，注重发挥环境公益诉讼和生态环境损害赔偿诉讼在维护国家利益、环境公共利益方面的特殊作用。不断健全完善诉讼规则，保障社会组织的环境公益诉权，注重发挥检察机关环境公益诉讼的作用。根据《民事诉讼法》第十五条规定："机关、社会团体、企业事业单位对损害国家、集体或者个人民事权益的行为，可以支持受损害的单位或者个人向人民法院起诉。"本案中，重庆市人民检察院第三分院积极履行自己的职责，依法支持起诉，体现出检察机关依法维护社会公共利益的督促履职作用。

为促进长江流域生态环境的绿色发展，长江流域各级人民法院始终鼓励社会组织和个人参与到长江流域绿色发展中，不断深化公众参与和拓展宣传效果，以更好地回应和满足人民群众的多元环境司法需求。本案中，原告中华环境保护基金会诉称，2016 年 11 月 30 日，其通过中央电视台《经济半小时》栏目获悉，被告中化重庆某化工有限公司从 2014 年开始在涪陵区龙桥街道双桂村山谷中堆放磷石膏粉，厚度为 120 米左右，给当地环境带来极大破坏，遂决定提起诉讼。社会组织和个人可以依法有序地参与到长江流域生态环境保护当中，且在长江流域生态环境司法保护的监督中发挥重要作用。

中化重庆某化工有限公司将生产过程中产生的磷石膏直接堆放在长江边的行为使得磷石膏尾矿库通过渗滤液渗漏等方式严重污染了大气、土壤、地下水等，对长江构成巨大威胁，理应承担相应的环境侵权责任。长江流域各级人民法院依法审理各种威胁长江流域生态环境的案件，积极提供环境司法服务保障，促进长江流域的绿色发展。依法惩处损害社会公共利益，威胁长江流域生态安全的行为，筑牢长江流域生态屏障。坚持损害担责、全面赔偿原则，依法追究环境污染、生态破坏者的民事责任。妥善审理环境公益诉讼、生态环境损害赔偿案件，切实维护国家利益和社会公共利益。一方面，依法审理水污染防治案件，推动全流域水污染防控治理，强化陆源排污者责任。针对长江流域重化工围江、总磷污染严重等现状，长江流域各级人民法院依法加强对工业、采矿污染等点源污染案件，农业污染、城市径流污染等面源污染案件以及流域跨界水污染案件的审理力度，坚持最严格的水污染损害赔偿和生态补偿、修复标准，支持和监督行政机关依法履行水污染防治的监管职责。通过对污染长江流域生态环境者进行教育与惩治，显示出人民法院严惩重罚排污者，有效维护人民群众环境权益和国家利益、社会公共利益的决心，充分展示人民法院从严惩治环境污染行为的司法政策，有力威慑违法排污单位并对相关从业人员具有教育警示作用。另一方面，依法审理土壤污染纠纷案件。妥善审理污染物通过渗滤液渗漏等方式引发的土壤污染案件，充分关注土壤污染案件历史成因复杂、修复周期长、成本高和要素复合的特点，准确界定土壤污染责任主体，依法追究环境污染、生态破坏者的民事责任，为长江流域的绿色发展提供司法保障。《民法典》第一千二百二十九条规定："因污染环境、破坏生态造成他人损害的，侵权人应当承担侵权责任。"《最高人民法院关于审理环境民事公益诉讼案件适用法律若干问题的解释》第十八条规定："对污染环境、破坏生态，已经损害社会公共利益或者具有损害社会公共利益重大风险的行为，原告可以请求被告承担停止侵害、排除妨碍、消除危险、恢复原状、赔偿损失、赔礼道歉等民事责任。"《最高人民法院关于审理环境公益诉讼案件的工作规范（试行）》第三十三条规定："对于因污染大气、水等具有自净功能的环境介质导致生态环境损害，原地修复已无可能或者没有必要的，人民法院可以判决被告支付生态环境修复费用，采取区域环境治理、劳务代偿、从事环境宣传教育等替代性修复方式。"本案中，中化重庆某化工有限公司对于其造成的生态环境污染行为，应当承担侵权责任。

《最高人民法院关于适用〈中华人民共和国民事诉讼法〉的解释》第一百四十五条第一款规定："人民法院审理民事案件，应当根据自愿、合法的原则进行调解。当事人一方或者双方坚持不愿调解的，应当及时裁判。"本案中，中华环境保护基金会与中化重庆某化工有限公司双方当事人在开庭后，都具有和解的意愿，且需要鉴定等程序确定相关事实，重庆三中院未对该案进行当庭宣判。《最高人民法院关于适用〈中华人民共和国民事诉讼法〉的解释》第一百四十六条规定："人民法院审理民事案件，调解过程不公开，但当事人同意公开的除外。调解协议内容不公开，但为保护国家利益、社会公共利益、他人合法权益，人民法院认为确有必要公开的除外。"本案中，中华环境保护基金会与中化重庆某化工有限公司双方达成的调解协议原则上是不公开的，但是中化重庆某化工有限公司将生产过程中产生的磷石膏直接堆放在长江边的行为使得磷石膏尾矿库通过渗滤液渗漏等方式严重污染了大气、土壤、地下水等，对长江构成巨大威胁，严重损害了国家和社会公共利益。为了维护国家和社会公共利益，可以将双方当事人达成的调解协议予以公布，以接受社会公众的监督。《民事诉讼法》第九十九条规定："调解达成协议，必须双方自愿，不得强迫。调解协议的内容不得违反法律规定。"本案中，双方当事人出于自愿的原则达成调解协议，且该协议不违反法律规定。重庆市第三中级人民法院根据双方当事人的调解协议制作调解书，该调解书具有给付内容，具有强制执行力。双方当事人应当根据调解书的内容积极履行自己的义务，同时该中院及时向有关单位发出司法建议，形成监督合力，确保某化工公司按时按约履行调解书。

本案系长江边磷石膏尾矿库引发的环境污染民事公益诉讼。总磷是长江首要超标污染因子，磷石膏尾矿库通过渗滤液渗漏等方式污染土壤、地下水等，对当地生态环境造成严重损害，并对长江生态安全产生重大威胁，使社会公共利益受到极大损失。本案中，重庆市第三中级人民法院积极探索创新符合流域生态环境特点和环境司法规律的审理、裁判和执行方式，遵循恢复性司法要求，不断完善责任方式和执行手段。充分发挥环境公益诉讼和生态环境损害赔偿诉讼在维护国家利益、环境公共利益方面的特殊作用。不断健全完善诉讼规则，保障社会组织的环境公益诉权，注重发挥检察机关环境行政公益诉讼的督促履职作用，探索预防性公益诉讼，建立健全环境公益诉讼、生态环境损害赔偿诉讼、审计监督及责任追究制度，确保生态环境得到及时有效的修复。该市第三中院不断探索建立以法院为主导的案件执行机制，充分延伸环境资源审判职能，及时向有关单位发出司法建议，形成监督合力，确保某化工公司按时按约履行调解书。同时，积极构建生态环境修复协调联动机制，邀请检察机关、环境资源行政主管部门共同制定生态环境修复评估标准，对修复工作进行联合巡检；邀请人大代表、政协委员对案件执行工作进行监督。本案的审判和执行过程创新完善环境民事公益诉讼案件执行机制，充分体现出人民法院在服务和保障长江流域生态文明建设中的主动担当作为。

13.2 铜梁区政府关于涪江饮用水源保护区环境整治案

【基本案情】

被告铜梁区人民政府于 2015 年 10 月 20 日作出《关于涪江饮用水源保护区环境整治的通告》(铜府〔2015〕127 号，以下简称《通告》)，该《通告》载明：根据《水污染防治法》《重庆市长江三峡水库库区及流域水污染防治条例》《重庆市饮用水源污染防治办法》等相关规定，经区政府研究，决定对涪江饮用水源保护区进行环境综合整治，并通告：铜梁安居提水工程涪江取水点上游 1 000 米至下游 100 米整个河段水域及相应水域对应的河岸陆域纵深 50 米为饮用水源一级保护区；取水点上游 1 000 米至 3 000 米、取水点下游 100 米至 300 米整个河段水域及相应水域对应的河岸陆域纵深50米为饮用水源二级保护区;在饮用水源二级保护区内禁止从事泊船、采砂、放养家禽、网箱养殖等活动;在饮用水源一级保护区内,除遵守二级保护区管理规定外,还须禁止从事水产养殖等行为;对违反本通告的单位或个人,由环保、农业、水务等相关职能部门根据有关规定予以处理;违反《中华人民共和国治安管理处罚法》规定的,由公安机关依法处理;涉嫌犯罪的,由司法机关依法追究刑事责任。原告欧某某长期从事渔业养殖的水域被划入饮用水水源保护区,被禁止继续从事渔业养殖活动。欧某某认为被诉通告侵犯其合法权利,故诉至法院请求撤销该《通告》。

【裁判结果】

重庆市第一中级人民法院一审认为,区政府作出被诉《通告》的行政目的是为了防止饮用水水源污染,以确保广大人民群众生产、生活用水安全,且程序并无违法之处,故被诉《通告》合法。欧某某虽曾依法获得从事渔业养殖的行政许可,但行政许可所依据的客观情况发生重大变化,为了公共利益需要,行政机关可依法变更或者撤回已经生效的行政许可,遂判决驳回欧某某的诉讼请求。重庆市高级人民法院二审维持一审判决。

【法理分析】

(1)行政诉讼的范围认定

所谓行政诉讼,是指公民、法人或者其他组织认为行政机关的行政行为侵犯其合法权益,向人民法院提起诉讼,人民法院依法予以受理、审理并作出裁判的活动。这意味着提起行政诉讼的主体应当与行政行为之间存在着直接的因果关系。本案的争议焦点在于,政府所发布的《通告》是否属于行政诉讼范围。依据《中华人民共和国行政诉讼法》(以下简称《行政诉讼法》)第二条规定:"公民、法人或者其他组织认为行政机关和行政机关工作人员的行政行为侵犯其合法权益,有权依照本法向人民法院提起诉讼。前款所称行政行为,包括法律、法规、规章授权的组织作出的行政行为。"通常意义上的行政诉讼的原告是行政行为相对人,《通告》虽在一定的时间和空间内具有普遍的约束力,其在作出时亦未明确针对特定的行政相对人,但会引发行政行为相对人以外的利害关系人是否可以提起行政诉讼的问题。结合《行政诉讼法》第十二条规定来看,我国行政诉讼的受案范围采取列举式条款,规定了何种行为可以作为起诉对象,即"行政机关侵犯其他人身权、财产权等合法权益"的行为都属于受案范围。

本案中,原告欧某某举示证据证明其长期在《通告》划定的水源保护区内从事渔业养殖,而《通告》将其养殖流域划定为水源保护区后,禁止其在水源保护区内从事渔业养殖活动，并规定了违反《通告》的相应行为后果，涉及原告欧某某的实体权利，对其权利义务可能产生影响，故本案应属于行政诉讼受案范围。

（2）撤销行政行为的情形认定

《行政诉讼法》第七十条规定："行政行为有下列情形之一的，人民法院判决撤销或者部分撤销，并可以判决被告重新作出行政行为：（一）主要证据不足的；（二）适用法律、法规错误的；（三）违反法定程序的；（四）超越职权的；（五）滥用职权的；（六）明显不当的。"由此可见，行政诉讼中被撤销的行政行为应当具备：一是被诉行政行为违法；二是被诉行政行为成立且具有约束力；三是被诉行政行为具有"可撤销性"或"可撤销内容"；四是被诉行政行为仍然存在；五是撤销不会造成国家或社会公共利益的重大损失。结合撤销条件来看，行政诉讼中需要对被诉行政行为的特性和必要性进行考量。被诉行政行为的特性通常存在着一定的瑕疵，这类瑕疵产生的不利影响需要通过撤销进行调整或消除，也就是《行政诉讼法》对不同瑕疵程度的行政行为进行列举的情形。

首先，被告铜梁区人民政府依法行政。依据《长江保护法》第三十四条第二款的规定："长江流域省级人民政府组织划定饮用水水源保护区，加强饮用水水源保护，保障饮用水安全。"《水污染防治法》第四条第二款的规定："地方各级人民政府对本行政区域的水环境质量负责，应当及时采取措施防治水污染。"《重庆市长江三峡水库库区及流域水污染防治条例》第二十四条第一款的规定："市、区县（自治县）人民政府应当按照国家和本市规定，建立饮用水水源保护区制度，并划定一级保护区、二级保护区和准保护区。"被告铜梁区人民政府具有就辖区内饮用水水源保护区进行划定，并采取相应措施对水源予以保护的法定职权。故本案中被诉《通告》系铜梁区人民政府履行其法定职权的行为。其次，《通告》发布程序合法。被告作出《通告》前，经过了公开征求意见、合法性审查、会议审议等程序，并已报经重庆市人民政府批复同意，并无违反法定程序之处，且《通告》的内容有相应事实证据支持，符合法律规定，故该《通告》不属于行政权力擅自专断的违法情形，应属合法。再次，《通告》内容符合环境公共利益。根据《行政许可法》第八条规定，行政许可所依据的客观情况发生重大变化的，为了公共利益的需要，行政机关可以依法变更或者撤回已经生效的行政许可。由此给公民、法人或者其他组织造成财产损失的，行政机关应当依法给予补偿。《通告》的内容涉及饮用水水源地保护，是基于实际需要对饮用水水源保护区作出的调整。这意味着被告获得的行政许可所依据的客观情况已然发生重大变化，并非行政权力滥用的违法情形。

综上所述，作出《通告》的目的是防治饮用水水源污染，确保广大人民群众生产、生活用水安全，其行政目的也符合上述法律、法规的具体规定，如若撤销《通告》，将会对国家或社会公共利益造成不利影响，因而，撤销被告行政行为的诉讼请求之必要性不存在，法院不应支持。

(3) 结论

本案系饮用水水源地保护引发的行政诉讼。饮用水安全事关人民群众健康，国家为此建立饮用水水源保护区制度。《长江保护法》亦规定，长江流域省级人民政府组织划定饮用水水源保护区，加强饮用水水源保护，保障饮用水安全。本案中，虽然欧某某曾获得从事渔业养殖的行政许可，但区政府基于饮用水水源地保护的实际需要作出被诉《通告》，进行饮用水水源保护区环境整治，符合环境公共利益。准予行政许可所依据的客观情况发生了重大变化，本案不属于行政权力擅自专断的违法情形。人民法院依法支持行政机关的整治举措，有力保障了饮用水水源地保护制度的功效实现。

13.3 某环境研究所生态保护案

【基本案情】

北京市某环境研究所与某公司、昆明某设计院环境污染责任纠纷一案，某环境研究所和某公司因不服云南省昆明市中级人民法院的一审民事判决，向云南省高级人民法院提出上诉。某水电站的建设单位为某公司，昆明某设计院系该建设工程总承包方及受托编制环境影响报告书的技术单位。某水电站采用堤坝式开发，具有年调节性能，对下游各梯级电站有显著的调节作用。水库淹没影响和建设征地涉及新平县和双柏县8个乡(镇)。2011年6月11日，国家发展和改革委员会办公厅作出《关于同意云南红河某水电站开展前期工作的复函》，同意某水电站开展前期工作。2012年2月3日，云南省环境保护厅(现云南省生态环境厅)作出《关于某水电站三通一平工程环境影响报告书的批复》，同意按照该项目环境影响报告书中所述进行项目建设。2014年7月15日，国土资源部作出《关于某水电站建设用地预审意见的复函》，原则同意通过用地预审。2014年8月19日，环境保护部(现生态环境部)作出《关于云南省红河(元江)干流某水电站环境影响报告书的批复》，原则同意某公司环境影响报告书中所列建设项目的性质、规模、地点和提出的各项环境保护措施。某水电站项目还取得了云南省发展和改革委员会、云南省住房和城乡建设厅及水利部等相关主管部门的批复。2017年7月21日，生态环境部办公厅向某公司发出《责成后评价函》，责成某公司就该项目建设开展环境影响后评价，采取改进措施，并报生态环境部备案。后评价工作完成前，不得蓄水发电。2017年8月至今，某公司主动停止对某水电站建设项目的施工。按工程进度，某水电站建设项目现已完成三通一平工程并修建了导流洞。昆明某设计院编写的《云南省红河(元江)干流某水电站环境影响报告书》(以下简称《环境影响报告书》)载明:(1) 水电站建设对陆栖脊椎动物的主要不良影响表现在缩小了动物的适宜生境。由于当地各种动物的种群数量低下，压缩其生境，迫使动物从原生境后退将不会导致原动物区系的明显变化，也不会导致动物多样性的明显降低。且陆栖脊椎动物具有趋避的本能，只要项目区以外的环境不遭破坏，当地的动物会选择适宜的生境继续生存和繁衍。因此水电站施工和水库蓄水对陆栖脊椎动物所产生的不良影响是有限的，不会导致当地各种动物的大量死亡，也不会导致当地物种多样性的显著降低。某水电站库尾地段邻近双柏恐龙河州级自然保护区，水库蓄水不淹没保护区。水库蓄水将淹没野生动物的部分生境，但保护区邻近水库淹没区部分环境人为干扰较为严重，故水库蓄水对保护区野生动物的生存和繁殖影响不大。(2) 绿孔雀为典型热带、亚热带林栖鸟类，系国家一级、省级重点保护鸟类。其主要在河谷地带的常绿阔叶林、落叶阔叶林及针阔叶混合林中活动，杂食类，为稀有种类，属国家一级重点保护动物，在中国濒危动物红皮书中被列为“濒危”物种。野外调查未见动物活动，但有动物活动痕迹。访问调查表明该物种有夏季到评价区周边农田中觅食的习性。根据野外调查和相关资料，其主要活动区域为恐龙河自然保护区低海拔区域，数量为50～70只。水电站施工可能迫使该物种放弃紧靠江边的觅食地点，但江边地段人为干扰强烈，其活动概率小。因此，某水电站建设不会影响该物种在当地生存和繁衍。同时，由于时间限制和野生动物特点，无论鸟类还是其他隐蔽性更强的类群的动物均不可能在短期内通过实地观察得出满意结论，所以评价时对文献资料和访问调查的结果进行综合分析，最后得出结论。

就绿孔雀相关问题，某环境研究所的证人悉某(大理白族自治州野性大理自然教育与研究中心创始人、野生动物摄影师)出庭作证，其分别于2017年3月15日和2018年2月28日在玉溪市新平县某地河滩、石羊江河谷和水电站上游9千米处拍摄到绿孔雀。2018年3月17至25日，在石羊江支流小江河河谷拍摄到两群绿孔雀共十余只在沙滩觅食、求偶和沙浴。证人王某(红河学院动物学专业副教授)出庭作证，其2017年12月至2018年1月期间在玉溪市新平县附近的石羊江干区沙滩上，观察到大量绿孔雀的新鲜脚印。在新平县与双柏县交界的石羊江支流小江河中也观察到绿孔雀脚印、羽毛、粪便等痕迹。2018年3月9日傍晚和10日清晨，其直接观察到8只(次)绿孔雀在小江河沙滩上活动并拍摄到照片和视频，还记录了绿孔雀的叫声。《中国绿孔雀种群现状调查》(滑荣等人撰写)认为，绿孔雀主要生活在沿河谷两岸的亚热带常绿阔叶林和低密度的思茅松林。调查显示，确定有绿孔雀分布的地点仅有怒江流域龙陵、永德段局部，澜沧江流域景谷段局部以及红河流域石羊江、绿汁江沿岸部分地区。此后，一审法院发函并向该局调取了其编制的《元江中上游绿孔雀种群现状调查报告》，该报告载明某水电站建成后，蓄水水库将淹没海拔680米以下河谷地区，将对绿孔雀目前利用的沙浴地、河滩求偶场等适宜栖息地产生较大影响。同时，由于某水电站的建设，淹没区公路将改造重修，也会破坏绿孔雀等野生动物适宜栖息地。对暂停建设的某水电站，应评估停建影响，采取保护和恢复绿孔雀栖息地的措施等。

某环境研究所提交了其在绿汁江、石羊江河谷等某水电站淹没区拍摄到的陈氏苏铁照片。证人刘某(中国科学院助理研究员)出庭作证，陈氏苏铁仅在我国红河(元江)流域分布。按照世界自然保护联盟(IUCN)的评价标准，陈氏苏铁应为濒危(EN)。野外实地调查结果显示，陈氏苏铁呈点状或斑状分布于绿汁江两侧，在新平县侧，有陈氏苏铁分布的区域沿河岸线超过了5千米，海拔跨度在200米左右(567～769米之间)，以600～700米海拔分布最为集中。在淹没区内用三种方法记录了有详细GPS坐标的陈氏苏铁植株205株，高于海拔675米的植株仅有23株，绝大多数植株海拔为570～630米。上述陈氏苏铁虽然存在雌雄比高、结实率低的问题，但总体上表现出了健康的种群结构，且种群数量都明显多于此前调查的居群。陈氏苏铁为国家一级重点保护植物，被列入《云南省生物物种红色名录(2017版)》，为极危物种。2012年在红河县相继发现了类似的苏铁。2013年和2014年，在红河县和双柏县找到了有大小孢子叶球的植株，确定为尚未发现的苏铁并采集了分子材料，研究了该苏铁与已知种类的分子系统关系。2015年陈氏苏铁被发表于《植物分类学报》上。迄今已发现8个陈氏苏铁分布点，但个体数量都非常少，全部个体数量少于500株，且破坏严重。由于《环境影响报告书》于2014年8月19日获得审批，而陈氏苏铁于2015年之后才被正式描述并列入世界苏铁名录，故《环境影响报告书》中不包含陈氏苏铁的相关内容。

2018年6月29日，云南省人民政府下发《云南省人民政府关于发布云南省生态保护红线的通知》，对外发布《云南省生态保护红线》。根据《云南省生态保护红线》附件1《云南省生态保护红线分布图》所示，某水电站淹没区大部分被划入红河(元江)干热河谷及山原水土保持生态保护红线范围，在该区域内，绿孔雀为其中一种重点保护物种。

【裁判结果】

云南省昆明市中级人民法院于2020年3月16日作出(2017)云01民初2299号民事判决:(1)某公司立即停止基于现有环境影响评价下的某水电站建设项目，不得截流蓄水，不得对该水电站淹没区内植被进行砍伐。对某水电站的后续处理，待某公司按生态环境部要求完成环境影响后评价，采取改进措施并报生态环境部备案后，由相关行政主管部门视具体情况依法作出决定；(2)由某公司于本判决生效后三十日内向某环境研究所支付因诉讼发生的合理费用8万元;(3)驳回某环境研究所的其他诉讼请求。宣判后，某环境研究所上诉请求:一是改判某公司与昆明某设计院共同消除云南省红河(元江)干流某水电站建设对绿孔雀、陈氏苏铁等珍稀濒危野生动植物以及热带季雨林和热带雨林侵害的危险，永久停止某水电站建设项目；二是改判某公司及昆明某设计院共同支付某环境研究所因本案产生的维护社会公共利益的合理费用，包括差旅费、调查费、专家咨询费、律师费等一审期间的合理费用290 193元，以及二审期间的合理费用88 092元。某公司答辩并上诉请求:一是撤销原审判决第一、二项，依法改判驳回某环境研究所的全部诉讼请求。二是两审案件受理费由某环境研究所承担。云南省高级人民法院于2020年12月22日作出(2020)云民终824号民事判决:驳回上诉，维持原判。

【法理分析】

本案是最高人民法院第173号指导案例，是环境公益诉讼的典型案例。《环境保护法》第五条确立了“保护优先、预防为主”的原则，通过立法强调环境损害预防的重要性。《最高人民法院关于审理环境民事公益诉讼案件适用法律若干问题的解释》(以下简称《环境民事公益诉讼解释》)第一条规定“对已经损害社会公共利益或者具有损害社会公共利益重大风险的污染环境、破坏生态的行为提起诉讼”，明确了针对具有损害社会公共利益重大风险的污染环境、破坏生态的行为的预防性环境公益诉讼。理论上，预防性环境公益诉讼突破了“无损害即无救济”的传统诉讼救济理念，因此法院受理此类诉讼的一个重点在于认定污染环境、破坏生态行为“具有损害社会公共利益重大风险”。人民法院审理环境民事公益诉讼案件，应当贯彻“保护优先、预防为主”的原则。原告提供证据证明项目建设将对濒危野生动植物栖息地及生态系统造成毁灭性、不可逆转的损害后果，人民法院应当从被保护对象的独有价值、损害结果发生的可能性、损害后果的严重性及不可逆性等方面，综合判断被告的行为是否具有《环境民事公益诉讼解释》第一条规定的“损害社会公共利益重大风险”。

本案的裁判充分体现了“保护优先、预防为主”的原则。裁判聚焦预防性公益诉讼的核心要素“重大风险”，具体表现为：危害尚未发生，但如不阻止事件发生，可预知此事件的发生必会造成严重或不可逆的环境损害事实。面对“尚不明朗的事实状态”及“不确定性”，按照《环境民事公益诉讼解释》第八条之规定，原告需首先提出初步证据证明存在重大或不可逆转环境损害可能性。本案中，某环境研究所已举证证明某水电站如果继续建设，则案涉项目工程淹没区势必导致国家一级重点保护动物绿孔雀的栖息地及国家一级重点保护植物陈氏苏铁的生境被淹没，生物生境面临重大风险的可能性毋庸置疑，因此法院认定原告完成了初步举证。环境重大风险制造者应当提供证据，以充分的理由消除合理怀疑或证明其行为的无损性。针对该现实上的重大风险，某水电站的建设单位某公司提供由昆明某设计院编写的《环境影响报告书》作为抗辩理由。裁判认定“《环境影响报告书》作为一种预测性判断，报告书内‘由于时间限制和野生动物特点……不可能在短期内通过实地观察得出满意结论’的有关评价并非绝对定论。况且生态环境部也已责成某公司就项目建设开展后评价，并采取改进措施后报生态环境部备案，进一步说明某水电站建设项目尚需通过环境影响后评价的方式得到验证和改进”。加之，淹没区内存在的众多数量的极危物种陈氏苏铁此前未进行过环境影响评价。此外，从生态环境损害后果的严重性来看，案涉项目淹没区动植物种类丰富，生物多样性价值及遗传资源价值无法估量，某水电站若继续建设，所产生的损害将是可以直观预测且不可逆转的。因此，某公司并未就风险不存在加以有效证实，而仅以《环境影响报告书》予以反驳，缺乏足够证明力。同时现有建设方案没有采取任何针对性的保护措施也显现了消除重大风险的迫切性。总之，法院据此认定某公司不能证明上述重大风险不存在或业已采取合理必要的预防措施，故其应承担相应法律责任。因此，法院判决结合生态环境部责成某公司对项目开展后评价工作的情况及某水电站未对绿孔雀采取任何保护措施等事实，认定某水电站淹没区对绿孔雀栖息地存在重大风险的评判恰当。

二审中，某环境研究所进一步认为，案涉项目不仅限定于对绿孔雀栖息地和陈氏苏铁的生长存在重大风险，该项目对由大面积原始雨林、热带雨林片段共同构成的完整生态系统亦存在重大风险。法院秉持生态治理系统性和整体性的理念，认定某水电站淹没区是绿孔雀及陈氏苏铁等珍稀物种赖以生存的栖息地，也是各类生物与原始季雨林共同构成的一个完整生态系统，该区域不仅涉及绿孔雀及陈氏苏铁等国家重点保护动植物，也涉及河谷植被、河漫滩、季雨林、自然形成河水等无机环境，其生态价值、遗传资源价值、科研价值、景观价值等均具有不可替代性。因此，从生态系统的一体性、完整性以及生态价值的独特性的角度出发，认为某环境研究所主张某水电站的建设对淹没区整个生态系统生物多样性和生物安全存在重大风险的证据翔实，观点成立。

二审判决同样认为具有重大风险的建设项目是否必须永久停止建设应当在案涉项目完成环境影响后评价后，由相关行政主管部门视具体情况依法作出决定，肯定了一审法院的判决。根据《中华人民共和国环境影响评价法》第二十七条规定“在项目建设、运行过程中产生不符合经审批的环境影响评价文件的情形的，建设单位应当组织环境影响的后评价，采取改进措施，并报原环境影响评价文件审批部门和建设项目审批部门备案；原环境影响评价文件审批部门也可以责成建设单位进行环境影响的后评价，采取改进措施”，2017 年 7 月 21 日，生态环境部办公厅针对本案建设项目，向某公司发出《责成后评价函》，责成某公司就该项目建设开展环境影响后评价，采取改进措施，并报生态环境部备案，后评价完成前不得蓄水发电，该函符合上述法律规定。在已经出现重大风险的情况下，法院综合考虑预防性措施的必要性，判令某公司立即停止基于现有情况下某水电站的项目建设，不得截留蓄水、不得对淹没区内植被进行砍伐，待完成环境影响后评价并备案后由行政主管部门作出结论，在符合环境保护迫切性的现实需要的同时，也综合考虑了对社会经济带来的冲击并兼顾合理性及时效性，有效防范了可能带来的绿孔雀及陈氏苏铁等濒危物种灭绝的重大风险。某水电站处于停建状态，某公司业已向其上级主管单位申请停建某水电站并获批复同意，绿孔雀生态栖息地面临的重大风险已经得到有效控制。法院认为对于案涉项目生态红线如何适用、环境影响后评价工作如何开展等问题，也需经相关行政主管部门明确。

最后，《环境保护法》第六十五条规定：“环境影响评价机构、环境监测机构以及从事环境监测设备和防治污染设施维护、运营的机构，在有关环境服务活动中弄虚作假，对造成的环境污染和生态破坏负有责任的，除依照有关法律法规规定予以处罚外，还应当与造成环境污染和生态破坏的其他责任者承担连带责任。”某环境研究所认为昆明某设计院故意隐瞒信息，以虚假结论通过欺骗的方式最终形成《环境影响报告书》并向环保部门申请并获得批准，该行为具备了“弄虚作假”的法定要件，应当依法承担连带责任。法院认为，环评报告的制作方如何采用相关材料进行评价并作出结论，依赖于制作方的认知水平、评判标准以及环评技术发展程度等一系列主客观因素，结合本案《环境影响报告书》所参考资料来看，其内容与结论的作出也并无唯一、对应、直接且必然的关联。法院据此认定某环境研究所的该主张并无确凿的事实依据，亦无证据证明昆明某设计院在环评中具有违法行为，某环境研究所要求由某公司与昆明某设计院共同承担侵权责任的请求并无事实基础，不予支持。

14

第十四章

非法捕猎野生动物案例

14.1 浦某等非法猎捕、杀害珍贵濒危野生动物案

【基本案情】

2018年12月期间，被告人浦某、闻某、刘某、左某为毒杀野生鸟类，多次制作有毒鱼饵及拌有呋喃丹的河沙，在江西省九江市濂溪区铁路桥附近庐山姑塘湿地保护区范围内投放，造成大量野生鸟类死亡，具体犯罪事实如下：(1) 2018年12月上旬的一天，被告人浦某、闻某、刘某共谋投毒捕鸟。刘某从濂溪区新港镇某农资店购买了200余元的呋喃丹。浦某与闻某以此制作有毒鱼饵及毒河沙。几天后的某晚，浦某、闻某、刘某在青山附近水域投放了毒河沙，刘某先行离去后，浦某、闻某继续在附近水域投放毒鱼饵。此后几日，浦某和闻某在投毒地点捡取野生鸟类数十只，三被告人及其妻子将中毒的鸟进行处理并均分，刘某妻子陈某将分得的鸟放至自家水泥船中的冰箱内。(2) 2018年12月20日左右，被告人浦某、闻某、左某再次投毒捕鸟，由闻某、浦某用刘某之前购买的呋喃丹制作有毒鱼饵(鱼饵由左某、浦某提供)，投放在上述铁路桥附近三人停船处水域。后浦某、闻某、左某在此处捡取数只野生鸟类。(3) 2018年12月21日左右，被告人浦某、闻某、刘某、左某在濂溪区牛头山水域，投放毒鱼饵及毒河沙。次日，各被告人到达投毒地点，未捡到野生鸟类。2018年12月23日及24日，志愿者张某等人在九江市湖口县南北港水产场附近的鄱阳湖水域发现16只疑似白琵鹭和1只疑似苍鹭的野生鸟类死体。2019年1月2日，南北港水产场护鸟员巡湖时，在上述地点及铁路桥下游湖口段发现3只疑似白琵鹭的野生鸟类死体。经鉴定，17只疑似白琵鹭胃内容物和1只疑似苍鹭胃内容物均检出呋喃丹成分。送检的19只白琵鹭为国家二级保护野生动物，苍鹭为江西省级重点保护陆生野生动物。

2018年12月28日，九江市濂溪区森林公安局在濂溪区新港镇江矶村牛头山湖滩，发现5只豆雁和1只小天鹅死体，同时在现场提取3条小鲫鱼。经鉴定，5只豆雁、1只小天鹅和2条小鲫鱼体内均含有呋喃丹成分。小天鹅为国家二级保护野生动物，豆雁为江西省级重点保护陆生野生动物。

2018年12月30日，湖口县森林公安局依法扣押了存放于刘某水泥船冰箱内的疑似鸟类切块共计23袋。经鉴定，送检的23个相对完整的头部中，5个为鸿雁，14个为翘鼻麻鸭，4个为绿头鸭，均为国家保护的有重要生态、科学、社会价值的陆生野生动物(简称"三有动物")。

2018 年 12 月 31 日，公安机关在抓捕浦某、刘某的过程中，依法扣押了其随身携带的疑似腌制的鸟类肢体 3 只。经鉴定，其中 1 只为白琵鹭，2 只为鸿雁。

【裁判结果】

一审判决如下：(1) 被告人浦某犯非法猎捕、杀害珍贵濒危野生动物罪，判处有期徒刑十一年，并处罚金人民币 50 000 元。被告人闻某犯非法猎捕、杀害珍贵濒危野生动物罪，判处有期徒刑十年六个月，并处罚金人民币 50 000 元。被告人刘某二犯非法猎捕、杀害珍贵濒危野生动物罪，判处有期徒刑八年，并处罚金人民币 40 000 元。被告人左某犯非法猎捕、杀害珍贵濒危野生动物罪，判处有期徒刑七年，并处罚金人民币 30 000 元。(2) 责令附带民事公益诉讼被告浦某、闻某、刘某连带承担生态环境修复费用 354 500 元；附带民事公益诉讼被告左某对其中 343 000 元承担连带责任。(3) 责令附带民事公益诉讼被告浦某、闻某、刘某、左某连带承担公告费用 1 200 元。(4) 责令附带民事公益诉讼被告浦某、闻某、刘某、左某在省级以上新闻媒体刊登赔礼道歉声明。

二审判决如下：(1) 撤销江西省永修县人民法院(2019)赣 0425 刑初 158 号刑事附带民事判决书第一项；第二、三、四附带民事判项因双方已达成调解协议，且已实际履行完毕，自行撤销。(2) 上诉人浦某一犯非法猎捕、杀害珍贵濒危野生动物罪，判处有期徒刑五年，并处罚金 20 000 元。上诉人闻某犯非法猎捕、杀害珍贵濒危野生动物罪，判处有期徒刑四年，并处罚金 20 000 元。上诉人刘某犯非法猎捕、杀害珍贵濒危野生动物罪，判处有期徒刑三年六个月，并处罚金 15 000 元。上诉人左某犯非法狩猎罪，判处有期徒刑三年，并处罚金 10 000 元。

【法理分析】

本案是刑事附带环境民事公益诉讼的案件，且发生在鄱阳湖湿地保护区，具有典型性和指导性。实践中，地方仍然存在着滥捕野生动物的情形，因采取投毒方式捕杀致使国家保护的野生动物死亡，检察机关作为公诉机关和公益诉讼起诉人提起刑事附带环境民事公益诉讼。结合法院裁判文书，本案涉及诉前公告、野生动物资源犯罪认定、生态环境修复金确立及赔礼道歉请求支持等具体问题。

(1) 野生动物资源保护与诉前公告

为降低诉讼成本，促进司法资源的合理配置，2018 年，最高人民法院、最高人民检察院联合发布的《关于检察公益诉讼案件适用法律若干问题的解释》第二十条规定："人民检察院对破坏生态环境和资源保护、食品药品安全领域侵害众多消费者合法权益等损害社会公共利益的犯罪行为提起刑事公诉时，可以向人民法院一并提起附带民事公益诉讼，由人民法院同一审判组织审理。人民检察院提起的刑事附带民事公益诉讼案件由审理刑事案件的人民法院管辖。"刑事附带民事公益诉讼作为一种新型诉讼形式得到法律认可，其在野生动物资源保护中发挥了重要作用。其中，相关司法解释中并未明确刑事附带民事公益诉讼程序是否需要履行诉前公告程序，司法实务中存在着不同的理解，而多数司法实务人员倾向于认为检察机关无须履行诉前公告程序。但2019年，最高人民法院、最高人民检察院联合发布的《关于人民检察院提起刑事附带民事公益诉讼应否履行诉前公告程序问题的批复》中明确规定："人民检察院提起刑事附带民事公益诉讼，应履行诉前公告程序。对于未履行诉前公告程序的，人民法院应当进行释明，告知人民检察院公告后再行提起诉讼。"这意味着，诉前公告是人民检察院提起环境民事公益诉讼的必经程序。

本案中，检察机关在一审诉讼程序提起前在《新法制报》进行了公告，一审判决中法院责令附带民事公益诉讼的四被告连带承担公告费用 1 200 元，在二审审理阶段，四被告已经支付了相关费用。

（2）野生动物资源犯罪罪名的认定

《刑法》第三百四十一条针对野生动物资源保护作出了明确的规定，其中，第一款规定"非法猎捕、杀害珍贵、濒危野生动物罪"，第二款规定"非法狩猎罪"。第一款主要针对国家重点保护的珍贵、濒危野生动物及其制品，所谓"珍贵、濒危野生动物"包括列入《国家重点保护野生动物名录》的国家一、二级保护野生动物，列入《濒危野生动植物种国际贸易公约》附录一、附录二的野生动物以及驯养繁殖的上述物种，主观上系知道或应当知道是国家重点保护的珍贵、濒危野生动物及其制品。第二款主要强调违反狩猎法规，在禁猎区、禁猎期或使用禁用的工具、方法进行狩猎，破坏野生动物资源的犯罪行为。本案涉及白琵鹭、小天鹅等国家二级保护野生动物，鸿雁、翘鼻麻鸭、绿头鸭、苍鹭、豆雁等"三有动物"或省级重点保护野生动物，且被告人在鄱阳湖庐山姑塘湿地保护区采取投毒方式猎捕野生动物，已同时触犯了非法猎捕、杀害珍贵、濒危野生动物罪和非法狩猎罪。

值得注意的是，2021年3月1日起，两高发布关于执行《刑法》确定罪名的补充规定（七），取消《刑法》第三百四十一条第一款"非法猎捕、杀害珍贵、濒危野生动物罪和非法收购、运输、出售珍贵、濒危野生动物、珍贵、濒危野生动物制品罪”，变更为“危害珍贵、濒危野生动物罪”。《刑法修正案(十一)》在刑法第三百四十一条中增加一款作为第三款，即“违反野生动物保护管理法规，以食用为目的非法猎捕、收购、运输、出售第一款规定以外的在野外环境自然生长繁殖的陆生野生动物，情节严重的，依照前款的规定处罚”。从生态安全与公共疫情防控层面来看，该条旨在防止人们对猎捕滥食陆生野生动物而带来的公共卫生安全隐患，因而在主观目的上应当特别区别于前 2 款罪名，强调以食用为目的的主观构成要件。

(3) 生态破坏价值损失的认定

民事责任应当包括赔偿自然资源价值损失与生态环境损害，主要争议焦点在于如何确定野生动物资源价值损失。我国现有关于环资损害金额认定的法律法规多为授权性、概括性规定，如《最高人民法院关于审理环境民事公益诉讼案件适用法律若干问题的解释》第二十三条规定：“生态环境修复费用难以确定或者确定具体数额所需鉴定费用明显过高的，人民法院可以结合污染环境、破坏生态的范围和程度、生态环境的稀缺性、生态环境恢复的难易程度、防治污染设备的运行成本、被告因侵害行为所获得的利益以及过错程度等因素，并可以参考负有环境保护监督管理职责的部门的意见、专家意见等，予以合理确定。”《关于在野生动物案件中如何确定国家重点保护野生动物及其产品价值标准的通知》第二条规定：“国家重点保护陆生野生动物具有特殊利用价值或者导致野生动物死亡的主要部分，其价值标准按照该种动物价值标准的 80%予以折算；其他部分，其价值标准按照该种动物价值标准的 20%予以折算。前款所称具有特殊利用价值或者导致野生动物死亡的主要部分，由省、自治区、直辖市陆生野生动物行政主管部门根据实际情况予以确定。”《野生动物及其制品价值评估方法》第四条规定：“野生动物整体的价值，按照《陆生野生动物基准价值标准目录》所列该种野生动物的基准价值乘以相应的倍数核算。”

根据全国人大常委会颁布的《关于全面禁止非法野生动物交易、革除滥食野生动物陋习、切实保障人民群众生命健康安全的决定》，本案的涉案鸟类均属不能在市场交易的野生动物，不能参照一般的商品进行价格认定，国家林业局作为主管部门根据《野生动物保护法》的授权，制定《野生动物及其制品价值评估办法》，对野生动物的基准价值和赔偿标准已有明确规定。本案中所涉及的野生动物主要是水生野生动物，而非陆生野生动物，由此，法院最终采纳了以“基准价值”乘以“实际数量”的方式计算生态破坏的具体金额，总计 354 500 元(白琵鹭 13 只×25 000 元/只+小天鹅 1 只×15 000 元/只+鸿雁 5 只、翘鼻麻鸭 14 只、绿头鸭 4 只、苍鹭 1 只、豆雁 5 只共计 29 只×500 元/只＝354 500 元)。

(4) 生态环境修复与赔礼道歉

尽管环境公益诉讼不存在针对特定受害人赔礼道歉的问题,但考虑到污染环境、破坏生态的行为可能导致损害发生到恢复原状前生态环境服务功能的损害,直接导致社会公众享有美好的生态环境精神利益受到损害。依据《最高人民法院关于审理环境民事公益诉讼案件适用法律若干问题的解释》第十八条规定,我国环境民事公益诉讼确立了赔礼道歉的民事责任承担方式。

一般案件中,当事人并不会针对赔礼道歉的诉讼请求产生较大争议,但其作用仍然不容忽视。本案发生在庐山姑塘湿地保护区范围内,被告通过投毒的方式,非法猎捕、杀害国家重点保护的珍贵、濒危野生动物,情节特别严重,法院从水域生态系统维护的整体性考虑,对于公益诉讼起诉人的赔礼道歉请求予以支持,要求四被告公开赔礼道歉既是公众合法权利的体现,也是对其他类似行为的警示。

(5) 结论

刑事附带环境民事公益诉讼已经从现有规范中得到确认,因其区别于刑事诉讼与民事公益诉讼,在案件审理过程中,有许多问题仍然值得探讨。本案涉及刑事附带民事公益诉讼的程序履行、刑民交叉事实认定、民事责任承担等多个方面的问题。本案从保护野生动物资源的角度出发,对该案进行一审、二审裁判,坚决有力地打击了破坏野生动物资源犯罪行为,支持了公益诉讼保护的相关请求。同时,从一审与二审的不同判决结果来看,被告对于民事责任的积极承担与履行能够对其刑事部分的量刑产生一定的影响。可见,刑事附带环境民事公益诉讼可以将刑事惩罚与生态修复的理念更好地融合与贯彻。

14.2 申某胜非法捕获野生动物案

【基本案情】

2019 年 4 月至 9 月间,申某胜以食用为目的,采用探照灯照射、网兜捕捉的方式,在扬州市江都区非法捕获雉鸡、黑水鸡、夜鹭、黑斑蛙、金线蛙等野生动物共计 26 只,其中 13 只尚存活的野生动物被放生。经鉴定,上述 26 只野生动物中“三有动物”有 24 只。因其犯罪情节轻微，且具有坦白、认罪认罚等情节，江都区人民检察院于 2020 年 4 月 29 日作出《不起诉决定书》。江都区人民检察院拟提起民事公益诉讼时，申某胜积极表示愿意承担赔偿责任，双方遂根据价格认证中心的认定，在当地调解组织的参与下，就损害赔偿事宜达成协议，申某胜按照协议支付 3 600 元用于修复生态环境。协议内容公告期满后，江都区人民检察院与申某胜于 2021 年 1 月共同向如皋市人民法院申请司法确认。

【裁判结果】

如皋市人民法院经审查认为，江苏省人民代表大会常务委员会于 2020 年 11 月 27 日发布的《关于加强检察公益诉讼工作的决定》第十一条明确规定："对侵害程度较轻、损害数额较小的民事公益诉讼案件，在确保程序公正和受到损害的公益得到修复的前提下，检察机关可以在起诉前与侵权人就损害赔偿、公益修复等民事责任承担达成协议。"

本案中，申某胜非法狩猎行为的侵害程度相对较轻，损害数额较小，检察机关可以在起诉前与申某胜就损害赔偿、公益修复等民事责任承担达成协议。申请双方在调解组织的参与下，自愿就申某胜非法狩猎公益损害赔偿事宜达成协议，且申某胜已按时履行，符合司法确认调解协议的法定条件，遂依法裁定江都区人民检察院与申某胜达成上述调解协议有效。

【法理分析】

本案例来源于《江苏法院 2020 年度环境资源典型案例》。本案系《江苏省人民代表大会常务委员会关于加强检察公益诉讼工作的决定》实施后江苏省首例检察公益诉讼司法确认案件。江苏省高级人民法院在评价该案的典型意义时指出，人民法院在确保程序公正和受到损害的公益得到修复的前提下，对达成的检察公益诉讼协议进行司法确认，是对检察公益诉讼以及司法确认制度的探索，能够取得减少当事人诉累及司法资源耗费的效果。与对当事人之间的私益纠纷调解协议的司法确认相比，对涉及环境公益的调解协议，法院不仅要审查调解协议是否是当事人的真实意思表示、是否违反强制性法律规范、是否损害第三人利益，更要注重审查调解协议内容是否符合维护环境公益的目的、是否能够取得修复生态的效果。

不过，作为检察公益诉讼司法确认案件，本案尚有以下问题需要探讨：第一，检察公益诉讼司法确认案件中，法院司法确认的“公益损害赔偿协议”的赔偿金额如何确定？这是检察公益诉讼司法确认案件中首先需要解决的问题。第二，在检察公益诉讼司法确认案件中，法院是否需要履行公示程序？这是司法确认保障合法性的关键。第三，调解组织参与调解是否即可以满足《民事诉讼法》上司法确认的条件？

与其他公益诉讼案件一样，维护公共利益依然是评价、改进检察公益诉讼司法确认制度的终极目标。

（1）公益损害赔偿协议所确定的赔偿金额应当以第三方鉴定意见为依据

生态环境损害公益案件中，损害的种类、范围、程度的确定是专门的事实认定问题，无论是赔偿权利人主张，还是人民法院的裁判，均需要专业部门的专业技术人员的意见，否则，赔偿金额的确定将失去客观事实基础。本案中，价格认证中心并非司法鉴定机构，本案中的损害种类、范围、程度也无法通过价格认定的方式予以确定。江都区人民检察院在未经司法鉴定的情况下，以价格认证中心的认定结论作为赔偿金额确定的基础，是对生态环境损害赔偿客体的误解。因此，即使是检察公益诉讼司法确认案件，也应当将司法鉴定作为必经程序。

（2）检察公益诉讼司法确认案件的公示程序应当由人民法院进行

本案中，江都区人民检察院在与赔偿义务人达成损害赔偿协议后，按照《江苏省人民代表大会常务委员会关于加强检察公益诉讼工作的决定》第十一条规定进行了公示。公告期满后，江都区人民检察院与申某胜于 2021 年 1 月共同向如皋市人民法院申请司法确认。按照《江苏省人民代表大会常务委员会关于加强检察公益诉讼工作的决定》第十一条第二款的规定，“公告结束后，可以向人民法院申请司法确认”。也就是说，司法确认并非该类案件的必经程序。江都区人民检察院在与赔偿义务人达成损害赔偿协议时，完全可以根据当事人的主动、完全履行而达到生态修复的目的。但是，问题在于“侵权人不履行或者不完全履行经司法确认协议的，由人民法院强制执行”，司法确认赋予了赔偿协议以“执行力”。检察公益诉讼司法确认既是人民法院行使裁判权的具体表现，也是维护生态环境社会公共利益的重要方式。因此，检察公益诉讼司法确认案件中，人民法院不能以作为当事人一方的检察院在达成赔偿协议后的公示程序，代替人民法院在司法确认过程中应当进行的公示程序，否则难以保障程序公正。这既是司法公开的需要，也是人民法院在维护社会公共利益、当事人利益方面接受社会监督的需要。

（3）生态环境检察公益诉讼损害赔偿协议应当由社会公益组织进行调解

本案中，如皋市人民法院认为，申请双方在调解组织的参与下，自愿就申某胜非法狩猎公益损害赔偿事宜达成协议，且申某胜已按时履行，符合司法确认调解协议的法定条件。在形式上，似乎符合《民事诉讼法》所规定的司法确认制度。但是实际上，本案中调解组织参与在公益损害赔偿协议的达成方面难以获得居中调解的地位和能力，因为协议当事人一方为公权力机关的人民检察院。对此，可以采取的改进策略是：由法定的生态环境公益组织，或者专门成立的环境公益案件调解组织承担居中调解的角色。

15

第十五章

非法采矿案例

15.1 王某林非法采矿案

【基本案情】

江苏省南京市人民检察院于2020年4月8日就被告王某林生态破坏一案向江苏省南京市中级人民法院提起民事公益诉讼。经法院审理查明，南京市中级人民法院认定被告王某林非法采矿事实。2015年至2016年期间，王某林违反矿产资源法的规定，在未取得采矿许可证的情况下，安排他人使用炮头机、挖掘机、渣土车等机械进入南京市浦口区永宁街道老山林场原山林二矿老宕口内，非法开采泥灰岩、泥页岩合计78 147吨，开采的矿产品价值1 953 675元。2017年至2018年期间，王某林在南京市浦口区建设施工时，在未取得采矿许可证的情况下，安排他人使用炮头机、挖掘机、渣土车等机械，擅自在建设施工红线外非法采矿，开采灰岩65 501.5吨，泥灰岩、泥页岩23 867.2吨，开采的矿产品价值2 502 323.6元。2020年1月19日，南京市浦口区人民检察院以王某林等人的行为已经构成非法采矿罪向南京市玄武区人民法院提起公诉，目前该案尚在审理中。该案审理期间，王某林退赔矿石资源款4 455 998.6元。

关于王某林非法采矿行为造成的损失的认定，南京市人民检察院于2019年11月13日与江苏省环境科学研究院签订《技术咨询合同书》，委托江苏省环境科学研究院对王某林非法采矿事件造成的生态环境损害进行评估。合同载明，案涉生态环境损害评估报告编制费用为40万元。江苏省环境科学研究院于2020年3月作出《损害评估报告》，认为王某林非法采矿事件造成的生态环境损害涵盖生态资源的经济损失、生态系统功能受到影响的经济损失和修复期间生物多样性损失三个方面。具体包括：(1) 生态资源的经济损失，合计861 750元。(2) 生态系统功能受到影响的经济损失。由于采矿场周围植被遭受破坏，造成森林涵养水损失、水土流失、土壤侵蚀及树木放氧量减少，经计算：①综合考虑森林面积、森林涵养水源能力、水价格和服务年限，计算出森林涵养水损失为440 233元；②水土流失将造成地表土壤损失，河道、水库泥沙淤积，综合考虑林地面积、土壤侵蚀模数、水库清淤成本和服务年限，计算出水土流失损失为50 850元；③根据《中国生物多样性国情研究报告》分析核算森林与草地所减少的土壤损失，综合考虑破坏森林的面积、单位面积减少的土壤侵蚀量、单位土壤肥力的价值量和服务年限，计算出土壤侵蚀损失为81 360元；④综合考虑破坏森林的面积、树木放氧量、每吨氧气价格和服务年限，计算出树木放氧量的减少损失为 64 243 元。(3) 修复期间生物多样性价值损失。案涉两个地点属于亚敏感区,恢复时间按 2 年计,自然修复达到生物多样性基准服务水平所需时间按 3 年计,经计算,修复期间生物多样性的价值为 132 810 元。

2020 年 8 月 31 日,江苏省环境科学研究院出具《补充说明》,又针对野生动物(具体包括鸟类和哺乳动物)进行生态环境损害评估。具体包括:(1)鸟类生态价值损失。经过野外调查和相关数据收集,在两处非法开采点共记录到 35 种鸟类,共计 242 只。鸟类具有在一定区域内传播种子和改善土壤的作用。因栖息地破坏导致鸟类数量减少造成的种子传播收益额损失为 242 000 元。林鸟改善土壤的作用主要体现为其粪便可以提高土壤的肥力,也可以增强土壤的通透性和通气性,综合考虑相关因素,计算出改善土壤价值损失为 1 121.64 元。故因栖息地破坏造成的鸟类生态价值损失合计约 243 122 元。(2)哺乳动物生态环境损害评估。经过野外调查和相关数据收集,在两处非法开采点共记录到 6 种哺乳动物。由于非法采矿涉及的 2 处开采区域是哺乳动物的过境区域,目前国内对哺乳动物小范围过境区域破坏而造成的哺乳动物生态环境损害尚无相关的研究成果或量化计算依据,无法量化其生态环境损害价值。南京市人民检察院主张,按照已主张的其他生态环境损失总和的 1%,计算出哺乳动物栖息地服务价值损失 18 744 元。综上,生态损害修复费用共计 1 893 112 元。

在生态环境修复方案认定上,针对案涉受损生态环境的修复,《关于长江经济带废弃露天矿山(南京市山林二矿)生态修复治理费用的情况说明》载明,山林二矿修复工作由南京市老山林场负责,已于 2019 年 9 月完成该工程设计招标并确定设计单位为江苏南京地质工程勘察院,2019 年 10 月 31 日完成设计方案专家评审,目前已开工建设。山林二矿生态修复工程位于南京西郊老山风景区的东北侧,治理总面积约 37 000 平方米,建设内容主要为土方回填、钢筋混凝土挡墙、清坡、普通喷播、种植藤本、穴植苗木、坡顶截水沟、蓄水池、隔离栏、安全标志灯等,总投资 550 万元。因王某林系在原有废弃矿坑的基础上进行开采,故修复工程需结合周边原有矿山破坏情况等进行整体统一修复,治理措施有清坡、普通喷播、穴植苗木及植被养护等,因修复工作需结合原始被破坏矿坑修复工程整体进行,且需根据规定的修复标准完成,故修复所需金额不足部分将由南京市老山林场承担。《关于浦口区永宁街道大桥林场路口地质灾害治理工程的情况说明》载明,南京市浦口区大桥林场地质灾害治理项目内容主要为削坡减载、回填压脚、坡体覆绿三大项,该工程总投资约 299.699 万元。该项目建成后，将能有效避免山体碎石滑落，消除地质灾害点的安全隐患，提升山体及周边的生态环境。治理工程项目中部分系因王某林非法开采导致的原地貌破坏，故需结合周边道路施工等因素进行整体统一修复，因该项目修复工程需结合周边道路施工统一进行，且需根据规定的修复标准完成，部分支出与王某林非法采矿行为造成的损害无直接关系，该单位承诺王某林赔偿费用用于破损地块的生态修复。

【裁判结果】

江苏省南京市中级人民法院一审认为，环境和生物之间、生物和生物之间协同共生，相互影响、相互依存，形成动态的平衡。非法采矿对生态资源造成复合性危害，将直接导致开采区域的植被和土壤受到破坏，影响到林草蓄积、水土涵养，影响到鸟类和其他动物的栖息环境，造成生态系统的整体破坏及生物多样性的减少，最终影响到人类的生产生活和优美生态环境的实现。王某林违反矿产资源法的规定，未取得采矿许可证即实施非法采矿行为，造成生态环境的破坏，应对生态环境损害后果承担赔偿责任。王某林非法采矿行为对生态环境造成破坏，损害了社会公共利益，公益诉讼起诉人关于生态资源损失的赔偿请求以及事务性费用支出均具有事实和法律依据，法院依法予以支持。依照《环境保护法》第六十四条，《中华人民共和国侵权责任法》第六条，《最高人民法院关于审理环境民事公益诉讼案件适用法律若干问题的解释》第十八条、第二十条、第二十一条、第二十四条，《民事诉讼法》第一百四十八条之规定，法院判令：一是被告王某林对其非法采矿造成的生态资源损失费用 1 893 112 元承担赔偿责任，其中 1 498 436 元用于南京市山林二矿生态修复工程及南京市浦口区永宁街道大桥林场路口地质灾害治理工程，394 676 元用于上述地区生物多样性的恢复及保护。二是被告王某林承担损害评估等事务性费用 400 000 元，该款项于本判决生效后 10 日内划转至江苏省南京市人民检察院。该案一审判决已发生法律效力。

【法理分析】

本案是非法采矿引发的生态破坏民事公益诉讼案件。非法采矿行为不仅是对矿产资源的破坏，而且对生态资源也造成了复合性的危害。生态环境的系统性决定了某一生态要素的破坏，往往会对整个生态系统中多种要素造成不利影响。就本案而言，案发地部分位于长江沿线 10 千米宕口整治范围内。在长江沿岸非法露天采矿，不仅造成了国家矿产资源的重大损失，而且必然也在实际上造成了开采区域内生态环境破坏及生态要素损失。环境和生物之间、生物和生物之间协同共生，相互影响、相互依存，形成动态的平衡。被告非法采矿直接导致了开采区域内植被和土壤的破坏，矿山的破坏又影响到林、草蓄积，而林、草数量的减少又影响到水土涵养，上述各生态要素的破坏又直接或间接影响到鸟类和其他哺乳动物的栖息环境，造成生态系统的整体破坏及生物多样性的减少，自然要素生态利益的系统损害最终必将影响到人类的生产生活和优美生态环境的实现。此类案件的审理应当坚持生态环境系统保护修复的裁判思路，正确区分认定矿产资源损失和生态要素损失。本案审理法院在裁判结果中全面考虑了非法采矿行为造成的各类生态要素的破坏，对生态资源的经济损失、生态系统功能受到影响的经济损失和修复期间生物多样性损失的科学评估结果予以认定，深化了对生态环境系统破坏的认识。

本案的审理和裁判结果同时还坚持了生态环境修复的司法理念。长江岸线保护是长江大保护的重要环节，是支撑长江经济带发展的重要资源，其生态环境的有效保护和统一治理对于维护长江流域生态系统具有非常重要的作用。生态环境修复理念和恢复性司法理念要求在生态环境损害赔偿之外，更加重视受损的生态环境得到切实有效的修复。生态环境的系统保护需要从各个生态要素方面进行全方位、全地域、全过程保护，对破坏生态行为造成的生态损害的修复，也应当坚持系统修复的理念，从系统的角度对不同生态要素所遭受的实际影响予以综合考量，注重从源头上系统开展生态环境修复，注重自然要素生态利益的有效发挥，为长江流域生态系统提供切实有效的保护。本案鉴于非法采矿给生态环境造成了严重的破坏，应当从消除受损山体存在的地质灾害隐患，以及从尽可能恢复其生态环境功能的角度出发，结合经济、社会、人文等实际发展需要进行总体分析判断。法院最终认定的修复方案，涵盖了山体修复、植被复种、绿地平整等生态修复治理的多个方面，充分考虑了所在区域生态环境结构的功能定位，体现了强化山水林田湖草等各种生态要素协同治理的理念，并且经过法庭技术顾问论证，其结论科学，方法可行。同时，将生物栖息地明确为重要的生态保护和修复目标。对损害赔偿费用进行了合理安排，将属于改善受破坏的自然环境状况，恢复和维持生态环境要素正常生态功能发挥范畴的赔偿费用，用于侵权行为发生地生态修复工程及地质灾害治理工程；将属于生物多样性受到影响的损失，纳入生物多样性恢复考量范畴，用于侵权行为发生地生物多样性的恢复及保护。法院在裁判结果上还充分考虑了被告已经意识到自身行为违法性的态度，以及通过代理人表达了歉意的行为，并积极主动预缴生态损害修复费用，在刑事案件中退赔矿石资源款，正在以实际行动消除侵权行为对生态环境所造成的损害。生态环境修复的裁判结果全面体现了生态环境要素一体保护和系统修复的理念，同时通过案件审理和裁判引导社会公众树立正确的生态文明观，自觉遵守生态环境保护法律法规，共同善待生态环境，守护绿水青山，督促已经实施破坏生态环境行为的侵权者积极主动地履行修复受损生态环境的义务，为长江生态环境系统保护发挥了积极作用，也为类似案件的办理提供了样本。

15.2　马某东非法开采砂石案

【基本案情】

被告人马某东在未取得采矿许可证的情况下，于 2021 年 2 月 16 日至 21 日期间，雇佣冉某某、钱某、张某某、李某某、杨某某、王某、邓某某、张某某等人，在松潘县十里乡佑所屯村河道内非法开采砂石，并将非法开采所得砂石转运至松潘县十里乡高屯子村中铁二十五局搅拌站后面堆放、清洗、加工。四川川法环境损害司法鉴定所对被告人马某东非法采矿造成的生态环境破坏程度进行鉴定，认定案涉土地和水域面积遭受了严重的生态环境损害。四川省松潘县人民检察院以非法采矿罪对被告人马某东提起公诉，并针对被告人马某东的犯罪行为所造成的耕地生态环境破坏修复费用 5.57 万元，以及测绘、鉴定费用共计 14.8 万元提起刑事附带民事公益诉讼。

【裁判结果】

四川省松潘县人民法院一审认为，被告人马某东违反矿产资源保护法的规定，在未取得采矿许可证的情况下擅自实施采矿行为，且对案涉地造成了严重的生态环境损害，情节严重，其行为已构成非法采矿罪。为了严肃国法，维护国家对矿产资源的保护管理制度不受非法侵害，除了惩治被告人马某东的犯罪行为，还应当责令其承担民事赔偿责任。判决被告人马某东有期徒刑一年，并处罚金人民币 8 000 元；没收扣押在案的毛料 2 179.82 立方米，砂石成品料 34 立方米，没收扣押在案的川 AXXXX4 轻型厢式货车和车架号码 855XXXXXXX14 的装载机，以上物品皆上缴国库；判令被告人马某东对其非法采矿所破坏的生态环境予以修复；由被告人马某东承担本案的测绘费、鉴定费共计 14.8 万元；判令被告人马某东对所破坏耕地的生态环境予以修复，如被告人马某东在限期内未予修复或经修复验收不合格，则其需承担耕地生态环境修复费用 5.57 万元。

【法理分析】

本案属于在长江重要支流河道非法采砂并造成当地生态环境受到严重损

害的刑事案件。无证采砂属于非法行为。《水法》第三十九条第一款规定："国家实行河道采砂许可制度。河道采砂许可制度实施办法，由国务院规定。"《中华人民共和国河道管理条例》第二十五条规定："在河道管理范围内进行采砂活动，必须报经河道主管机关批准；涉及其他部门的，由河道管理机关会同有关部门批准。"《长江保护法》第二十八条第一款规定："国家建立长江流域河道采砂规划和许可制度。长江流域河道采砂应当依法取得国务院水行政主管部门有关流域管理机构或者县级以上地方人民政府水行政主管部门的许可。"按照《最高人民法院、最高人民检察院关于办理非法采矿、破坏性采矿刑事案件适用法律若干问题的解释》第三条的规定，非法采砂行为对生态环境造成严重损害的，应当认定为刑法第三百四十三条第一款规定的"情节严重"，处三年以下有期徒刑、拘役或者管制，并处或者单处罚金。因此，未取得许可证进行采砂的行为属于非法采砂行为。

非法采砂行为具有较大的社会危害性，有必要予以打击。砂石资源是河道河床的组成部分，是维持河道水沙平衡的重要物质条件，是保持河势稳定的基本要素。近年来，河道内非法采砂现象十分突出，严重威胁防洪安全，亟须加以规制。公诉机关识别了本案具有刑事违法性的特征，对违法行为提起公诉，适用法律正确。江砂属于国家所有，虽然国家对长江采砂实行许可制度，但长江中下游部分地区非法采砂的情况时有发生，不仅侵害了国家对自然资源的所有权，也严重影响了长江航道通行，破坏了长江河道生态环境。因此，必须严厉打击河道非法采砂行为，切实保障长江水域水运安全。

此外，根据《长江保护法》第九十三条规定，因污染长江流域环境、破坏长江流域生态造成他人损害的，侵权人应当承担侵权责任。本案涉及的土地和水域面积遭受了严重的生态损害，其中水流特性的改变有可能对河流中鱼类等水生生物带来不可估量的影响。被告人马某东等非法采砂(矿)、堆放砂(矿)石行为造成的后果包括生态环境损害修复费用总计 24.93 万元。因此，在民事公益诉讼部分，法院充分考虑到非法采砂行为对长江流域生态环境的损害，判令侵权人承担修复责任、赔偿损失和有关费用，适用法律正确。

15.3 刘某桂非法采砂案

【基本案情】

2021 年 9 月 5 日，被告人刘某桂(住湖北省武穴市)将其所有的鄂银河 518

号运力船租赁给另案被告人刘某(已判刑,住江西省九江市浔阳区),后二人商定共同在长江盗采江砂。采砂前,刘某与另案被告人何某东(已判刑,住江西省九江市柴桑区)事前通谋,由何某东低价收购刘某盗采的江砂。

2021年9月10日至9月26日期间,被告人刘某桂三次伙同另案被告人刘某、熊某、杨某(均已判刑)在位于湖北省的长江黄梅段横河口水域盗采江砂约4500吨,后运至江西省九江市柴桑区某码头出售给何某东,后何某东在江砂中掺杂机制砂后对外出售。采砂期间,熊某明知上述情况,仍为刘某提供驾驶车辆等帮助,一起参与盗采江砂活动,并从中获取非法利益约15000元。杨某受刘某雇请在鄂银河518号运力船上负责监督卸砂,获取非法利益3 000余元。

2021年9月30日零时许,长江航运公安局水上分局九江派出所接群众举报后,在长江黄梅段横河口水域将正在进行盗采作业的鄂银河518号运力船查获。经过磅称重,鄂银河518号运力船装有盗采江砂1 443.09吨。根据《湖北省人民政府关于加强河道采砂管理的通告》规定,湖北省长江中游干流段禁采期定为6月1日至9月30日以及相应河段河道水位超警戒水位时。本案非法采砂的作案地点长江黄梅段横河口水域位于长江中游干流湖北省新州水域。

经江西省九江市发展和改革委员会认定,盗采的江砂市场交易价为80元/吨。被告人刘某桂与刘某、熊某、何某东、杨某非法采砂5 943.09吨,价值475 447.2元。经鉴定,刘某桂、刘某等人非法盗采长江江砂行为对非法采砂区域的生态环境造成的影响分为水环境质量受损、河床结构受损、水源涵养受损和水生生物资源受损。其中,造成的长江生态服务功能损失35 823.41元,长江生态环境损害所需修复费用26 767.48元,共计62 590.89元。

另查明,刘某、熊某、何某东、杨某因非法采矿罪已被江西省瑞昌市人民法院先行判决。被告人刘某桂于2022年6月8日被抓获归案。

九江市中级人民法院指定江西省瑞昌市人民法院审理本案。经江西省瑞昌市人民检察院依法公告,公告期满未有法律规定的机关和有关组织提起民事公益诉讼。瑞昌市人民检察院遂依法向瑞昌市人民法院提起刑事附带民事公益诉讼。

【裁判结果】

江西省瑞昌市人民法院于2022年12月22日以(2022)赣0481刑初304号刑事附带民事判决,认定被告人刘某桂犯非法采矿罪,判处有期徒刑三年,并处罚金人民币110 000元;责令被告人刘某桂在判决生效十日内与刘某、熊某、何某东等人共同退赔国家矿产资源损失135 000元(已扣除其他被告人赔偿的金额);被告人刘某桂已退赔的国家矿产资源损失50 000元上缴国库;附带民事公益诉讼被告刘某桂在判决生效后十日内与刘某、熊某、杨某、何某东连带赔偿因非法采砂造成的长江生态服务功能损失 35 823.41 元、长江生态环境损害修复费用 26 767.48 元，共计 62 590.89 元；附带民事公益诉讼被告刘某桂在判决生效后十日内在九江市市级新闻媒体上刊登公告，向社会公众赔礼道歉。宣判后，被告人没有上诉、抗诉，判决已发生法律效力。

【法理分析】

本案是最高人民法院发布的 2023 年长江保护专题第 38 批 212 号指导性案例。本案的指导意义在于，长江流域存在着跨区域性特征，相关违法行为的发生同样存在着跨区域性，由此所引发的跨区域性犯罪案件的管辖法院确定、犯罪行为认定、流域生态环境修复等问题，本案围绕着流域环境的特殊性展开审判，对上述问题予以回应，从而转化为有益的审判经验。

关于该案的分析包含以下三点：

第一，跨行政区域非法采砂案件管辖法院的确定。依据《刑事诉讼法》第二十五条规定，刑事案件由犯罪地的人民法院管辖。如果由被告人居住地的人民法院审判更为适宜的，可以由被告人居住地的人民法院管辖。依据《最高人民法院关于适用〈中华人民共和国刑事诉讼法〉的解释》第二条，犯罪地包括犯罪行为地和犯罪结果地。针对或者主要利用计算机网络实施的范围，犯罪地包括用于实施犯罪行为的网络服务使用的服务器所在地，网络服务提供者所在地，被侵害的信息网络系统及其管理者所在地，犯罪过程中被告人、被害人使用的信息网络系统所在地，以及被害人被侵害时所在地和被害人财产遭受损失地等。本案中，被告人刘某桂非法盗采砂石的地点为湖北省的长江黄梅段横河口水域，且被告人刘某桂住在湖北省武穴市，但所采砂石直接运至江西省九江市柴桑区某码头进行出售，共同犯罪中同案犯的行为发生在九江市辖区范围内，且同案犯已先行被瑞昌市人民法院判决。考虑到实践中河道非法采砂行为的系统破坏性，从犯罪事实查明便利性和生态环境修复可行性角度出发，共同犯罪中一人犯罪行为或一环节犯罪属于管辖法院审理的，构成共同犯罪的采售一体采砂刑事案件可由该法院审理。经指定，本案由瑞昌市人民法院审理。

第二，刘某桂盗采江砂的行为是否构成非法采矿罪。依据《刑法》第三百四十三条，违反矿产资源法的规定，未取得采矿许可证擅自采矿，擅自进入国家规划矿区、对国民经济具有重要价值的矿区和他人矿区范围采矿，或者擅自开采国家规定实行保护性开采的特定矿种，情节严重的，处三年以下有期徒刑、拘役或者管制，并处或者单处罚金；情节特别严重的，处三年以上七年以下有期徒刑，并处罚金。(1) 客体要件。被告人刘某桂盗采砂石的行为侵犯了国家对矿产资源和矿业生产的管理制度以及国家对矿产资源的所有权。(2) 客观要件。被告人刘某桂客观上表现为违反矿产资源法规定，未获许可非法盗采江砂的行为。(3) 主体要件。被告人刘某桂属于年满十六周岁且具有刑事责任能力的人，是本案的适格被告人。(4) 主观要件。被告人刘某桂明知自己的行为属于违反规定、擅自开采，且会造成矿产资源的破坏，还出于非法牟利的目的积极追求这种违法后果。综上，不论被告人刘某桂在何处盗采砂石，运至何处出售，其采售一体的违法行为已然构成非法采矿罪。

第三，长江流域的生态环境修复。依据《长江保护法》第二十八条第一款规定，国家建立长江流域河道采砂规划和许可制度。长江流域河道采砂应当依法取得国务院水行政主管部门有关流域管理机构或者县级以上地方人民政府水行政主管部门的许可。依据《长江保护法》第九十三条规定，因污染长江流域环境、破坏长江流域生态造成他人损害的，侵权人应当承担侵权责任。违反国家规定造成长江流域生态环境损害的，国家规定的机关或者法律规定的组织有权请求侵权人承担修复责任、赔偿损失和有关费用。本案中，刘某桂非法盗采砂石数量庞大，势必对长江流域的河道形态、水流方向、水生生物环境等各要素产生不利影响，严重破坏了长江流域的生态环境。考虑到生态环境修复的系统性，检察机关在提起刑事公诉的同时附带提起环境民事公益诉讼，请求被告刘某桂承担民事侵权责任，就非法采砂造成的生态环境服务功能损失、生态修复费用承担赔偿责任。

长江是中华民族的母亲河，也是中华民族永续发展的重要支撑。自《长江保护法》颁布实施以来，各地各部门主动强化长江大保护的使命担当。同样，司法机关通过司法手段推动长江流域环境治理，积极开展生态环境修复成为《长江保护法》有效实施的重要途径。2021 年 2 月 25 日，最高人民法院发布《最高人民法院关于贯彻〈中华人民共和国长江保护法〉的实施意见》及典型案例，用于贯彻实施《长江保护法》。此后最高人民法院每年会发布长江保护专题的典型指导案例，包括水污染、非法采砂、野生动植物保护等案件类型，旨在通过典型案例统一流域环境资源审判理念和裁判规则，呈现不同诉讼类型案件统筹适用刑事、民事、行政责任方式，加大对生态环境破坏行为的惩处力度。

后记

本卷包括制定背景解读、制度创新分析、实施措施建议和典型案例评析等四个部分内容。制定背景解读部分对《长江保护法》制定背景与过程、出台的重要意义、相关条款内容分别进行了阐述和探讨。从已有法律法规的不足、长江流域的特征、审议与表决的情况三方面来梳理《长江保护法》制定背景与过程，并分别从实践、立法理念、法理探析三个方面提出了《长江保护法》出台的重要意义。制度创新分析部分包括流域协调机制的创新、绿色发展法律制度创新、生态环境修复法律制度创新、对违法行为处罚制度的创新四个方面。从长江以往管理方式带来的问题出发，首次明确建立长江流域协调机制。从确立绿色发展理念到统筹绿色发展规划，再从制定绿色发展红线、明确绿色发展措施、建立绿色发展评估机制等方面探讨《长江保护法》关于绿色发展的法律制度创新。从推行流域休养生息制度、推行生态保护补偿制度两方面集中体现出生态环境修复法律制度创新。从法律责任范围宽、损害赔偿责任严具体体现出对违法行为处罚制度的创新。实施措施建议部分包括长江流域协调机制实施、长江流域绿色发展法律制度实施、生态环境修复法律制度实施、实施保障与监督法律制度完善这四个方面。从进一步细化长江流域协调机制的职能与权限、促进长江流域协调机制的共建共治、强化长江流域协调机制的法律责任角度提出长江流域协调机制实施建议。从充分发挥协调机制统筹作用、充分发挥长三角生态示范区试点效应并通过科技助力长江流域绿色发展角度提出长江流域绿色发展法律制度实施建议。从《长江保护法》与相关资源保护立法、污染防治立法、生态环境修复立法之间缺乏协调性等方面提出了生态环境修复法律制度实施建议。从多元保障体系助力《长江保护法》充分实施、密织监督之网、完善实施的配套措施角度提出实施保障与监督法律制度完善建议。典型案例评析部分以违法对象为标准选取典型案例，包括非法捕捞水产品案例、环境污染案例、非法捕猎野生动物案例、非法采矿案例。

本书由长江保护与绿色发展研究院、江苏长江保护与高质量发展研究基地组织编写。感谢在本书的具体编写过程中付出辛勤劳动的各位专家学者，包括王春业、原野、王启辉、闫夏秋、王震，李华琪等。在本书编写过程中，编写人员坚持法治思维为主线，以问题为导向，深入分析长江经济带高质量发展过程中流域法治所面临的挑战与未来的发展方向，从而确保内容的前瞻性、实用性和易读性。本书的编纂参阅了众多文献、统计资料和调研成果。鉴于资料繁多且来源多样，在此我们向所有文献资料提供者及有关机构表示感谢。同时，书中观点仅代表作者个人看法，如有不足之处，敬请读者不吝赐教。我们期望通过本书的出版，激发公众对长江问题的关注，促进更多人投身于长江保护与研究领域，共同推动长江经济带向高质量发展迈进。